高效率！

人資、業務、倉儲、專案經理必學的

博碩文化

Excel 函數與視覺化圖表完全解析

黃渟儀 著

職場必會的**活用技巧**大公開！

圖文對照教學，幫助掌握工作效率提升的必備祕訣

一次學會儲存格、工作表的編輯原理以及排序與篩選的實用技巧

圖表
析表
現，
理力
及問題解決力

輕鬆運用公式與函數，零失誤、快速搞定統計分析報表

有效學習資料分析與視覺化圖表的重點概念，面對巨量資料也沒問題

高效率！人資、業務、倉儲、專案經理必學的 Excel 函數與視覺化圖表完全解析

作　　者：黃瀞儀
責任編輯：曾婉玲

董 事 長：蔡金崑
總 經 理：古成泉
總 編 輯：陳錦輝

出　　版：博碩文化股份有限公司
地　　址：221 新北市汐止區新台五路一段 112 號 10 樓 A 棟
電話 (02) 2696-2869　傳真 (02) 2696-2867

郵撥帳號：17484299　戶名：博碩文化股份有限公司
博碩網站：http://www.drmaster.com.tw
讀者服務信箱：DrService@drmaster.com.tw
讀者服務專線：(02) 2696-2869 分機 216、238
（週一至週五 09:30 ～ 12:00；13:30 ～ 17:00）

版　　次：2018 年 5 月初版

建議零售價：新台幣 320 元
I S B N：978-986-434-306-5（平裝）
律師顧問：鳴權法律事務所 陳曉鳴 律師

本書如有破損或裝訂錯誤，請寄回本公司更換

國家圖書館出版品預行編目資料

高效率！人資、業務、倉儲、專案經理必學的 Excel 函數與視覺化圖表完全解析 / 黃瀞儀著 . -- 初版 . -- 新北市：博碩文化 , 2018.05
面；　公分
ISBN 978-986-434-306-5(平裝)

1.EXCEL(電腦程式)

312.49E9　　107007240

Printed in Taiwan

序言

從事資訊軟體教育已經二十年了，每當去企業做Excel相關的軟體教育訓練課程時，經常會有參與課程的長官反映說「Excel的函數好難啊」，或是詢問如何透過Excel的功能，來讓工作效率更有效提升，這使得筆者思考該如何介紹函數，讓使用者只要具備Excel的「資料處理」觀念，即可隨心所欲地運用於其職場上。

在開始著手進行本書時，曾仔細思考過整個Excel軟體中有那麼多的功能，要著重於哪個部分呢？幾經思考後，決定將重點放在資料分析及透過函數執行資料整理，而最終結果則是以圖表來顯示。因此，當使用者設計並編輯完前置架構後，之後的運用只需修改其來源數值，即可得到所要的結果。

本書於職場的運用上可分為數個區塊，分別為人資管理、專案進度管理、財務規劃及物流管理等，也就是就組織而言，其物流、金流及人資相關部門所需的功能都已盡量納入其中。希望本書能滿足使用者的需求，若有不足之處，請多包涵，可發mail共同討論。

在此感謝微軟主管、單位同事，在寫書的這段過程中，予以極大的協助，也感謝我的家人，在我寫書的這段日子中，給予最大的支持。

黃滸儀 謹識

angellin0620@gmail.com

● 範例檔的下載

本書介紹的範例與圖片都已收錄於範例檔，請讀者依內容自行參考及使用。

URL http://www.drmaster.com.tw/Bookinfo.asp?BookID=MI21809

目錄

Chapter 01 員工資料與人事管理

1.1 製作員工資料表 ······ 002

1.1.1 用 MID 函數提取身分證資訊 ······ 002

1.1.2 套用 DATEDIF 函數計算年資 ······ 004

1.1.3 運用圖表分析年資比例 ······ 006

1.2 考勤系統建置 ······ 014

1.2.1 利用日期函數製作考勤表 ······ 015

1.2.2 善用統計函數進行員工考績管理 ······ 019

1.2.3 考績紀錄之進、捨位管理 ······ 026

1.3 製作員工薪資表 ······ 028

1.3.1 利用邏輯函數計算薪資 ······ 028

1.3.2 利用 VLOOKUP 函數核算保險各項金額 ······ 030

1.3.3 製作薪資明細表 ······ 033

1.3.4 運用圖表進行各類薪資比較圖 ······ 038

Chapter 02 專案進度追蹤

2.1 建立任務表 ······ 046

2.1.1 外部資料匯入 ······ 046

2.1.2 利用資料剖析執行資料整理 ······ 051

2.2 使用甘特圖分析任務執行 ······ 055

2.2.1 製作甘特圖 ···· 055

2.2.2 製作有「追蹤線」的甘特圖 ···· 062

Chapter 03 企業財務預測與規劃分析

3.1 資金需求量預測 ···· 068

3.1.1 透過 INDEX 函數建立預測模型 ···· 068

3.1.2 用 INTERCEPT 函數建立迴歸分析 ···· 072

3.2 營運費用線性預測 ···· 074

3.2.1 線性 LINEST 函數應用 ···· 074

3.2.2 運用圖表進行營運分析 ···· 076

3.3 預測產量與生產成本 ···· 078

3.3.1 使用 GROWTH 函數預測 ···· 079

3.3.2 運用圖表趨勢線分析 ···· 081

3.4 善用迴歸分析與規劃求解 ···· 085

3.4.1 迴歸分析工具設定與使用 ···· 085

3.4.2 執行規劃求解 ···· 087

Chapter 04 企業銷售與稅金綜合分析

4.1 單項銷售收入與成本分析 ···· 096

4.1.1 運用 IF 函數進行各項成本分析 ···· 096

4.1.2 使用圖表分析 ···· 103

4.2 年度收入、成本及稅金分析 ···· 107

4.2.1 透過文字函數進行資料整理 ···· 108

4.2.2 使用圖表分類解讀 ···· 114

4.3 銷售收入與成本年度對比 ······ 117
4.3.1 善用連結進行年度彙總 ······ 118
4.3.2 使用圖表進行各項別對比 ······ 119

Chapter 05 產品存貨管理

5.1 建立產品清單 ······ 128
5.1.1 運用 CONCAT 函數做資料整併 ······ 130
5.1.2 運用格式化規則進行分類 ······ 138
5.2 庫存產品查詢 ······ 144
5.2.1 產品存貨模型製作 ······ 144
5.2.2 使用 VLOOKUP 函數查詢庫存明細 ······ 150
5.2.3 利用樞紐分析表進行各類別統計 ······ 153
5.2.4 利用圖表呈現各類別實際狀況 ······ 159
5.2.5 使用 SUMPRODUCT 函數計算進貨資金 ······ 161

Chapter 06 新產品問卷調查

6.1 問卷設計及製作 ······ 164
6.2 接收問卷結果 ······ 170
6.2.1 自動接收問卷結果 ······ 171
6.2.2 利用巢狀函數進行資料解碼 ······ 175
6.3 統計調查結果 ······ 179
6.3.1 利用條件計數函數做資料分析 ······ 179
6.3.2 用 REPT 函數製作價位圖形分析 ······ 182
6.3.3 透過圖表分析受訪者條件 ······ 184
6.3.4 透過圖表分析產品定位 ······ 195

員工資料與人事管理

不論是在何種組織下，員工資料對其都是非常重要的公司資產。目前員工資料的建置，依組織型態不同而有所區別，在龐大的組織體系中，其資料建置管理是以人資單位為基本，但若是在中小型企業中，此類資料的建置則是由行政單位負責較多。在中、大型組織中，建置員工資料大部分是經由 HR 或是 ERP 管理系統，而在小型企業中，卻有可能是在 MS Excel 中對此建置及管理，透過這樣的建檔方式可將員工資料有效的資訊化，便於日後的人事分析、查詢及升遷、獎懲管理。在本章中將透過不同的範例說明向讀者介紹。

1.1 製作員工資料表

身爲組織單位的管理者通常會在每年度固定期間，對員工資料及能力等檢核，因此在使用 MS Excel 建置員工資料時，常見有些使用者會將姓名、地址等紀錄放在同一欄位中，但以現在的資訊量龐大的環境中，前述的建置方式只會增加資料處理分析者的工作負擔，因此將資料欄位做必需的分割，使其提升資訊的有效利用度，就變得非常重要。

而爲了日後做分析及管理的方便性，筆者建議資料欄位可依未來查詢或是篩選要件，來進行其分割條件，並建議在製作員工資料時，勿使用多重欄位表格建置。

1.1.1 用 MID 函數提取身分證資訊

在員工資料表上，我們常見的欄位會有姓、名、出生日期、性別、身分證字號、地址、連絡電話及 Mail 等資料。而在大部分的情況下，都是由資料建立者將其完整地逐一輸入，殊不知這樣的方式是耗時的、且可能有無法預知的錯誤產生，因此筆者建議透過函數的使用，來提升速度及加強資料的正確性。在這部分的練習中，因爲是要透過身分證資訊來取得性別，因此我們藉由文字函數 MID，將可判斷性別之字元求出。

STEP 01 開啟「範例\CH1\原始檔案\員工管理.xlsx」活頁簿，點選「員工」工作表，選取儲存格 E2，執行「公式功能區→函數庫群組→文字」，在展開的下拉式清單中點選 MID 函數。

STEP 02 在「函數引數」視窗中，依視窗說明分別輸入所需資訊。在第一個欄位中，要輸入判斷性別時所需資料來源，於此點選「D2」；在第二個欄位中，要輸入從依據來源的文字串中的起始字元位置，於此輸入「2」；在第三個欄位中，要輸入傳回的字元數，於此輸入「1」，接著按下 確定 鈕後，可看到顯示正確資訊之結果。

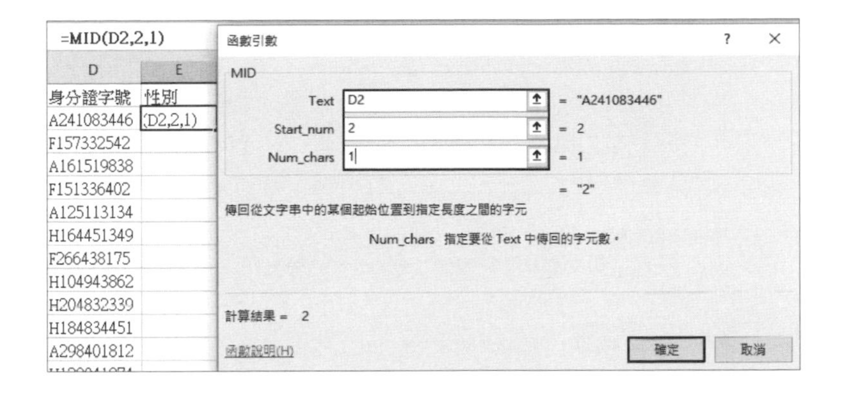

STEP 03 經過 MID 函數執行後，可得到性別欄位的值為「1」或「2」，不過這與工作場合中的需求仍有差距，因此透過 IF 函數執行再次資料轉換。選取儲存格 E2，將函數變更為「=IF(MID(D2,2,1)="1"," 男 "," 女 ")」，如下圖所示。輸入完成後，按下 ✓ 鈕，即會顯示性別。

=IF(MID(D2,2,1)="1","男","女")

名	身分證字號	性別	出生日期	到職
淑卿	A241083446	","女")	1982/10/28	2
力高	F157332542	1	1979/7/5	2
喜洋	A161519838	1	1974/6/9	2

STEP 04 為了完成所有員工的性別，將游標置於儲存格 E2 右下角，利用拖曳填滿方式，向下拖曳至儲存格 E23，結果如下圖所示。

=IF(MID(D2,2,1)="1","男","女")

名	身分證字號	性別	出生日期	到職日期
淑卿	A241083446	女	1982/10/28	2008/4/20
力高	F157332542	男	1979/7/5	2010/8/27
喜洋	A161519838	男	1974/6/9	2007/5/12
全生	F151336402	男	1976/12/2	2002/3/2

函數小提示　IF 函數

當要利用身分證字號來求得性別時，需透過邏輯函數及文字函數組合，而這樣的使用稱之為「巢狀函數」。在上述範例中使用的邏輯函數為 IF 函數，其函數架構如下圖。第一個欄位是條件判斷，於此我們藉由 MID 函數找出「1」或「2」，並判斷為「1」者；第二個欄位是當條件判斷成立時所顯示的符合情境；第三個欄位是當條件判斷不成立時所顯示的情境。以這次的範例解釋，當有所吻合條件判斷式時，便會顯示為「男」，而未能符合判斷條件式時，便顯示為「女」。

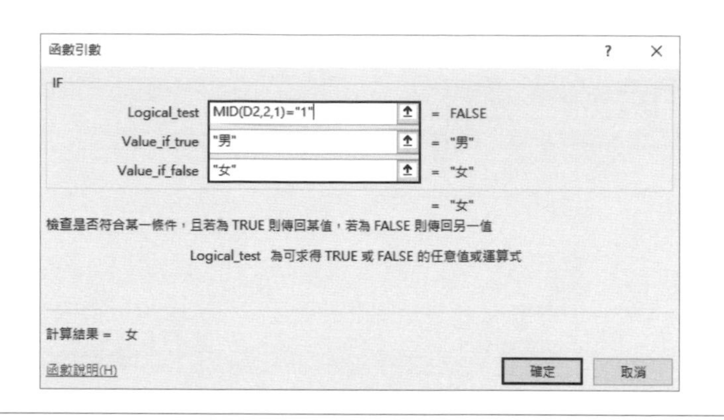

1.1.2 套用 DATEDIF 函數計算年資

良好的企業單位通常都會精算員工的年資或年齡等資訊，以便在公司的體制下有較佳的安排，爲了能快速完成且得到完整精確資訊，可透過 DATEDIF 函數自動算出這些資訊。

對大部分使用者而言，DATEDIF 函數算是個極爲陌生的函數，所以若讀者在短時間內無法理解 DATEDIF 函數的方便性，亦可利用 IF 函數及 MONTH 函數的巢狀組合，也可求得相同的結果。

STEP 01 點選「年齡與年資」工作表，選取儲存格範圍 J2：J23，直接輸入「=DATEDIF(F2,TODAY(),"Y")」，輸入完成後，按下 ✓ 鈕，即會顯示年齡，利用拖曳填滿方式向下至儲存格 J23，如此所有年齡均會顯示。

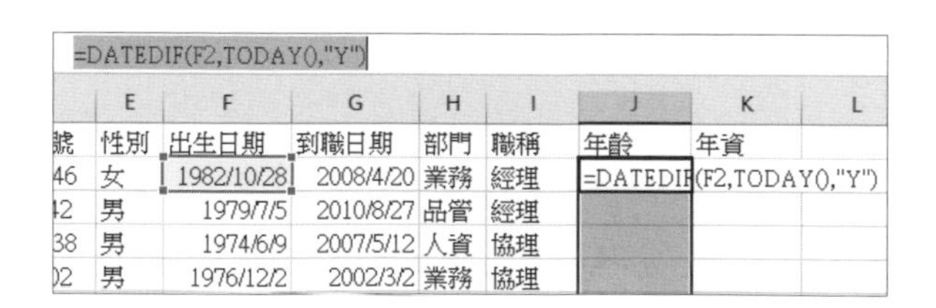

	E	F	G	H	I	J	K	L
號	性別	出生日期	到職日期	部門	職稱	年齡	年資	
46	女	1982/10/28	2008/4/20	業務	經理	=DATEDIF(F2,TODAY(),"Y")		
12	男	1979/7/5	2010/8/27	品管	經理			
38	男	1974/6/9	2007/5/12	人資	協理			
02	男	1976/12/2	2002/3/2	業務	協理			

函數小提示 DATEDIF 函數

DATEDIF 函數在 MS Excel 中是屬於隱藏函數，通常這類型的函數可在 MS Access 函數庫內檢視其資訊，故其函數意義及設定方法極為相同。此函數間主在執行傳回兩個日期間的間隔數。

其語法架構為：

DATEDIF(start_date,end_date,unit)

各欄位之說明如下：

- ❏ start_date：代表期間的第一天或開始日的日期。
- ❏ end_date：代表期間的最後一天或結束日的日期。
- ❏ unit：所要傳回的資訊類型。例如：年（Y）、月（M）、日（D），以及忽略年、月的日差異（MD）、忽略年、日的月差異（YM）及忽略年的日差異（YD）。

STEP 02 在年資欄位部分，要顯示的資訊為「X年X月」。首先，選取儲存格K2，執行「公式功能區→函數庫群組→文字」，在展開的下拉式清單中點選CONCAT函數。在「函數引數」視窗中，將插入點置於第一個欄位內，並輸入「=DATEDIF(G2,TODAY(),"Y")」，接著在第二個欄位輸入「"年"」。

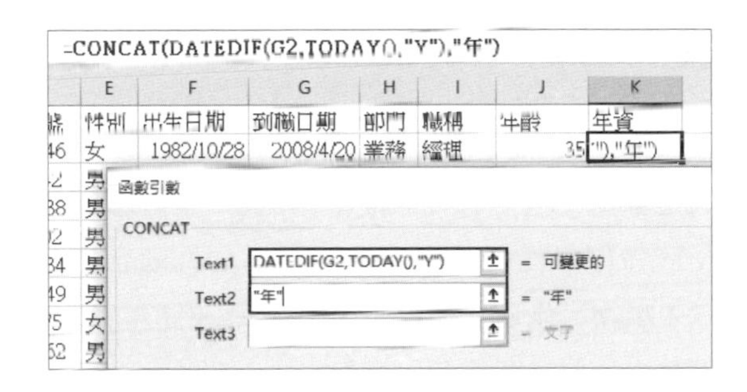

STEP 03 在第三個欄位內輸入「=DATEDIF(G2,TODAY(),"YM")」，接著在第四個欄位輸入「"月"」，然後按下 確定 鈕（CONCAT函數是屬於文字函數內的串聯函數，當多個文字、數值須串接在同一個儲存格時，可利用此函數執行）。

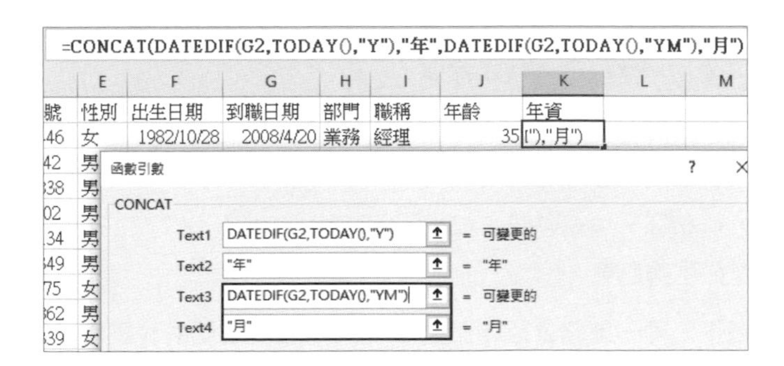

STEP 04 利用拖曳填滿方式，向下拖曳至儲存格 K23，如此所有年資均會顯示。

=CONCAT(DATEDIF(G4,TODAY(),"Y"),"年",DATEDIF(G4,TODAY(),"YM"),"月")

	E	F	G	H	I	J	K	L
號	性別	出生日期	到職日期	部門	職稱	年齡	年資	
46	女	1982/10/28	2008/4/20	業務	經理	35	9年9月	
42	男	1979/7/5	2010/8/27	品管	經理	38	7年5月	
38	男	1974/6/9	2007/5/12	人資	協理	43	10年8月	
02	男	1976/12/2	2002/3/2	業務	協理	41	15年10月	
34	男	1982/4/20	2009/6/30	製造	技師	35	8年7月	

對於 DATEDIF 函數而言，應用的範圍著實非常廣泛，在人資或是行政部門可能只是用於計算年資或是年齡範圍，但在於製程、業務或是會計部門，則可以用於計算成品交期、製程交期或是貨款的付款期限等。

1.1.3 運用圖表分析年資比例

站在管理部門的角度，如果要了解組織內的年資與部門單位等分布狀況時，最理想且快速方式便是透過圖表示意。透過圖表的方式，可以讓瀏覽者於有限時間內接收相關的訊息，並藉此做出最佳的判斷方法。在下面的練習中，所要建立與分析年資相關的圖表分別有「職務與年資的關係性」及「職務與年資、年齡的關係性」，這些的圖表在組織單位中的人力資源管理，是有莫大助益的。

STEP 01 開啟上一小節的範例，先對資料進行處理，以方便之後圖表的製作。選取儲存格範圍 I2：I23，透過 Ctrl + C 鍵進行複製後，滑鼠點選儲存格 P2，並透過 Ctrl + V 鍵進行貼上。因為要執行的是「職務與年資、年齡間的關係分析」，因此要將複製後的資料整理為「一種職務名稱只顯示一次」。執行「資料功能區→資料工具群組→移除重複項」，在展開的視窗中勾選「我的資料有標題」，並按下 確定 鈕，如此便會顯示如下圖結果。

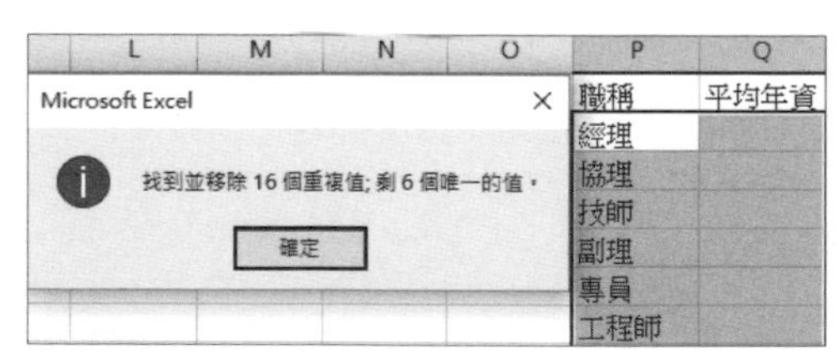

STEP 02 在同組織下，同一職務會因年齡的關係，而產生不同的分區層，因此接著對年齡做一個簡單的整理。選取儲存格 Q2，並執行「公式功能區→其他群組→統計」，在展開的下拉式清單中點選 AVERAGEIF 函數。在「函數引數」視窗中，將插入點置於第一個欄位內，點選摺疊範圍鈕，設定為「I2：I999」；在第二個欄位中，

將範圍設定為「P2」；在第三個欄位中，將範圍設定為「L2：L999」，然後按下 確定 鈕。

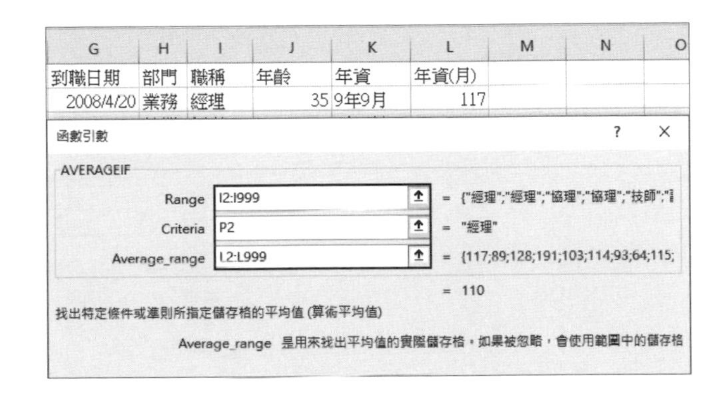

函數小提示 AVERAGEIF 函數

AVERAGEIF 函數是屬於統計函數中的條件式平均，其應用範圍為即將執行平均範圍中再加上篩選條件，也就是找出只符合條件式的平均值。

其語法架構為：

AVERAGEIF(Range, Criteria ,Average_range,)

各欄位之說明如下：

- ❑ Range：包括篩選條件式下的欲篩選範圍。
- ❑ Criteria：設定篩選條件式。
- ❑ Average_range：篩選條件範圍所對應的數值範圍。

STEP 03 由於在組織中的人事是會持續增加的，因此在設定範圍時可將列數範圍擴大，另外為了避免錯誤值的發生，在條件式範圍及平均值範圍上，都要加上混合儲存格的概念，來將列數鎖定。接著，利用拖曳填滿方式，向下拖曳至儲存格 Q7，如此所有職稱的平均年資將會計算完成。

=AVERAGEIF(I$2:I$999,P2,$L2:L$999)

函數引數

AVERAGEIF

Range I$2:I$999 = {"經理";"經理";"協理";"協理";"技師";...

Criteria P2 = "經理"

Average_range $L2:L$999 = {117;89;128;191;103;114;93;64;11...

= 110

找出特定條件或準則所指定儲存格的平均值 (算術平均值)

F	P	Q
出生日期	職稱	平均年資
1982/10/28	經理	:L$999)
1979/7/5	協理	120
1974/6/9	技師	93
1976/12/2	副理	120.5
1982/4/20	專員	123.75
1985/8/24	工程師	66

STEP 04 在上列的步驟中，顯示的年資是以「月」為計算單位，但在職場中的年資卻是以「年」為計算單位，為了讓年資以正確的單位顯示，故在其編輯資料列上，將函數公式修改為「=INT((AVERAGEIF(I$2:I$999,P2,$L2:L$999))/12)」，按下 ✓ 鈕，並再執行自動往下填滿。

=INT((AVERAGEIF(I$2:I$999,P2,$L2:L$999))/12)

I	J	K	L	M	N	O	P	Q	R
職稱	年齡	年資	年資(月)				職稱	平均年資	平均年齡
經理	35	9年9月	117				經理	9	36
經理	38	7年5月	89				協理	10	40
協理	43	10年8月	128				技師	7	35
協理	41	15年11月	191				副理	10	34
技師	35	8年7月	103				專員	10	35
副理	32	9年6月	114				工程師	5	34

STEP 05 選取儲存格 Q2，使用相同的函數。在「函數引數」視窗中，將插入點置於第一個欄位內，並點選摺疊範圍鈕，設定為「I2：I999」；在第二個欄位中，將範圍設定為「P2」；在第三個欄位中，將範圍設定為「J2：J999」，並分別將儲存格範圍鎖定為「I$2：I$999」、「J$2：J$999」，按下 確定 鈕。透過往下拖曳自動填滿功能，即可將各職務之平均年齡計算出。

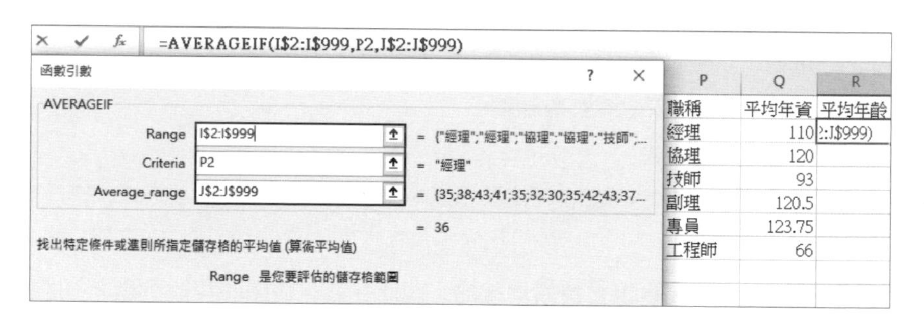

STEP 06 可發現所求的平均年齡小數點有多位數，在此筆者只取整數部分進行。選取儲存格 R2，在資料編輯列中，將原函數修改為「=INT(AVERAGEIF(I$2:I$999,P2,J$2:J$999))」，按下 ✓ 鈕，並再執行自動往下填滿。

=INT(AVERAGEIF(I$2:I$999,P2,J$2:J$999))

I	J	K	L	M	N	O	P	Q	R
職稱	年齡	年資	年資(月)				職稱	平均年資	平均年齡
經理	35	9年9月	117				經理	110	:J$999))
經理	38	7年5月	89				協理	120	40.66667
協理	43	10年8月	128				技師	93	35
協理	41	15年11月	191				副理	120.5	34.25
技師	35	8年7月	103				專員	123.75	35.55556

STEP 07 為完成其圖表分析，選取儲存格範圍 P1：Q6，執行「插入功能區→圖表群組」，點選「直條圖」的下拉式清單，於其中點選平面直條圖的第一個選項，圖表立即因應而產生。

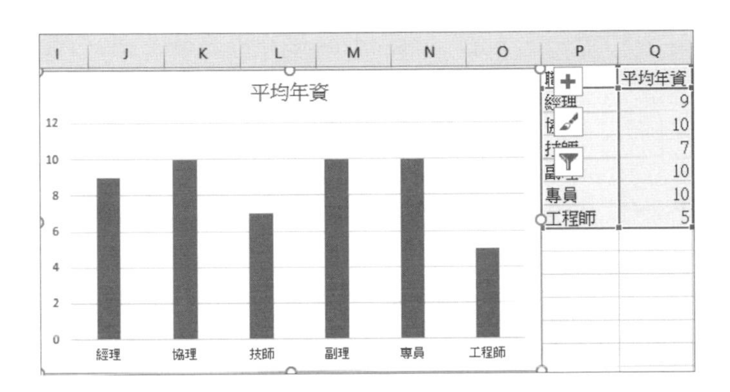

STEP 08 當圖表完成後，可加以調整為容易檢視資訊畫面。執行「圖表工具→設計功能區→位置群組→移動圖表」。在「移動圖表」視窗中，點選「新工作表」，並在其欄位內輸入「職稱與年資關係圖」，按下 確定 鈕（若圖表完成後所需印製大小是要符合印表機設定的紙張，筆者建議透過建立新工作表方式來顯示圖表）。

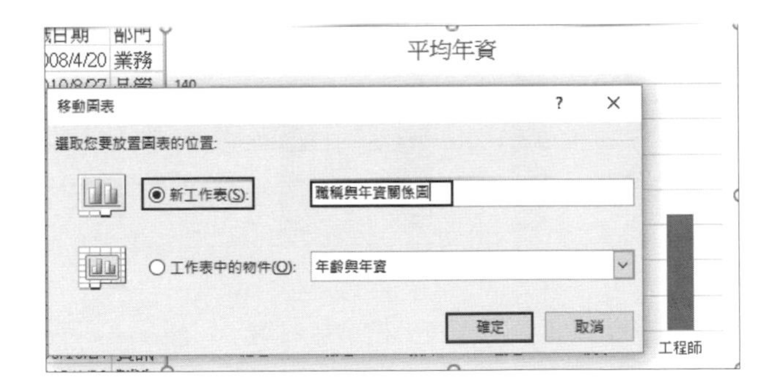

STEP 09 此時的圖表仍缺乏圖表上該有的資訊，例如：圖表標圖、座標軸標題、圖表標籤資料等，執行「圖表工具→設計功能區→圖表版面配置群組→快速版面配置」。在開啟的下拉式清單中，點選「版面配置 9」，接著分別輸入圖表標圖、橫軸座標軸標題及縱軸座標軸標題。

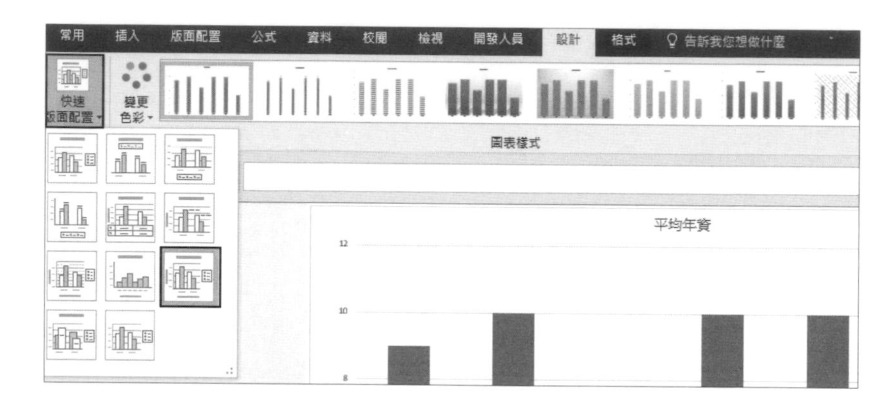

STEP 10 選取圖表右側的 + 標籤，在其開啟的清單中勾選「資料標籤」，並在其子項中點選「其他選項」。在右側的功能窗中，可設定標籤數值的顯示格式。

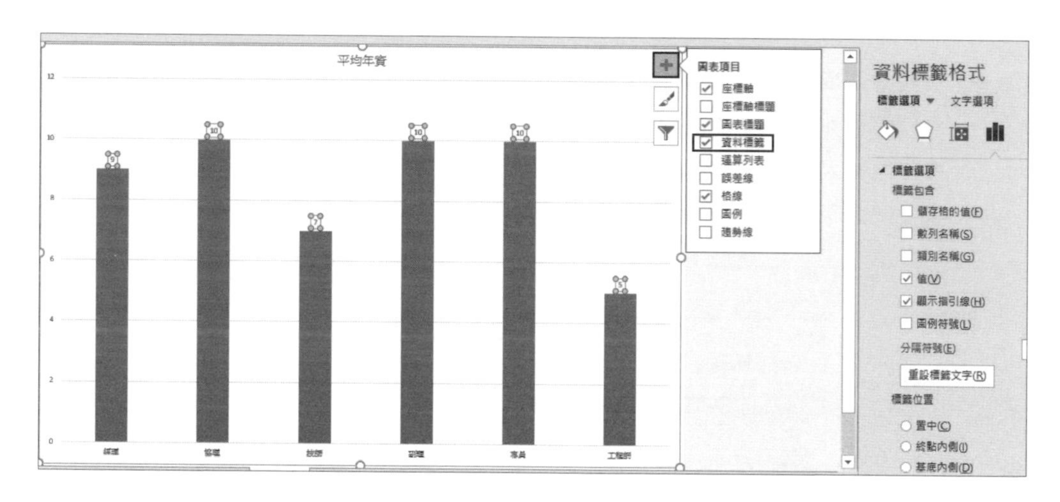

STEP 11 選取「職稱與年資關係圖」工作表，按滑鼠右鍵，在其快顯功能表中點選「移動或複製」。在視窗中勾選「建立複本」，按下 確定 鈕。將新建立之工作表位置置於「年齡與年資」之前，對新工作表之名稱修改為「職稱與年齡關係圖」，並在分別修改圖表標題為「職務與年齡關係直條圖」及縱座標軸標題為「平均年齡」。

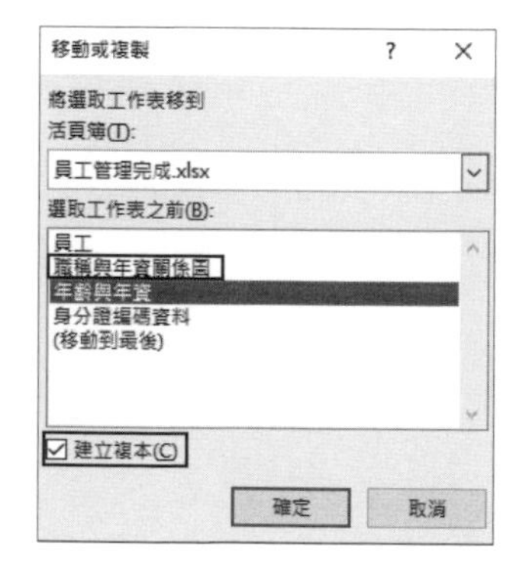

STEP 12 選取上述步驟的圖表，執行「圖表工具→設計功能區→資料群組→選取資料」，在開啟的視窗中點選 編輯(E) 鈕。在「編輯數列」視窗中，將「數列名稱」欄位中的值變更為「= 年齡與年資 !$R$1」，「數列值」欄位內容變更為「= 年齡與年資 !$R$2:$R$7」，連按兩下 確定 鈕，即將此圖表修改完成。

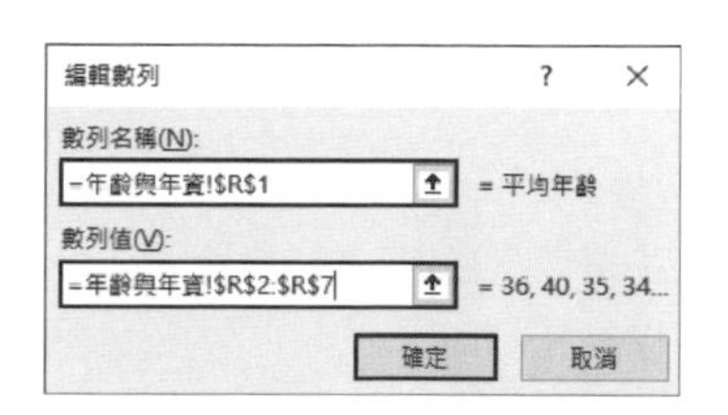

STEP 13 接著要製作的圖表為職務、年齡與年資三者間的關係圖表。選取儲存格範圍 P1：R6，執行「插入功能區→圖表群組」右下角的「查看所有圖表」。在「插入圖表」視窗中，點選「所有圖表標籤→組合式→群組直條圖 - 折線圖」，在「平均年齡」的部分勾選「副座標軸」，按下 確定 鈕。透過快速版面配置功能，將其分別增加圖表標題及縱、橫軸標題。再執行「圖表工具→設計功能區→位置群組→移動圖表」，在「移動圖表」視窗中，點選「新工作表」，並在其欄位內輸入「年資與年齡關係圖」，按下 確定 鈕。

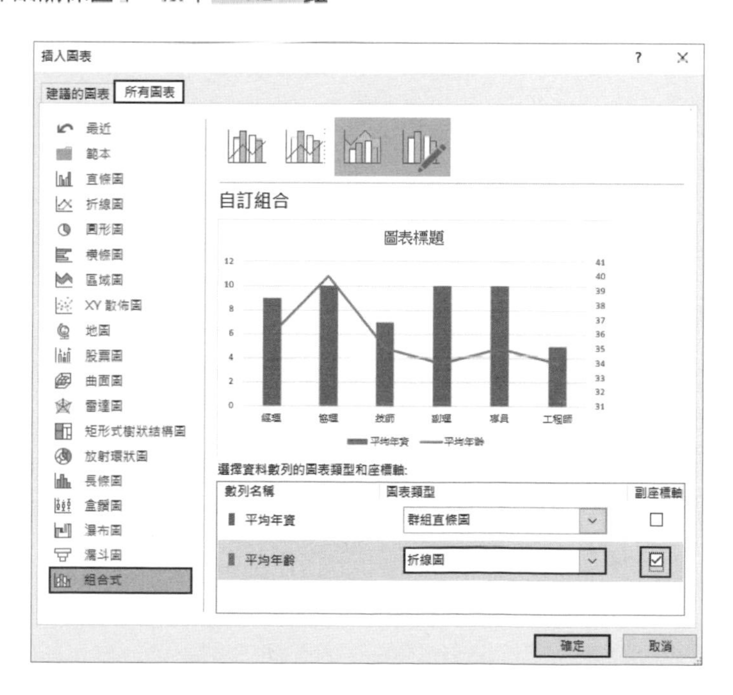

STEP 14 在完成的圖表上，可發覺在年齡部分並未有縱座標軸標題，點選圖表右側的 ＋ 標籤，在其開啟的清單中點選「座標軸標題」，並在其子項中勾選「副垂直」，如此便顯示副垂直軸標題區塊，可將其修正為「年齡」。

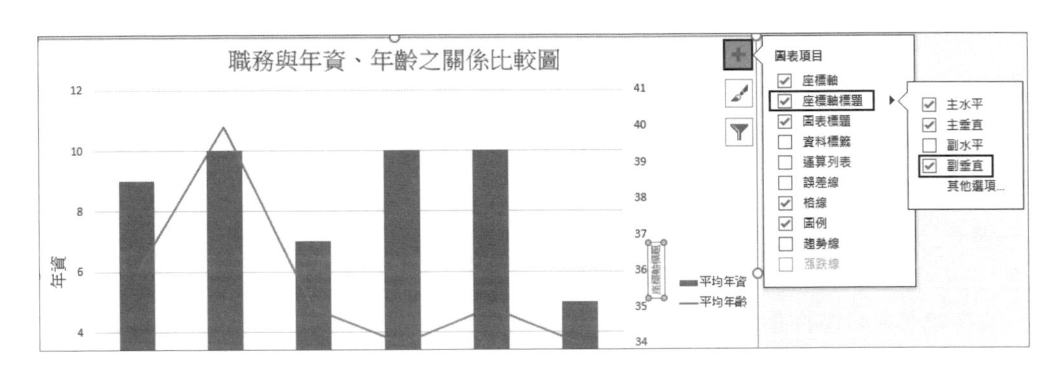

STEP 15 若要變更座標軸標題的文字方向，選取縱軸標題，點選「座標軸標題→其他選項」。在視窗右側的功能窗格中，於「文字方向」的下拉式清單中點選「垂直」，如此文字方向即可變更。

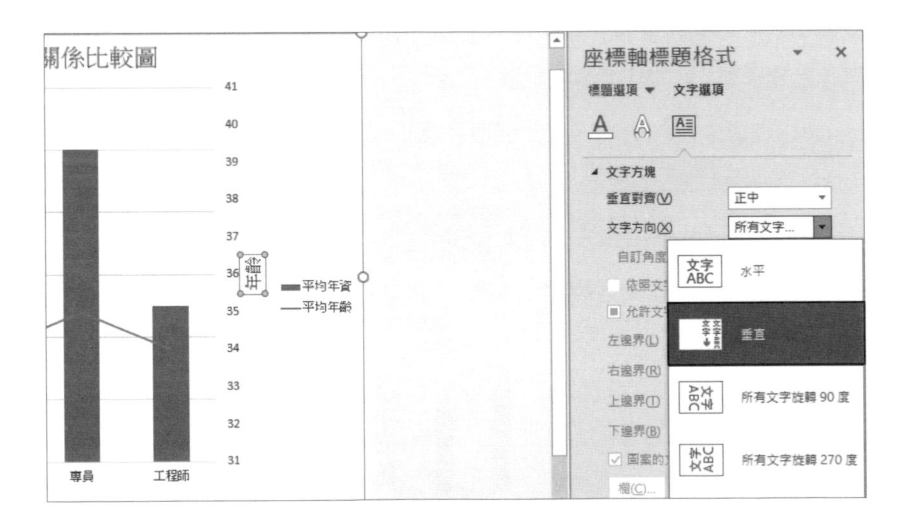

STEP 16 選取代表年齡之「折線圖」，在右側功能窗格的「線條」範圍中，將其寬度變更為「4pt」。接著，在「標記」範圍部分展開「標記選項」設定，將其標記改選為「內建」，並將「大小」變更為「10」。

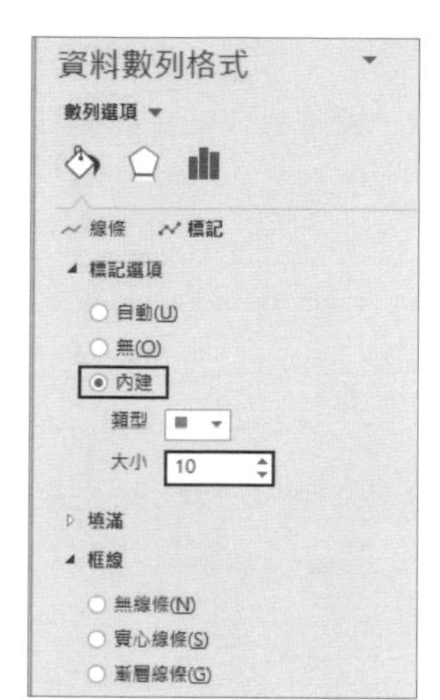

STEP 17 選取代表年資之「直條圖」，執行「圖表工具→格式功能區→圖案樣式群組→圖案填滿」。在其下拉式清單中，點選「漸層→其他漸層」，在右側視窗顯示的功能窗格的「填滿」選項上，由預設值的「實心填滿」改選為「圖案填滿」，並選取「對角線：淺色左斜」圖樣。

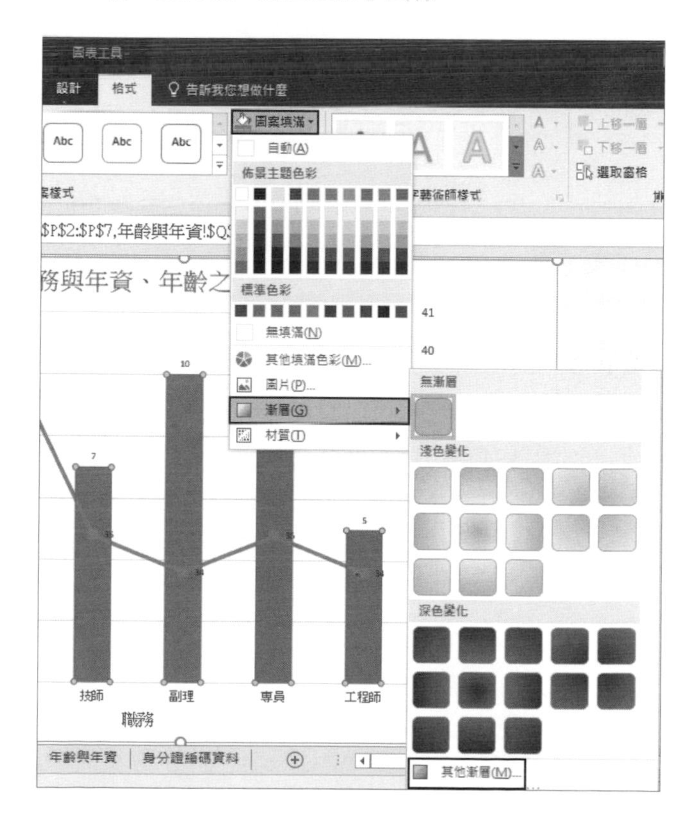

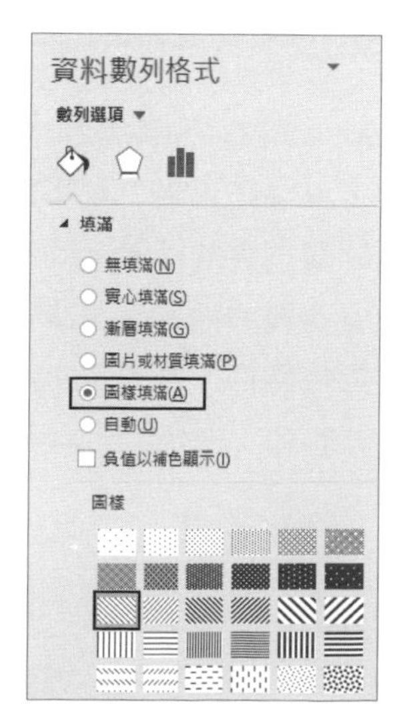

STEP 18 選取圖表右側的 + 標籤，在其開啟的清單中勾選「資料標籤」，當各圖表的資料標籤顯示後，管理者在檢視此圖表時，便可馬上了解此圖表上各職務的直條圖及折線圖所代表之意義。

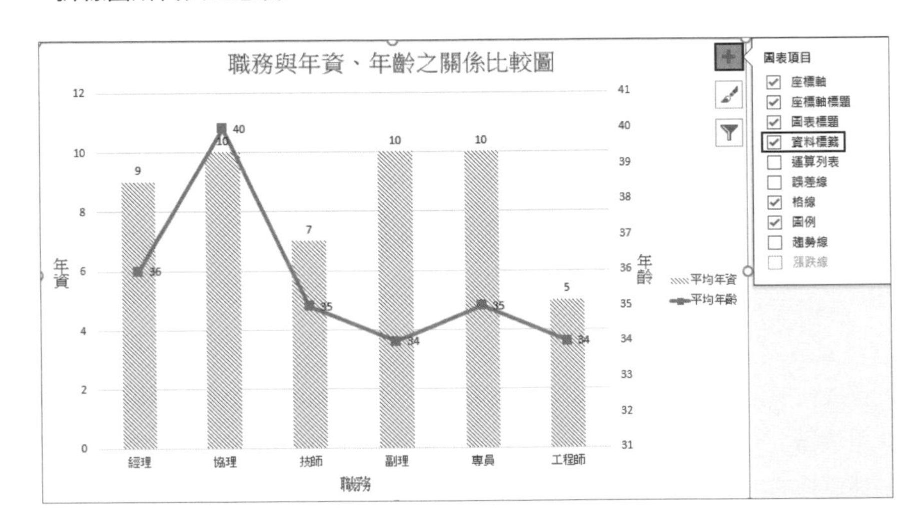

上列將年資、年齡與職務這三者的關係分別透過函數與圖表做結合，只要在人事資料的紀錄有所增加時，工作表「年齡與年資」的平均年齡與平均年資便會及時調整為最正確之資訊，而其所對應的圖表亦會隨之而調整。

1.2 考勤系統建置

員工的出、缺勤紀錄及其請假狀態，對組織單位的人事管理無疑是一個很大的課題，以現在人人手上都有行動裝置而言，考勤的紀錄已由以往的親到親為打卡，慢慢轉變為雲端打卡或是 APP 打卡，而這些打卡紀錄的背後端便是一龐大的資料表，透過資料的輸入及處理，可讓人事管理部門加速計算員工的出勤狀況與薪資架構間的對等關係。在下面的範例中，筆者假設中小型企業尚未將出缺勤紀錄採用資料庫方式管理，而是採用 MS Excl 的方式運作。

1.2.1 利用日期函數製作考勤表

STEP 01 開啟「範例\CH1\原始檔案\考勤紀錄.xlsx」活頁簿，點選「簽到記錄」工作表，選取儲存格 C3，執行「公式功能區→函數庫群組→日期和時間」。在顯示的函數下拉式清單中，點選 DATE 函數，接著在「函數引數」視窗上，分別於第一個欄位內輸入「2018」(欲執行計算考績當年的西元年)；第二個欄位內選取「A1」(欲計算考績的當月)；第三個欄位內輸入「1」(每個月分的第一天)，按下 確定 鈕。

STEP 02 接下來，要將該月份的其他日期輸入完成。選取儲存格 E3，在資料編輯列輸入「=C3+1」，按下 ✓ 鈕，往右拖曳自動填滿。

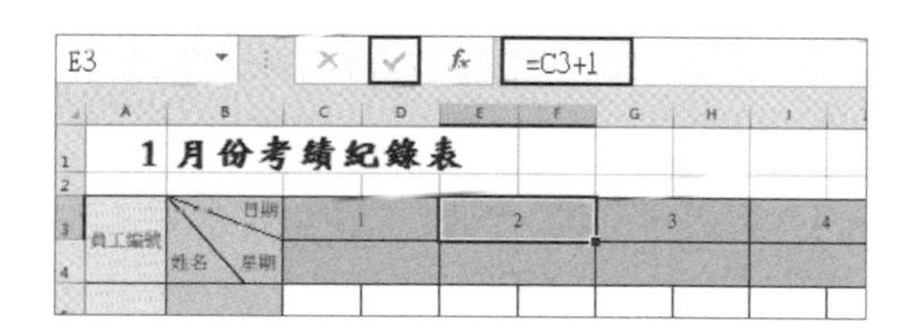

STEP 03 透過函數運算，將該日期所對應的星期資料顯示出來。選取儲存格 C4，執行「公式功能區→函數庫群組→日期和時間」，在顯示的函數下拉式清單中，點選 WEEKDAY 函數，在「函數引數」視窗上的第一個欄位中點選「C3」，在第二個欄位中輸入「2」，按下 確定 鈕。

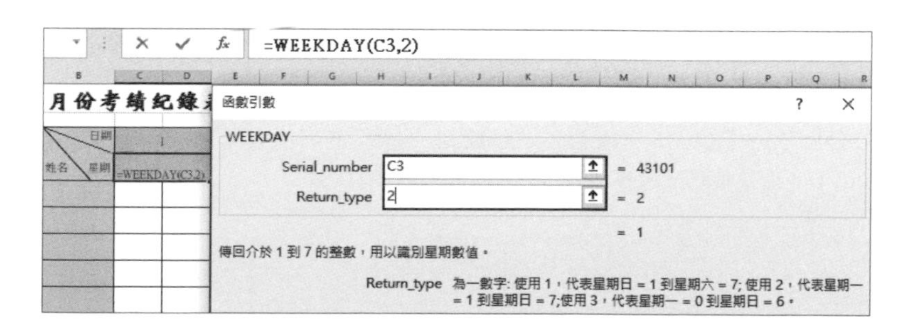

函數小提示 WEEKDAY 函數

WEEKDAY 函數是在日期函數中可以運算日期的相對星期函數，並透過 1~7 的數值來識別星期數值。

其語法架構為：

WEEKDAY(Serial_number, Return_type)

各欄位之說明如下：

- Serial_number：代表要尋找之該天日期的值，日期必須使用 DATE 函數輸入，或為其他公式或函數的結果。
- Return_type：決定傳回值類型的數字。使用 1，代表星期日 =1 到星期六 =7；使用 2，代表星期一 =1 到星期日 =7；使用 3，代表星期一 =0 到星期日 =6。

STEP 04 上述步驟完成後，可發覺其顯示的數值為 1~7 的重複值，為了讓其顯示為「一」至「日」，因此將透過其他函數組合。執行「公式功能區→函數庫群組→查詢與參照」，在顯示的函數下拉式清單中使用的是 CHOOSE 函數。選取儲存格 C4，並在其資料編輯列上，將原有的函數列修改為「=CHOOSE(WEEKDAY(C3,2),"一","二","三","四","五","六","日")」，按下 ✓ 鈕，並再執行自動往右填滿。

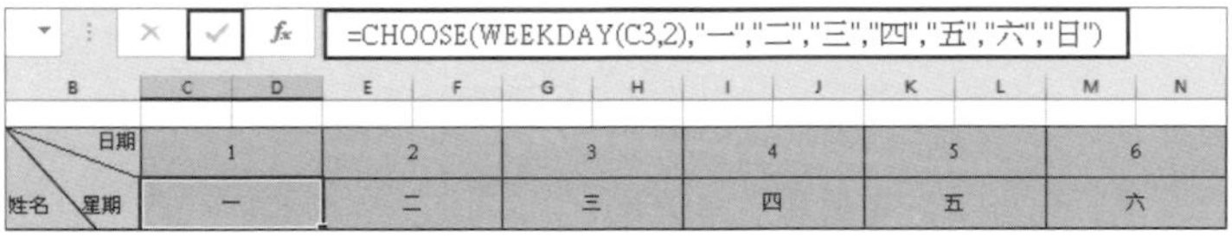

=CHOOSE(WEEKDAY(C3,2),"一","二","三","四","五","六","日")

姓名 \ 日期 / 星期	1	2	3	4	5	6
星期	一	二	三	四	五	六

函數小提示 CHOOSE 函數

CHOOSE 函數是屬於查詢與參照函數，其函數意義是指根據所指定的索引值，傳回引述串列中的相對引數值。

其語法架構為：

CHOOSE(Index_num, Value1, Value2,⋯)

各欄位之說明如下：

- Index_num：為指定所要選取的引數值，它必須為 1~254 之間的數值，或是包含數值 1~254 的公式或儲存格參照。
- Value1, Value2,⋯：Value1 是必要的，後續的值是選用的，為 1 到 254 個值引數，此參數可以為數值、儲存格參照、定義名稱、公式、函數或是文字。

STEP 05 為了避免當日期為空值，而在星期欄位中顯示錯誤的星期資訊，因此將透過 IF 函數將空值的條件置入。選取儲存格 C4，並在其資料編輯列上，將原有的函數列修改為「=IF(C3="","",CHOOSE(WEEKDAY(C3,2),"一","二","三","四","五","六","日"))」，按下 ✓ 鈕，並再執行自動往右填滿。

=IF(C3="","",CHOOSE(WEEKDAY(C3,2),"一","二","三","四","五","六","日"))

B	C	D	E	F	G	H	I	J	K	L	M	N
日期	1		2		3		4		5		6	
姓名 星期	一		二		三		四		五		六	

STEP 06 在顯示「六」、「日」的儲存格顯示不同的顏色。選取儲存格範圍 C4：BK4，執行「常用功能區→樣式群組→設定格式化的條件」，在顯示的下拉式清單中點選「新增規則」，在「新增格式化規則」視窗中選取「只格式化包含下列的儲存格」，將其格式化條件設定為「特定文字」且「開頭以六」表示，接著點按 格式(F)... 鈕，在「儲存格格式」視窗中點選「填滿」標籤，選取「圖案樣式」為「12.5% 灰色」，連按兩下 確定 鈕。

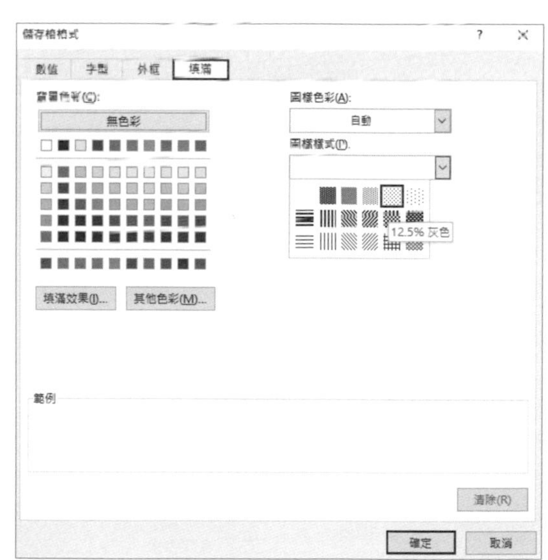

STEP 07 重複上列步驟的執行動作，但這次將格式化條件設定為「特定文字」且「開頭以日」表示，接著點選 格式(F)... 鈕，在「儲存格格式」視窗中點選「填滿」標籤，選取圖案樣式為「12.5% 灰色」，連按兩下 確定 鈕。其結果會在「六」、「日」的儲存格上顯示不同的效果，以示區別。

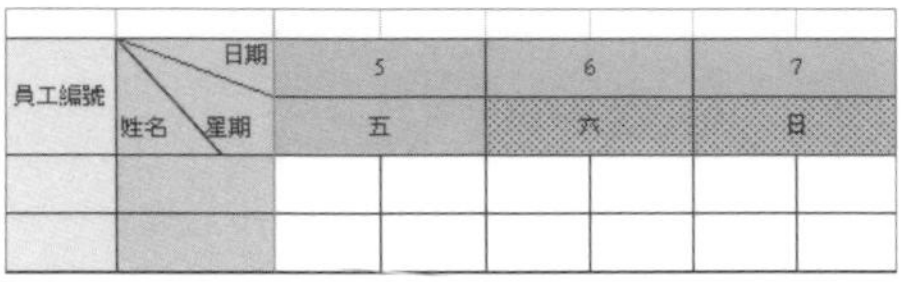

員工編號	日期 姓名 星期	5		6		7	
		五		六		日	

STEP 08 若要製作公司整年度各月份的考績紀錄，只需選取工作表進行複製，修改工作表名稱後，在將滑鼠點選儲存格 A1，並將其值修改為其他月份值，如此各日期所對應之星期值，即會隨之產生改變。

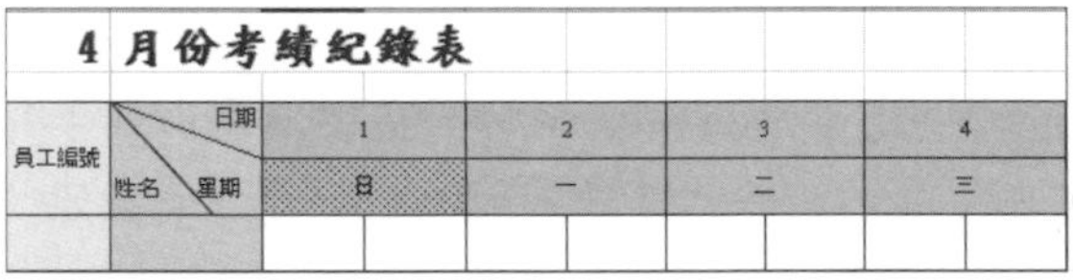

4 月份考績紀錄表

員工編號	日期 姓名 星期	1		2		3		4	
		日		一		二		三	

STEP 09 在已有員工編號的資料下，若要快速完成員工名稱，則選取儲存格 B5，將插入點置於資料編輯列內，輸入「= 員工基本資料 !B2& 員工基本資料 !C2」，按下 ✓ 鈕，往下拖曳自動填滿。

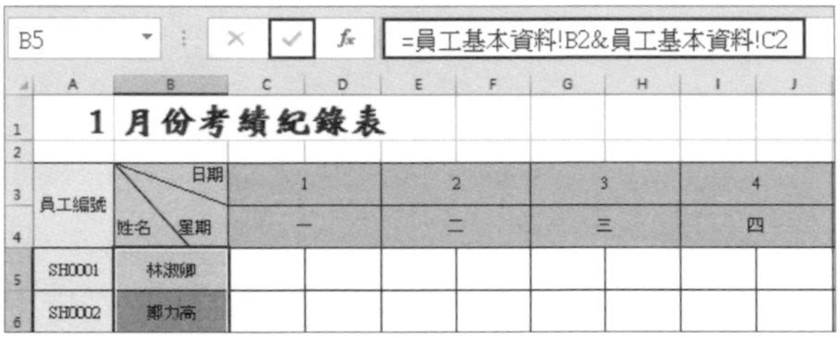

B5 =員工基本資料!B2&員工基本資料!C2

	A	B	C	D	E	F	G	H	I	J
1	**1 月份考績紀錄表**									
2										
3	員工編號	日期	1		2		3		4	
4		姓名 星期	一		二		三		四	
5	SH0001	林淑卿								
6	SH0002	鄭力高								

STEP 10 可將每日簽到及簽退紀錄於儲存格範圍 C5：BL26 內輸入。為了檢視上的方便，分別選取星期六和星期日的所在欄位，按下滑鼠右鍵後，在其快顯功能表中點選「隱藏」，如下圖所示。

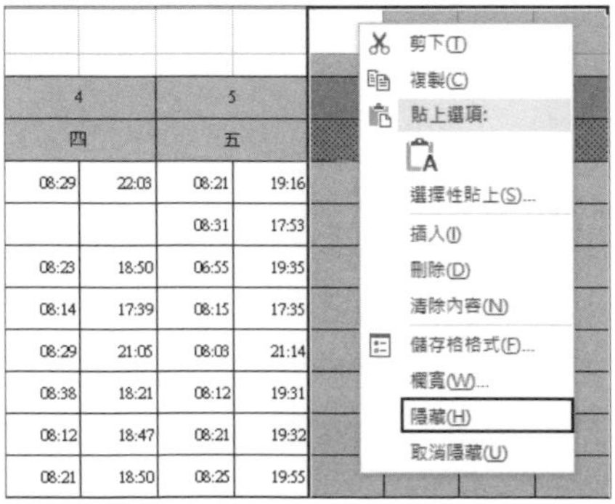

4		5	
四		五	
08:29	22:03	08:21	19:16
		08:31	17:53
08:23	18:50	06:55	19:35
08:14	17:39	08:15	17:35
08:29	21:05	08:03	21:14
08:38	18:21	08:12	19:31
08:12	18:47	08:21	19:32
08:21	18:50	08:25	19:55

剪下(T)
複製(C)
貼上選項:
選擇性貼上(S)...
插入(I)
刪除(D)
清除內容(N)
儲存格格式(F)...
欄寬(W)...
隱藏(H)
取消隱藏(U)

STEP 11 當整張資料建立且將隱藏欄位均設定完成後，其顯示結果如下圖。

1 月份考績紀錄表

員工編號	日期／星期／姓名	1		2		3		4		5		8	
		一		二		三		四		五		一	
SH0001	林淑卿	08:46	19:56	08:46	19:56	08:38	18:41	08:29	22:03	08:21	19:16	08:39	22:12
SH0002	鄭力高									08:31	17:53	08:23	17:39
SH0003	汪喜洋	08:46	18:59	08:46	18:59	08:20	18:35	08:23	18:50	06:55	19:35	08:28	18:04
SH0004	劉全生	08:46	17:42	08:46	17:42	08:12	17:38	08:14	17:39	08:46	17:35	08:13	18:41

1.2.2 善用統計函數進行員工考績管理

在組織中，員工的薪資是由底薪、加給、津貼、獎金及相關保險費用所構成，而且其簽到、簽退及請假的情況會對薪資有絕對的影響，因此行政、人事等相關部門對於簽到、簽退及請假情況的統計，是非常嚴謹的。為了能在薪資核發的前幾天，有效率的完成相關資訊，可善用統計相關函數達成此類任務。

STEP 01 點選「簽到統計」工作表，選取儲存格 C2，執行「公式功能區→函數庫群組→其他函數→統計」。在其下拉式清單中點選 COUNTIF 函數，在「函數引數」視窗上的第一個欄位中，透過摺疊鈕選取範圍「簽到記錄 !5:5」；在第二個欄位中輸入「">8:50"」，按下 確定 鈕。於此部分所計算出的是該人員於當月的簽到、簽退紀錄晚於上班時間的次數，並非是正確的數值。

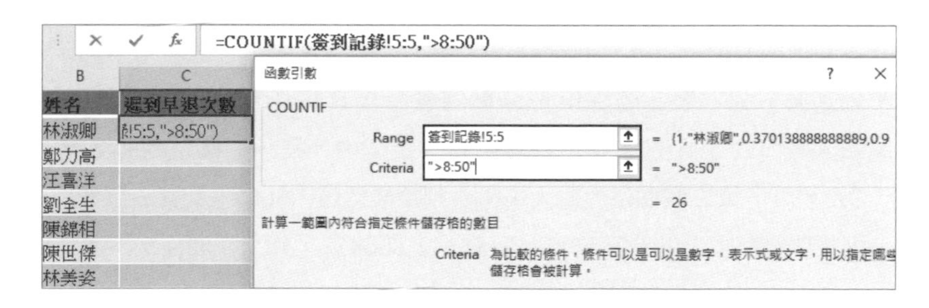

函數小提示　COUNTIF 函數

COUNTIF 函數是屬於條件式統計函數，此函數是由 COUNT 及 IF 兩個函數所組合而成，前者是計數函數，而後者則是邏輯條件判斷函數，因此兩個函數所構成的即是條件式計數函數。

其語法架構為：

COUNTIF(Range, Criteria)

各欄位之說明如下：

❑ Range：為一個或多個欲被計數的儲存格範圍，其範圍值可為文字、數值等參照值。

❑ Criteria：為比較條件，條件可以是數值、文字或是表示式。

STEP 02 在上一步驟中，將簽到與簽退時間晚於8:50視為遲到，是不正確的，因此在儲存格C2的資料編輯列上，就原有的函數變更為「=COUNTIF(簽到記錄!5:5,">8:50")-COUNTIF(簽到記錄!5:5,">18:00")」，按下✓鈕。

=COUNTIF(簽到記錄!5:5,">8:50")-COUNTIF(簽到記錄!5:5,">18:00")

B	C	D	E	F	G	H
姓名	遲到早退次數	遲到罰款	加班時間	加班工資	請假天數	
林淑卿	5:5,">18:00")					
鄭力高						
汪喜洋						

STEP 03 為了讓未填上員工名稱的部分，其儲存格顯示為空值，因此在將資料編輯列上的函數修改為「=IF(B2="","",COUNTIF(簽到記錄!5:5,">8:50")-COUNTIF(簽到記錄!5:5,">18:00"))」，按下✓鈕，並再執行自動往下填滿。

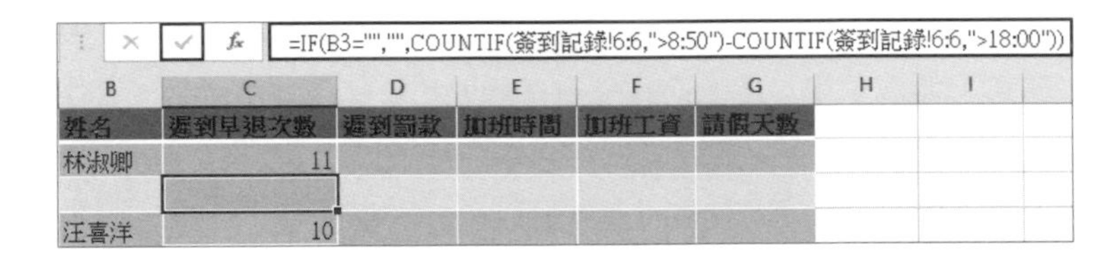

STEP 04 計算遲到罰款部分，其罰款金額可參考右側罰款資訊，在此表格中顯示會有3種不同罰款方式，因此若採用IF函數時會是巢狀IF函數。選取儲存格D2，點選邏輯函數內的IF函數，在「函數引數」視窗中，第一個欄位內輸入最上層條件「C2<=3」，第二個欄位內輸入未符合判斷條件值「$L$2」，第三個欄位內輸入另一則條件判斷式「IF(C2<=6,C2*$L$3,C2*$L$4)」，輸入完成後按下 確定 鈕。

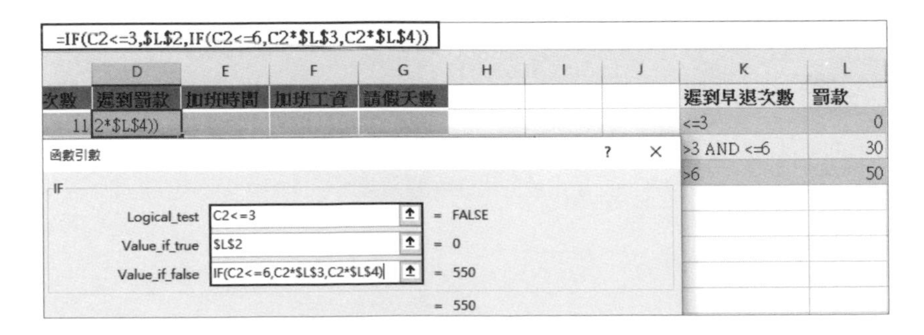

STEP 05 將 C 欄值可能為空值的情境置入。選取儲存格 C2，並將滑鼠插入點置於資料編輯列上，將巢狀 IF 函數修改為「=IF(C2="","", IF(C2<=3,$L$2,IF(C2<=6,C2*$L$3,C2*$L$4)))」。輸入完成後，選取儲存格 C2，往下拖曳自動填滿。

=IF(C2="","",IF(C2<=3,$L$2,IF(C2<=6,C2*$L$3,C2*$L$4)))

B	C	D	E	F	G
姓名	遲到早退次數	遲到罰款	加班時間	加班工資	請假天數
林淑卿	11	2*$L$4)))			
鄭力高	12				
汪喜洋	10				

STEP 06 在「簽到記錄」工作表中，部分欄位內並無簽到、簽退紀錄，接下來將就此部分計算請假天數。選取儲存格 G2，並點選統計函數內的 COUNTBLANK 函數，在其視窗的欄位內輸入「簽到記錄 !C5:BL5」，按下 確定 鈕。

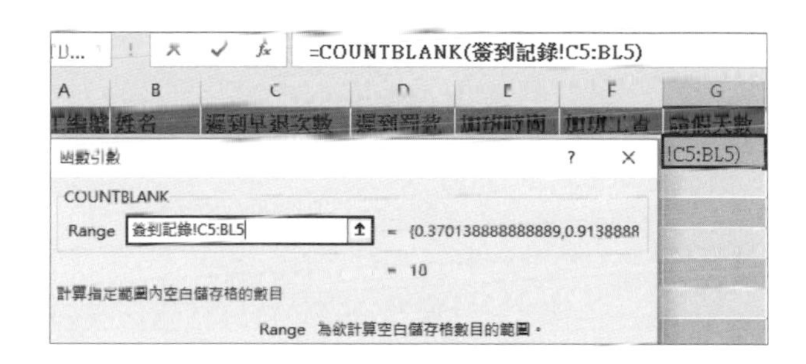

STEP 07 在上述步驟中，所完成的值是包含星期六、星期日及每日計算兩次的空值。選取儲存格 G2，並在其資料編輯列上，將函數修改為「=COUNTBLANK(簽到記錄 !C5:BL5)/2-8」，輸入完成後，選取儲存格 G2，往下拖曳自動填滿，即可完成各員工在該月份的請假狀況。

=COUNTBLANK(簽到記錄!C5:BL5)/2-8

B	C	D	E	F	G
姓名	遲到早退次數	遲到罰款	加班時間	加班工資	請假天數
林淑卿	11	550			1
鄭力高	12	600			10.5
汪喜洋	10	500			0
劉全生	21	1050			3
陳錦相	12	600			0

函數小提示 COUNTBLANK 函數

COUNTBLANK 函數是屬於統計函數，其功能為在固定範圍內計算儲存格為空值的數量多寡。

其語法架構為：

COUNTBLANK (Range)

各欄位之說明如下：

- Range：為一個或多個欲被計數的儲存格範圍，其範圍值可為文字、數值等參照值。

STEP 08 完成後，結果呈現的是「時間格式」，並非是「天數」的正確格式。選取儲存格範圍 G2：G23，執行「常用功能區→數值群組」。在其右下角點開「數字格式」，於「儲存格格式」視窗的「數值」標籤的「類別」選單中點選「通用格式」。

當簽到、簽退之考績資料整理後，接著還需要處理的有加班工時的計算。雖說在目前有部分企業是屬於責任制的管理，但生產、製程、品管等仍是有加班狀況之產生，進而對加班工時及費用的計算有所需求。

STEP 01 點選「簽到記錄」工作表，選取儲存格 C28，要計算簽退時間與下班時間的時間差異，因此採用 IF 函數。開啟 IF 函數視窗，輸入第一個欄位值為「C5>$B$34」，第二個欄位值為「C5-$B$34」，第三個欄位值為「0」，輸入完成後按下 確定 鈕，並往右拖曳自動填滿。

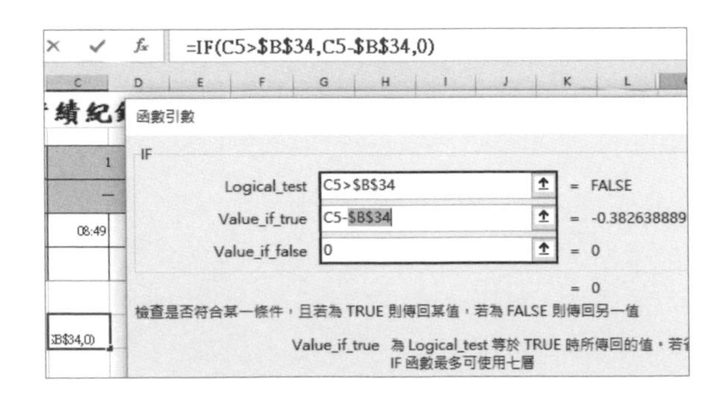

STEP 02 在簽到紀錄上，一般是呈現hh:mm的時間格式，因此選取儲存格範圍C29：BL29，執行「常用功能區→數值群組」，在其右下角點開「數字格式」，於「儲存格格式」視窗的「數值」標籤的「類別」選單中點選「自訂」，在其類型中選取「hh:mm」，按下 確定 鈕。因選擇的是第一位員工的資料，因此目前呈現的是第一位員工的每日加班時數。

STEP 03 將每日加班時數統計加總。選取儲存格BL29，執行「常用功能區→編輯群組→自動加總」，在其下拉式清單中選取 Σ 加總(S) 鈕，完成確定後，即顯示該員工的加班總時數。選取儲存格範圍C29：BM29，往下拖曳複製填滿至所有員工之加班時數計算完成。

1	月份考績紀錄表											
員工編號	日期	1		2		3		4		5		8
	姓名 星期	一		二		三		四		五		一
SH0001	林淑卿	08:49	21:56	08:49	21:56	08:38	18:41	08:29	22:03	08:21	19:16	08:51
SH0002	鄭力高									08:31	17:53	08:23
		00:00	03:56	00:00	03:56	00:00	00:41	00:00	04:03	00:00	01:16	00:00
簽到、簽退說明：		00:00	00:00	00:00	00:00	00:00	00:00	00:00	00:00	00:00	00:00	00:00
上班時間為：		00:00	00:59	00:00	00:59	00:00	00:35	00:00	00:50	00:00	01:35	00:00
	08:50	00:00	00:12	00:00	00:12	00:00	00:00	00:00	00:00	00:00	00:00	00:00
下班時間為：		00:00	02:09	00:00	02:09	00:00	00:12	00:00	03:05	00:00	03:14	00:00
	18:00	00:00	00:00	00:00	00:00	00:00	00:20	00:00	00:21	00:00	01:31	00:00

STEP 04 選取儲存格範圍 BM29：BM50，按下 Ctrl + C 鍵進行複製。開啟「簽到統計」工作表，選取儲存格 E2，執行「常用功能區→剪貼簿群組→貼上」，在其下拉式清單中點選鈕，如此當每位員工的加班工時有所變更時，在本章的工作表上亦會隨之修正。

STEP 05 回到「簽到記錄」工作表，在前幾個步驟中所計算出每位員工的加班工時資料必須隱藏於工作表上。選取儲存格範圍 BM29：BM50，執行「常用功能區→數值群組」，在其右下角點開「數字格式」，於「儲存格格式」視窗的「數值」標籤的「類別」選單中點選「自訂」，在其類型中輸入「;;」，按下 確定 鈕後，即可看到選區範圍內的資料已不復見。

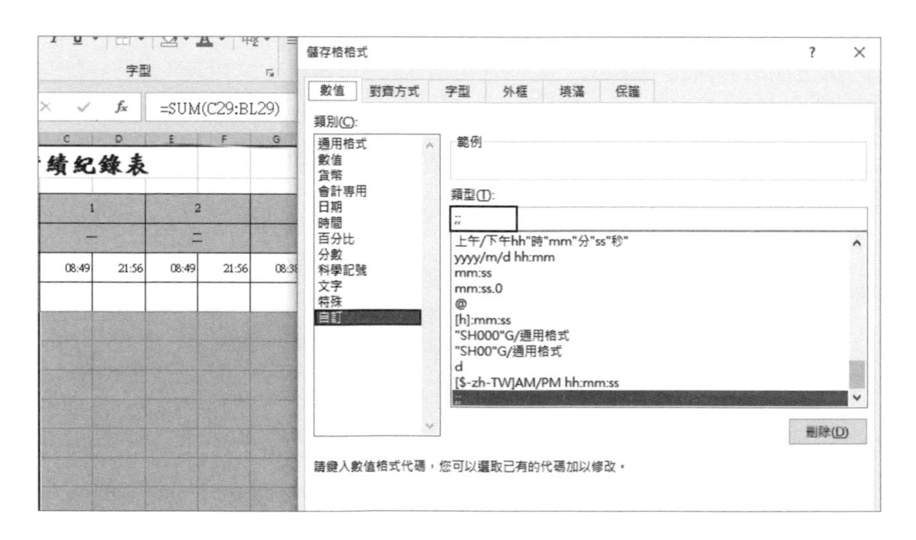

STEP 06 接著計算加班工資，點選儲存格 F2，在其資料編輯上內輸入「=HOUR(ROUNDUP(E2*24/0.5,)*0.5/24)*80」，輸入完成後，往下拖曳至儲存格 F22 執行自動複製。

	D	E	F	G
	遲到罰款	加班時間	加班工資	請假天數
	450	11:33	00:00	1
	550	02:41		10
	350	14:16		0

=HOUR(ROUNDUP(E2*24/0.5,)*0.5/24)*80

STEP 07 上列的結果所顯示的格示為「hh:mm」，因工資的部分應屬於數字或是貨幣，選取儲存格範圍 F2：F23，執行「常用功能區→數值群組」。在其欄位下拉式清單中點選「數值」，其結果如下圖所示。

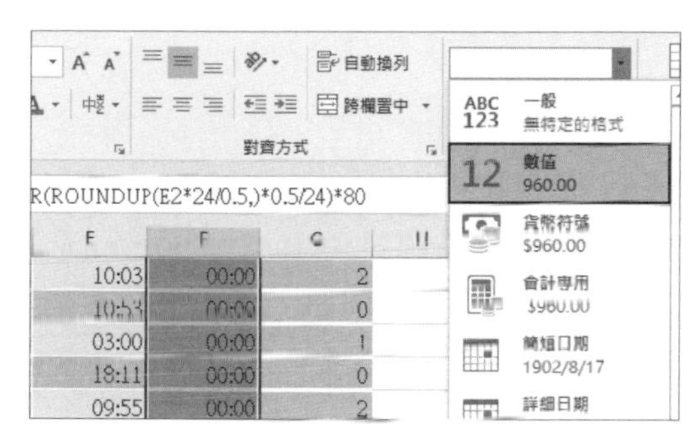

=HOUR(ROUNDUP(E2*24/0.5,)*0.5/24)*80

C	D	E	F	G
遲到早退次數	遲到罰款	加班時間	加班工資	請假天數
9	450	11:33	960.00	1
11	550	02:41	240.00	10
7	350	14:16	1120.00	0
14	700	04:07	320.00	3
12	600	22:15	1760.00	0

說明　加班費

在今年度勞基法修法後，對加班費之定義及計算方式有所修正，對平日加班費之計算方式說法如下：

勞動基準法第 24 條第 1 項：如雇主有使勞工每日工作時間超過 8 小時者，或每週工作超過 40 小時者，應依法給付加班費，其標準為：

- 延長工作時間在 2 小時以內者，按平日每小時工資額加給 3 分之 1 以上。
- 再延長工作時間在 2 小時以內者，按平日每小時工資額加給 3 分之 2 以上。

STEP 08 而計算出之結果有 2 位小數，再次選取儲存格範圍 F2：F23，執行「常用功能區→數值群組」。點選右下角的 .00→.0 鈕，來減少小數位數，其結果如下圖所示。

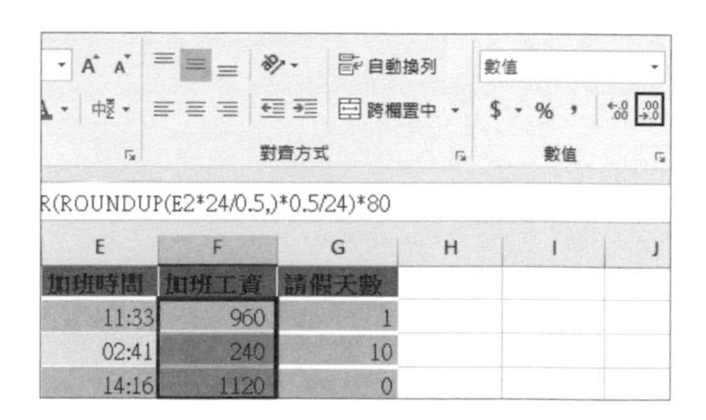

E	F	G	H	I	J
加班時間	加班工資	請假天數			
11:33	960	1			
02:41	240	10			
14:16	1120	0			

1.2.3 考績紀錄之進、捨位管理

當該月之請假天數完成計算後之結果，有時會有小數位數的呈現，對管理單位而言，是個需要解決的問題。因應每個組織的管理方式不同，而有不同的進、捨位方式。因此，以下就幾種可能發生之情境分別做介紹。

方式一：請假天數未滿一天卻以一天論

當請假天數未滿一天卻以一天處理時，在數字應用上可視爲無條件進位，當員工於到勤日未有完整的簽到、簽退紀錄者，均視爲請假狀況，如此不僅可讓員工於到勤後用心於組織內之事務，萬一有突發狀況導致無法繼續該日之工作，亦可盡早進行相關交接，以便於讓組織業務進行是屬於無斷軌狀況。站在組織管理面上，這是較爲便於管理方式。

STEP 01 選取儲存格範圍 G2，將插入點置於資料編輯列上，並輸入 ROUNDUP。在輸入過程中會顯示與 ROUND 相關的函數清單，於此處點選「ROUNDUP」，並連按滑鼠左鍵兩下，即會進入函數編輯。

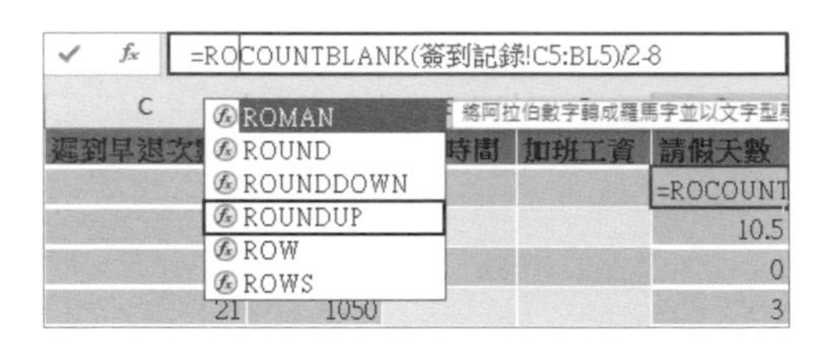

STEP 02 將資料編輯列上的函數修改為「=ROUNDUP(COUNTBLANK (簽到記錄 !C5:BL5)/2-8,0)」，輸入完成後，複製填滿至儲存格 G23，即可把請假天數部分整理完成。

函數小提示 ROUNDUP 函數

ROUNDUP 函數為數學函數中的常用函數，其定義為四捨五入的無條件進位。

其語法架構為：

ROUNDUP (Number, Num_digits)

各欄位之說明如下：

- ❑ Number：為要進位之資料範圍，其範圍執內可以為數值、運算式或是公式。
- ❑ Num_digits：為所要進位的小數位數，0 或省略不填，則進位至最接近的整數。

方式二：請假天數未滿一天視為遲到

當組織內的員工因臨時狀況而請假未滿一天時，若以一天計算，恐有損害員工之權利，因此有部分單位就將其狀況視爲遲到或早退之情境處理。

STEP 01 選取儲存格範圍 G2，將插入點置於資料編輯列上，並輸入 ROUNDDOWN。在輸入過程中，顯示與 ROUND 相關的函數清單，於此處點選「ROUNDDOWN」，並連按滑鼠左鍵兩下，即會進入函數編輯。

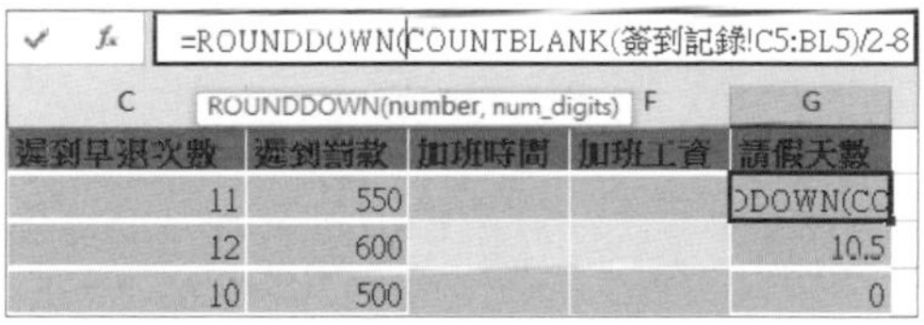

=ROUNDDOWN(COUNTBLANK(簽到記錄!C5:BL5)/2-8

ROUNDDOWN(number, num_digits)

C			F	G
遲到早退次數	遲到罰款	加班時間	加班工資	請假天數
11	550			DDOWN(CO
12	600			10.5
10	500			0

STEP 02 將資料編輯列上的函數修改為「=ROUNDDOWN (COUNTBLANK (簽到記錄 !C5:BL5)/2-8,0)」，輸入完成後，複製填滿至儲存格 G23，即可把請假天數部分整理完成。

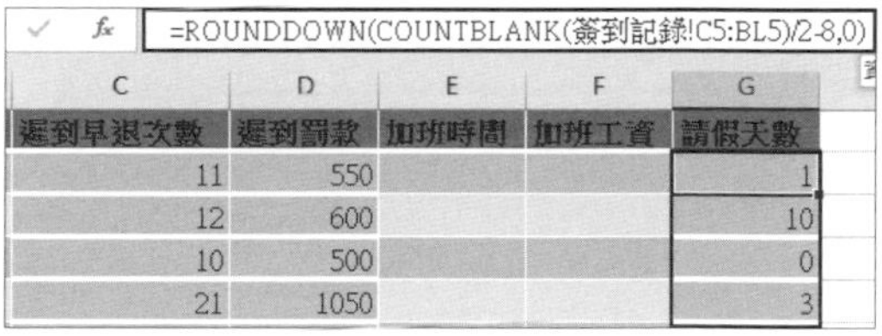

=ROUNDDOWN(COUNTBLANK(簽到記錄!C5:BL5)/2-8,0)

C	D	E	F	G
遲到早退次數	遲到罰款	加班時間	加班工資	請假天數
11	550			1
12	600			10
10	500			0
21	1050			3

函數小提示　ROUNDDOWN 函數

ROUNDDOWN 函數為數學函數中的常用函數，其定義為四捨五入的無條件捨位。

其語法架構為：

ROUNDDOWN (Number, Num_digits)

各欄位之說明如下：

- Number：為要捨位之資料範圍，其範圍值內可以為數值、運算式或是公式。
- Num_digits：為所要捨位的小數位數，0 或省略不填，則捨位至最接近的整數。

1.3 製作員工薪資表

當所有的條件均具備後，對行政、人事部門便可依據這些資料進行薪資計算，這些薪資有可能在不同條件下遇到薪資變動因素，因此建議所有的運算均以函數與位址的組合性爲最佳。

1.3.1 利用邏輯函數計算薪資

STEP 01 點選「薪資表」工作表，選取儲存格 E2，在此欄位將採用公式計算。將插入點置於資料編輯列上，並輸入「=22000+ 員工基本資料 !K2*1500」，輸入完成後，透過往下拖曳自動複製（為方便舉例說明，於此均以最低薪資做計算，但在實務方面建議依組織規定，因此在計算式上可參考前述章節所提及的巢狀 IF 函數）。

=22000+員工基本資料!K2*1500

B	C	D	E	
員工姓名	部門	職稱	基本薪資	全勤
林淑卿	業務	經理	35500	
鄭力高	品管	經理	32500	
汪喜洋	人資	協理	37000	
劉全生	業務	協理	44500	

說明　勞基法之基本工資

勞基法上對於勞工的薪資及保障從 2018/1/1 有了修正法條，其相關訊息為：

- 基本工資將自原先每月 21,009 元調整為 22,000 元，時薪由 133 元調整為 140 元。
- 勞工保險投保薪資分級表、勞工退休金月提繳工資分級表配合調整，修正後共分為 17 級，第一級投保薪資改為 22,000 元，刪除原分級表第二級 2,1900 元，第三級則遞移為第二級，依此類推；22,800 元等級以上將維持原級距及金額，最高級仍維持 45,800 元。

STEP 02 計算全勤獎金。要考量未有遲到、早退及請假紀錄情況下，才會有全勤獎金的發給，因此須整理出是否符合前面所述之條件。選取儲存格 F2，執行「公式功能區→函數庫群組→邏輯」，在其下拉式清單中點選 AND 函數，於「函數引數」視窗的兩個欄位內分別輸入「簽到統計 !C2<=3」、「簽到統計 !G2=0」，按下 確定 鈕，顯示的結果為「FALSE」。其意義代表要判斷兩個條件式的值須為「TRUE」，但是事實上為「FALSE」，所以運算後的結果為「不成立」。

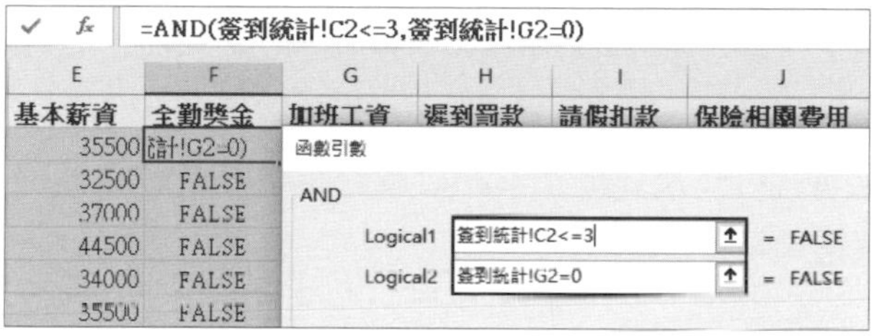

=AND(簽到統計!C2<=3,簽到統計!G2=0)

E	F	G	H	I	J
基本薪資	全勤獎金	加班工資	遲到罰款	請假扣款	保險相關費用
35500	計!G2=0)				
32500	FALSE				
37000	FALSE				
44500	FALSE				
34000	FALSE				
35500	FALSE				

函數引數

AND

Logical1 簽到統計!C2<=3 = FALSE

Logical2 簽到統計!G2=0 = FALSE

函數小提示 AND 函數

AND 函數屬於邏輯判斷函數，其意義為在多條件設定下須全部成立才為成立。

其語法架構為：

AND(Logical1, Logical2…..)

各欄位之說明如下：

- Logical1, Logical2…：為 1~255 個 TRUE 或 FALSE 的條件式，其值可以為邏輯值、陣列或是參照位址。

STEP 03 使用 AND 函數，只能判斷在多條件下是否有同時吻合，但並未能顯示全勤獎金值。選取儲存格 F2，在資料編輯列上將函數修改為「=IF(AND(簽到統計 !C2<=3, 簽到統計 !G2=0),O1,0)」，輸入完成後往下拖曳自動複製。

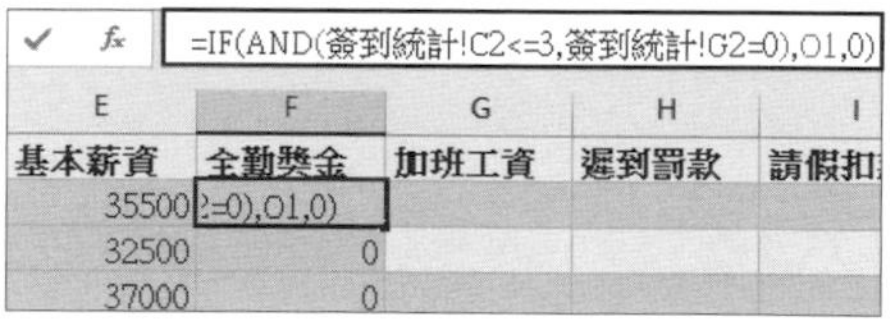

=IF(AND(簽到統計!C2<=3,簽到統計!G2=0),O1,0)

E	F	G	H	I
基本薪資	全勤獎金	加班工資	遲到罰款	請假扣
35500	2=0),O1,0)			
32500	0			
37000	0			

STEP 04 在同個活頁簿中的「簽到統計」工作表中，已計算出加班工資部分，故選取儲存格 G2，在資料編輯列內輸入「= 簽到統計 !F2」。選取儲存格 H2，在資料編輯列

內輸入「= 簽到統計 !D2」，輸入完成確定，再次選取儲存格 G2：H2，往下拖曳自動複製，其結果如下圖。

E	F	G	H
基本薪資	全勤獎金	加班工資	遲到罰款
35500	0	960	450
32500	0	240	550
37000	0	1120	350
44500	0	320	700

STEP 05 倘若組織規定在單月請假天數不超過 3 天即不扣款，因此可採用 IF 函數執行扣款運算。點選儲存格 I2，在「函數引數」視窗的欄位中分別輸入內容，使其在資料編輯列上呈現「=IF(簽到統計 !G2>3, 簽到統計 !G2* 薪資表 !O2,0)」，輸入完成後，往下複製填滿至儲存格 I23。

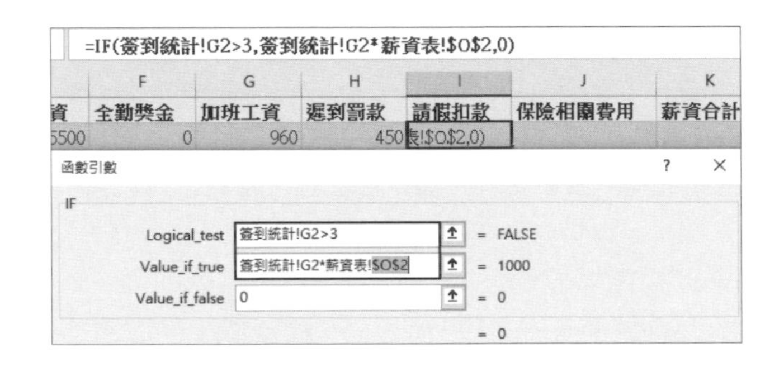

STEP 06 透過公式計算出薪資合計。選取儲存格 J2，在資料編輯列上輸入「=E2+F2+G2-H2-I2」，其結果如下圖所示。

=E2+F2+G2-H2-I2

D	E	F	G	H	I	J
職稱	基本薪資	全勤獎金	加班工資	遲到罰款	請假扣款	薪資合計
經理	35500	0	960	450	0	+G2-H2-I2
經理	32500	0	240	550	10000	22190
協理	37000	0	1120	350	0	37770
協理	44500	0	320	700	0	44120

1.3.2 利用 VLOOKUP 函數核算保險各項金額

在薪資架構中，除了常見的全勤、加班外，另外還有很重要的保險部分。在組織單位中的保險分類內，包括勞保及健保等兩個部分，而這兩者又再區分爲個人負擔及單位負擔等兩種，且在所需給付的金額會受到投保級距（與支領薪資）的絕對關係性影響，因此產生了部分較爲複雜的計算。

STEP 01 開啟「勞健保分攤」工作表，選取儲存格 C3，執行「公式功能區→函數庫群組→查閱與參照」。在其下拉式清單中選取 VLOOKUP 函數，並在「函數引數」視窗中，依序輸入資訊。在第一個欄位內輸入「薪資表 !J2」，由於要查詢每位員工的保險金額，都與其薪資有絕對相關，故在此欄位中輸入員工的薪資欄位；在第二個欄位內輸入為「O$2:U$52」，這是指被查詢的範圍（意指不同薪資級距之各項保險金額）；在第三個欄位內輸入為「2」；在第四個欄位內輸入為「TRUE」，輸入完成後，按下 確定 鈕。

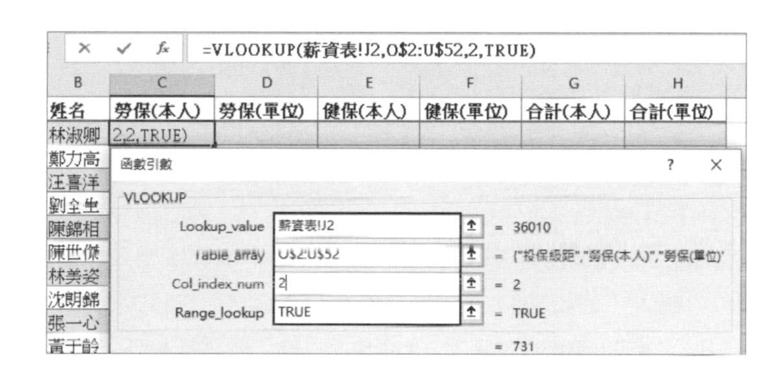

函數小提示 VLOOKUP 函數

VLOOKUP 函數屬於查詢參照函數中最常被使用的函數，其意義指透過查詢的值，在相對的查詢範圍內，尋找符合該查詢值的相關訊息。

其語法架構為：

VLOOKUP(Lookup_value , Table_array , Col_index_num , Range_lookup)

各欄位之說明如下：

- Lookup_value：為一搜尋值，可以是數值、參照位址或是文字串。
- Table_array：是要在其中搜尋資料的文字、數值或是邏輯值的表格，亦可為儲存格範圍的參照位址或是範圍名稱。
- Col_index_num：是個數值，代表所要傳回的值位於 Table_array 中的第幾個欄位。
- Range_lookup：為邏輯值，填入 FALSE 為精確搜尋，填入 TRUE 或省略不填為近似搜尋。

因為 VLOOKUP 函數屬於查詢類型的函數，而在上述函數的說明中，亦即需要有個被查詢的表格（或範圍），建議建立此表格時，在最左邊的欄位值的數值部分，須為遞增的排序方式，這個細節需要多加注意。

STEP 02 選取儲存格 D3，在查閱與參照函數類別中選取 VLOOKUP 函數。在「函數引數」視窗中，依序輸入該有的資訊。在第一個欄位內輸入「薪資表 !J2」，第二個欄位內輸入「O$2:U$52」，第三個欄位內輸入「3」，第四個欄位內輸入「TRUE」，輸入完成後按下 確定 鈕。

=VLOOKUP(薪資表!J2,O$2:U$52,3,TRUE)
保險繳納資料表
勞保(單位)
731 2,3,TRUE)
函數引數
VLOOKUP
Lookup_value 薪資表!J2 = 36010
Table_array O$2:U$52 = {"投保級距","勞保(本人)","勞保(單...
Col_index_num 3 = 3
Range_lookup TRUE = TRUE
= 2558

STEP 03 選取儲存格 E3，在開啟的 VLOOKUP 函數視窗中，依序輸入該有的資訊。在第一個欄位內輸入「薪資表 !J2」，第二個欄位內輸入「O$2:U$52」，第三個欄位內輸入「4」，第四個欄位內輸入「TRUE」，輸入完成後按下 確定 鈕。

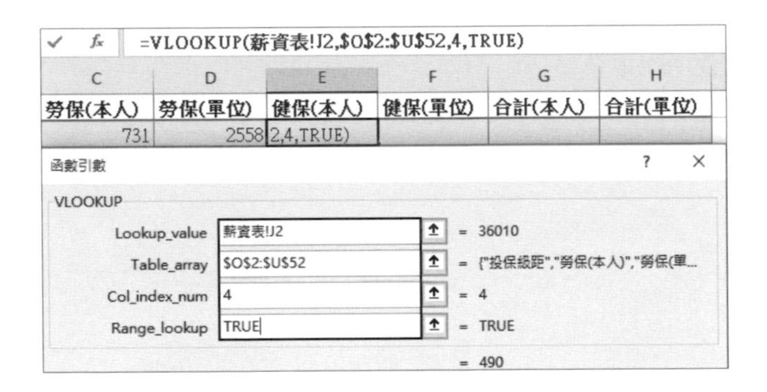

STEP 04 選取儲存格 F3，在開啟的 VLOOKUP 函數視窗中，依序輸入該有的資訊。在第一個欄位內輸入「薪資表 !J2」，第二個欄位內輸入「O$2:U$52」，第三個欄位內輸入「5」，第四個欄位內輸入「TRUE」，輸入完成後按下 確定 鈕。

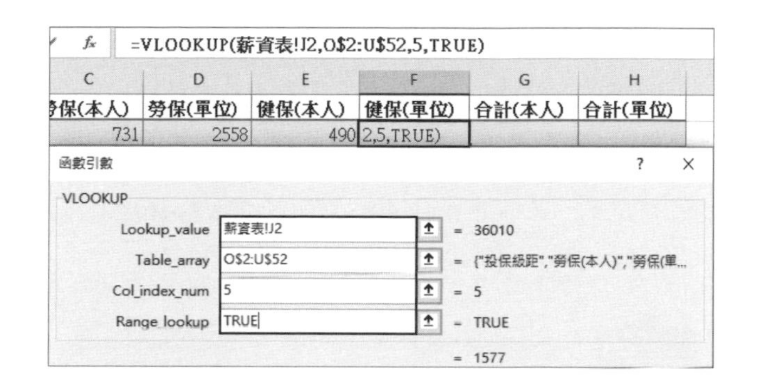

STEP 05 選取儲存格 G3，在資料編輯列上輸入「=SUM(C3,E3)」。選取儲存格 H3，在資料編輯列上輸入「=SUM(D3,F3)」。輸入確認後，選取儲存格範圍 C3：H3，往下拖曳複製填滿。

=SUM(C3,E3)

B	C	D	E	F	G
姓名	勞保(本人)	勞保(單位)	健保(本人)	健保(單位)	合計(本人)
林淑卿	731	2558	490	1577	=SUM(C3,E3)
鄭力高					
汪喜洋					

STEP 06 選取儲存格範圍 C3：H24，執行「常用功能區→數值群組」。在其右下角點開「數字格式」，於「儲存格格式」視窗的「數值」標籤的「類別」選單中點選「數值」，勾選「使用千分位 (,) 符號」，並將「小數位數」設定為「0」，按下 確定 鈕。

保險繳納資料表

員工編號	姓名	勞保(本人)	勞保(單位)	健保(本人)	健保(單位)	合計(本人)	合計(單位)
SH0001	林淑卿	731	2,558	490	1,577	1,221	4,135
SH0002	鄭力高	460	1,609	308	992	768	2,601
SH0003	汪喜洋	763	2,668	511	1,645	1,274	4,313
SH0004	劉金生	922	3,226	618	1,989	1,540	5,215
SH0005	陳錦相	731	2,558	490	1,577	1,221	4,135
SH0006	陳世傑	731	2,558	490	1,577	1,221	4,135
SH0007	林美姿	668	2,338	447	1,441	1,115	3,779
SH0008	沈朗錦	605	2,117	405	1,305	1,010	3,422

1.3.3 製作薪資明細表

當所有薪資相關資料都分別製作完成後，緊接著可將其彙整到同一張表格。如此，不論要進行何種的資料分析或是圖表說明，都可善用此張表格資訊得以進行。原則上，薪資明細都是依循著該月份及員工資料進行，因此首先可將員工資訊及月份的部分執行後，再依序將其他欄位的公式、函數進行編輯設定。

STEP 01 開啟「員工薪資明細」工作表，選取儲存格 B3，選擇邏輯函數內的 IF 函數，於「函數引數」視窗的三個欄位中依序輸入「員工基本資料 !A2=""」、「""」、「員工基本資料 !A2」，輸入完成後按下 確定 鈕。

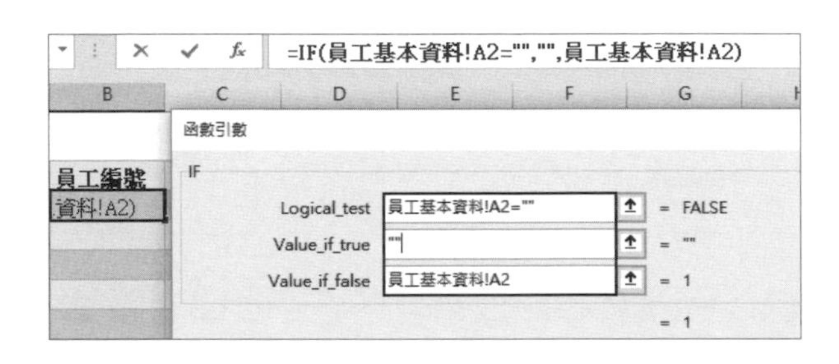

STEP 02 選取儲存格 A3，在這個欄位中顯示的是薪資的月份資料，而這個月份資料則是依據該月份的簽到記錄所得。另外，假設在 B3 的儲存格未顯示員工編碼時，則此欄位亦會顯示空值。點選 IF 函數，並在「函數引數」視窗的三個欄位中，依序輸入「B3< >""」、「簽到記錄 !$A$1&" 月 "」、「""」，輸入完成後按下 確定 鈕。

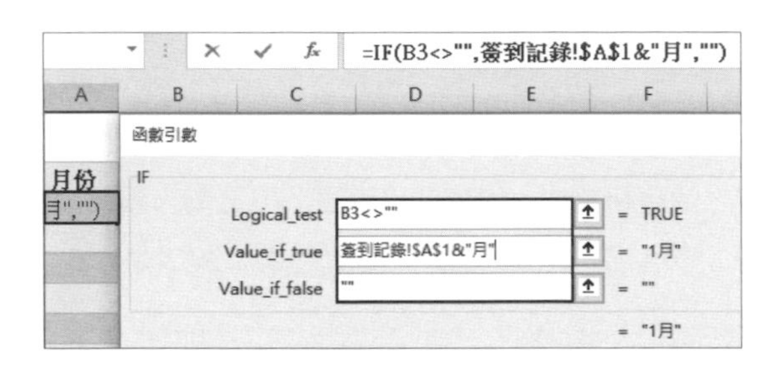

STEP 03 在 C 欄中，設定當有員工編號時才有相對應的員工名稱出現，而若沒有員工編號值時則不出現。選取儲存格 C3，將插入點置於資料編輯列內，並輸入「=IF(B3="","",CONCAT(VLOOKUP(B3, 員工基本資料 !A1:C23,2, FALSE),VLOOKUP(B3, 員工基本資料 !A1:C23,3,FALSE)))」，輸入完成後按下 ✓ 鈕。

=IF(B3="","",CONCAT(VLOOKUP(B3,員工基本資料!A1:C23,2,FALSE),VLOOKUP(B3,員工基本資料!A1:C23,3,FALSE)))

C	D	E	F	G	H	I	J	K	L
員工薪資明細									
員工姓名	基本薪資	全勤獎金	加班工資	遲到罰款	請假扣款	勞保(本人)	勞保(單位)	健保(本人)	健保(單位)
林淑卿									

STEP 04 使用函數產出基本薪資的值。選取儲存格 D3，將插入點置於資料編輯列內，並輸入「=IF(B3="","",VLOOKUP(B3, 薪資表 !A$1:I$23, 5,FALSE))」，輸入完成後按下 ✓ 鈕。

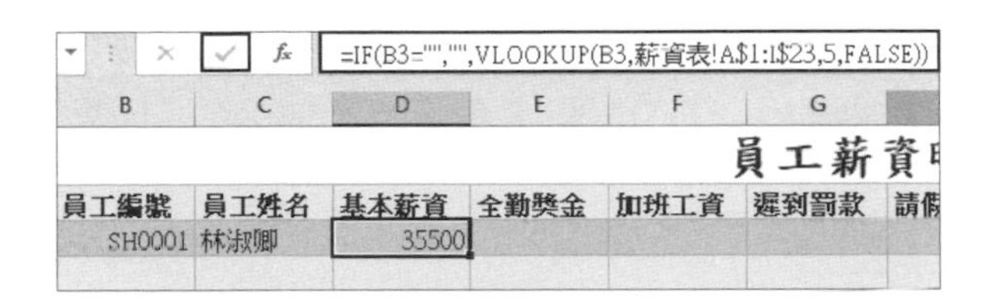

STEP 05 使用函數產出全勤獎金的值。選取儲存格 E3，將插入點置於資料編輯列內，並輸入「=IF(B3="","",VLOOKUP(B3, 薪資表 !A$1:I$23, 6,FALSE))」，輸入完成後按下 ✓ 鈕。

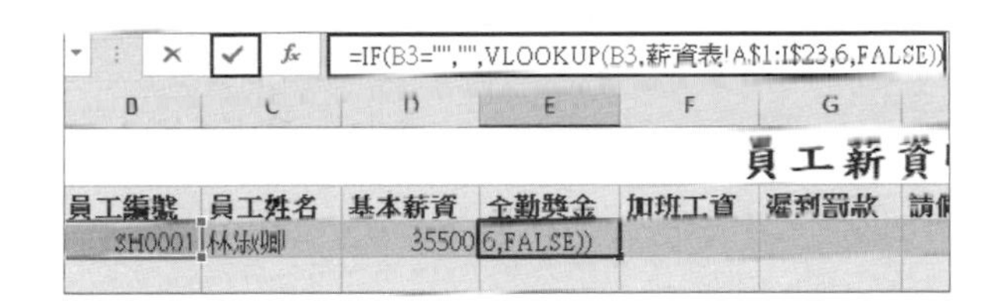

STEP 06 使用函數產出加班工資的值。選取儲存格 F3，將插入點置於資料編輯列內，並輸入「=IF(B3="","",VLOOKUP(B3, 薪資表 !A$1:I$23, 7,FALSE))」，輸入完成後按下 ✓ 鈕。

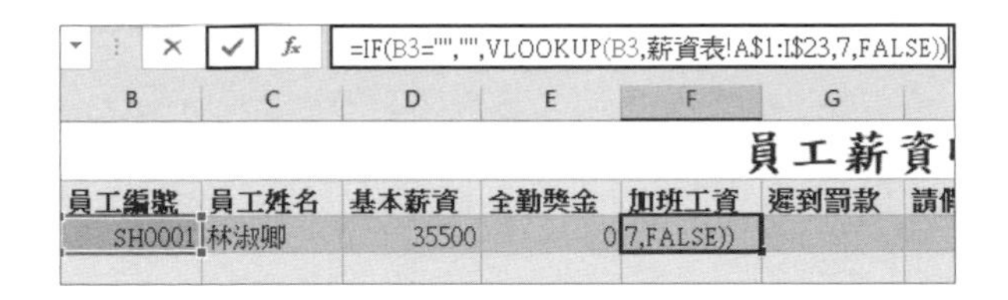

STEP 07 使用函數產出遲到罰款的值。選取儲存格 G3，將插入點置於資料編輯列內，並輸入「=IF(B3="","",VLOOKUP(B3, 薪資表 !A$1:J$23, 8,FALSE))」，輸入完成後按下 ✓ 鈕。

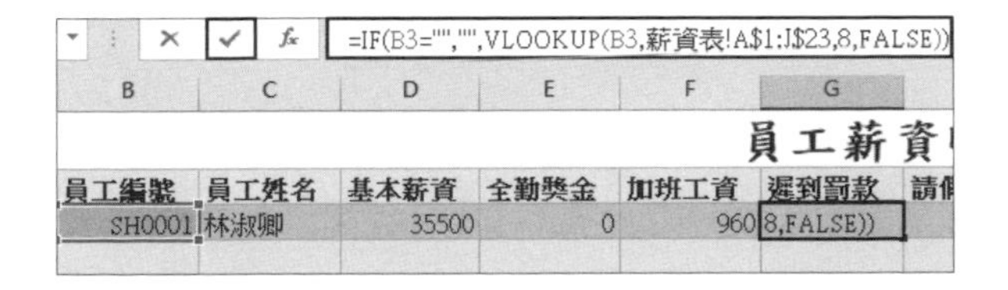

STEP 08 使用函數產出請假扣款的值。選取儲存格 H3，將插入點置於資料編輯列內，並輸入「=IF(B3="","",VLOOKUP(B3, 薪資表 !A$1:J$23, 9,FALSE))」，輸入完成後按下 ✓ 鈕。

=IF(B3="","",VLOOKUP(B3,薪資表!A$1:J$23,9,FALSE))

B	C	D	E	F	G	H
員工薪資明細						
員工編號	員工姓名	基本薪資	全勤獎金	加班工資	遲到罰款	請假扣款
SH0001	林淑卿	35500	0	960	450	9,FALSE))

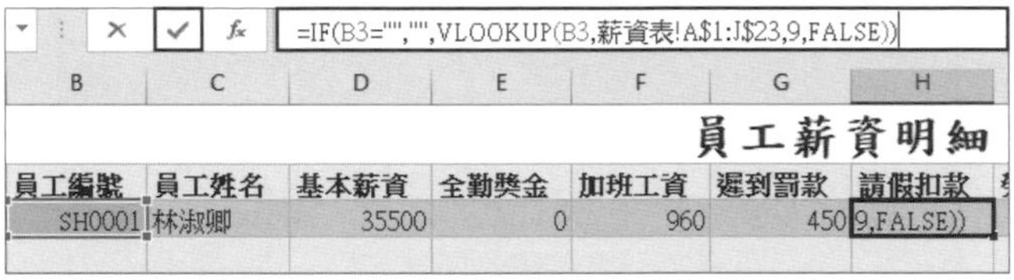

STEP 09 使用函數產出勞保（本人）的值。選取儲存格 I3，將插入點置於資料編輯列內，並輸入「=IF(B3="","",VLOOKUP(B3, 勞健保分攤 !A$2:F$24,3,FALSE))」，輸入完成後按下 ✓ 鈕。

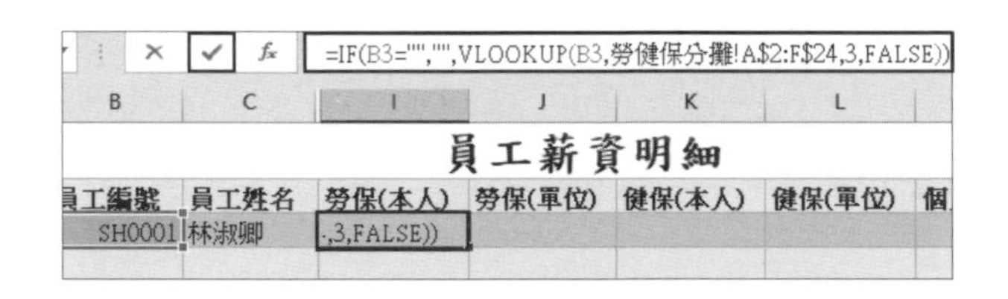

STEP 10 使用函數產出勞保（單位）的值。選取儲存格 J3，將插入點置於資料編輯列內，並輸入「=IF(B3="","",VLOOKUP(B3, 勞健保分攤 !A$2:F$24,4,FALSE))」，輸入完成後按下 ✓ 鈕。

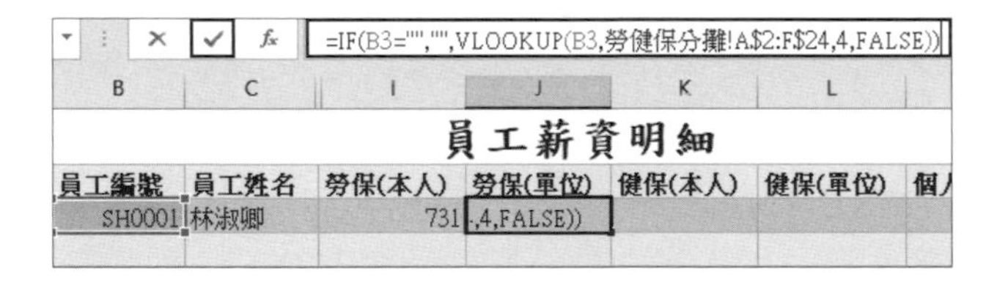

STEP 11 使用函數產出健保（本人）的值。選取儲存格 K3，將插入點置於資料編輯列內，並輸入「=IF(B3="","",VLOOKUP(B3, 勞健保分攤 !A$2:F$24,5,FALSE))」，輸入完成後按下 ✓ 鈕。

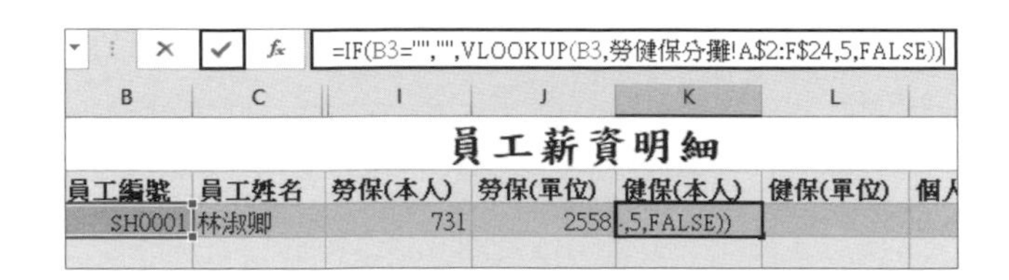

STEP 12 使用函數產出健保（單位）的值。選取儲存格 L3，將插入點置於資料編輯列內，並輸入「=IF(B3="","",VLOOKUP(B3, 勞健保分攤 !A$2:F$24,6,FALSE))」，輸入完成後按下 ✓ 鈕。

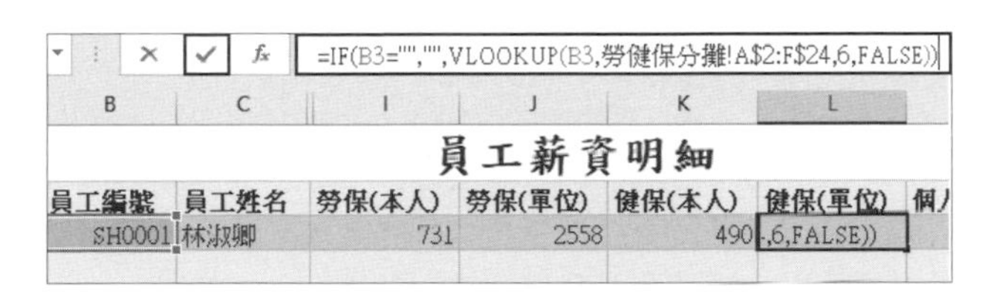

STEP 13 使用函數產出個人所得稅的值。選取儲存格 M3，將插入點置於資料編輯列內，並輸入「=SUM(D3:F3)*VLOOKUP(SUM(D3:F3), $R$3:$V$9,5,TRUE)-VLOOKUP(SUM(D3:F3),R$3:X$9,7,TRUE)」，輸入完成後按下 ✓ 鈕。

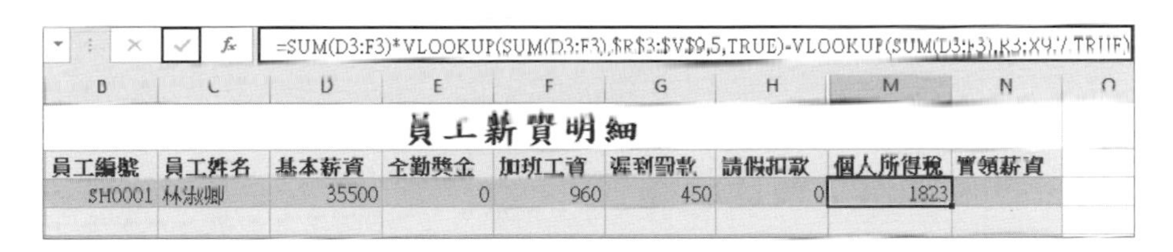

STEP 14 使用函數產出實領薪資的值。選取儲存格 N3，將插入點置於資料編輯列內，並輸入「=SUM(D3:F3)-SUM(G3:M3)」，輸入完成後按下 ✓ 鈕。

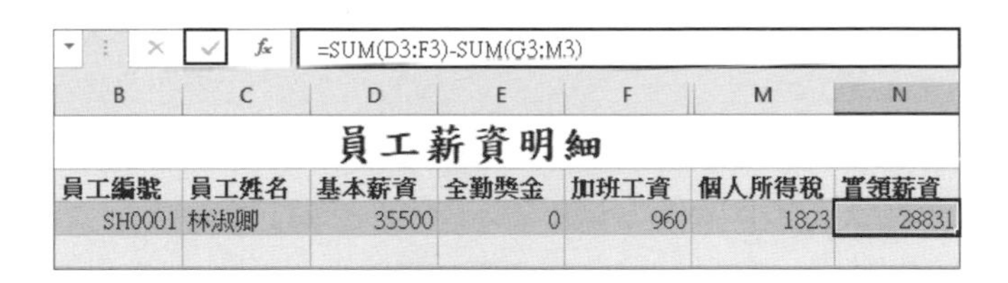

STEP 15 選取儲存格範圍 A3：N3，執行複製向下填滿至 A24：N24，並執行「常用功能區→數值群組」。在其右下角點開「數字格式」，於「儲存格格式」視窗的「數值」標籤的「類別」選單中點選「數值」，勾選「使用千分位 (,) 符號」，並將「小數位數」設定為「0」，按下 確定 鈕，其結果如下圖所示。

員工薪資明細

員工姓名	基本薪資	全勤獎金	加班工資	遲到罰款	請假扣款	勞保(本人)	勞保(單位)	健保(本人)	健保(單位)	個人所得稅	實領薪資
林淑卿	35,500	0	960	450	0	731	2,558	490	1,577	1,823	28,831
鄭力高	32,500	0	240	550	10,000	460	1,609	308	992	1,637	17,184
汪喜洋	37,000	0	1,120	350	0	763	2,668	511	1,645	1,906	30,277
劉全生	44,500	0	320	700	0	922	3,226	618	1,989	2,241	35,124
陳錦相	34,000	0	1,760	600	0	731	2,558	490	1,577	1,788	28,016
陳世傑	35,500	0	800	600	0	731	2,558	490	1,577	1,815	28,529
林美姿	32,500	0	880	800	0	668	2,338	447	1,441	1,669	26,017
沈朗錦	29,500	0	240	150	0	605	2,117	405	1,305	1,487	23,671
張一心	35,500	0	1,440	500	0	763	2,668	511	1,645	1,847	29,006
黃于齡	34,000	0	800	850	0	700	2,447	469	1,509	1,740	27,085
余思嫺	38,500	0	880	750	0	802	2,807	537	1,731	1,969	30,784

1.3.4 運用圖表進行各類薪資比較圖

當薪資相關資訊已建立完成，便可透過這些資料表繪製符合不同情境、條件狀況之圖表，以利組織的人事配比參考。在中、大型組織內，除了常見的人事薪資關係圖外，部門、職稱、學歷、專業知識等都可分別透過圖表，快速理解當下的條件分布。

計算各部門的加班工資比率圖

STEP 01 開啟「薪資比較」工作表，選取儲存格 B2，在統計函數中點選 AVERAGEIF，在「函數引數」視窗中，分別於各欄位輸入內容，使其在資料編輯列上顯示「=AVERAGEIF(薪資表!C$2:C$23,A2,薪資表!G$2:G$23)」，輸入完成後，往下拖曳複製填滿。

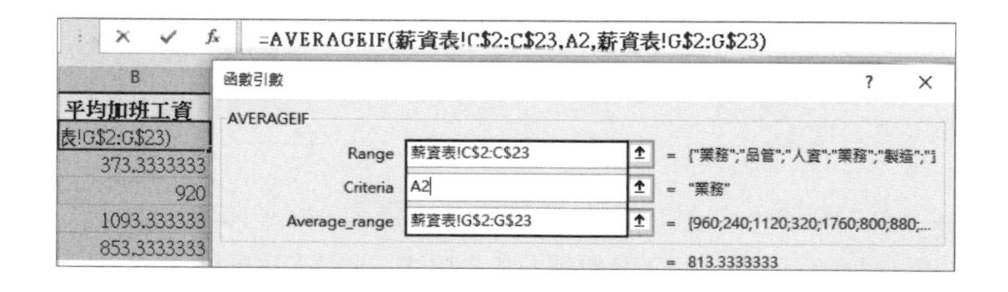

STEP 02 在部分儲存格顯示小數點多位。將資料編輯列上的函數修改為「=ROUND(AVERAGEIF(薪資表!C$2:C$23,A2,薪資表!G$2:G$23),0)」，執行後的結果如下圖所示。

=ROUND(AVERAGEIF(薪資表!C$2:C$23,A2,薪資表!G$2:G$23),0)

A	B	C	D	E	F	G	H
部門	平均加班工資			職稱	平均遲到罰款		
業務	813			經理			
品管	373			協理			
人資	920			技師			
製造	1093			副理			
資訊	853			專員			

函數小提示 **ROUND 函數**

ROUND 函數為數學函數中的常用函數，其定義為四捨五入進位。

其語法架構為：

ROUND (Number, Num_digits)

各欄位之說明如下：

- Number：為要執行四捨五入之資料範圍，其範圍值內可以為數值、運算式或是公式。
- Num_digits：為所要四捨五入的小數位數，0 或省略不填則進位至最接近的整數。

STEP 03 選取儲存格 F2，開啟 AVERAGEIF 函數視窗，透過「函數引數」視窗輸入後，使其在資料編輯列上顯示「=AVERAGEIF(薪資表!C$2:C$23,A2,薪資表!G$2:G$23)」，依據上一步驟結果，仍需在資料編輯列上將函數修改為「=ROUND(AVERAGEIF(薪資表!D$2:D$23,E2,薪資表!H$2:H$23),0)」，輸入完成後，往下拖曳複製填滿。

=ROUND(AVERAGEIF(薪資表!D$2:D$23,E2,薪資表!H$2:H$23),0)

C	D	E	F	G	H
		職稱	平均遲到罰款		
		經理	567		
		協理	600		
		技師	600		
		副理	500		
		專員	639		
		工程師	700		

STEP 04 選取儲存格範圍 A1：B6，執行「插入功能區→圖表群組」，於圓形圖的下拉式清單中，點選「立體圓形圖」，圖表立即因應而產生。

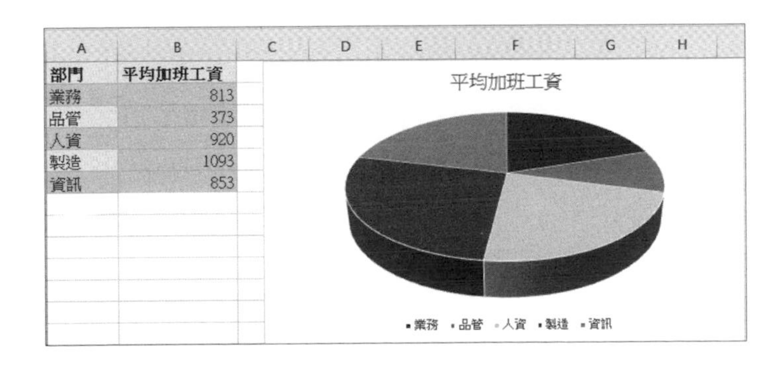

部門	平均加班工資
業務	813
品管	373
人資	920
製造	1093
資訊	853

STEP 05 此時的圖表並未具備該有的資訊，選取圖表，執行「圖表工具→設計功能區→圖表版面配置群組→快速版面配置」。在其展開之下拉式清單中，選取「版面配置6」，這樣的版面配置是最基本的排版方式。

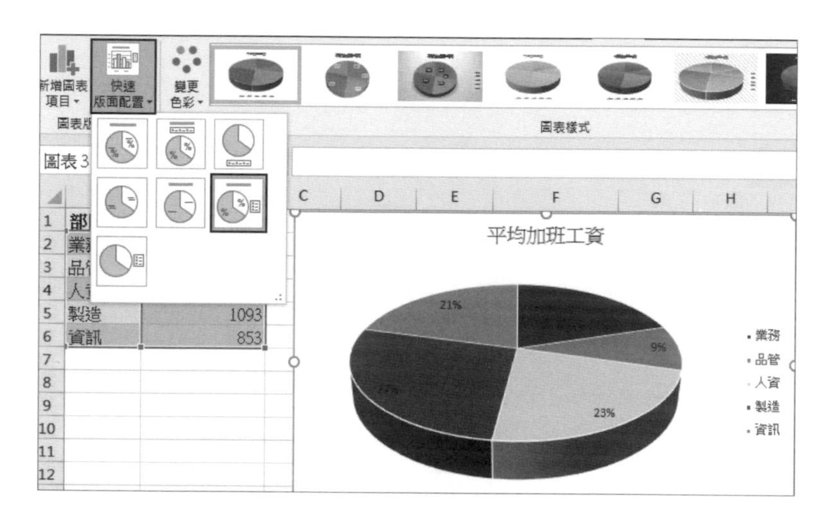

STEP 06 若上圖中的資訊若不夠完整，點選圖表右方的＋標籤。在視窗右側的功能窗格內，將資料標籤勾選「類別名稱」，並將數值的「類別」變更為「百分比」，「小數位數」設定為「2」，接著取消勾選「圖例符號」。

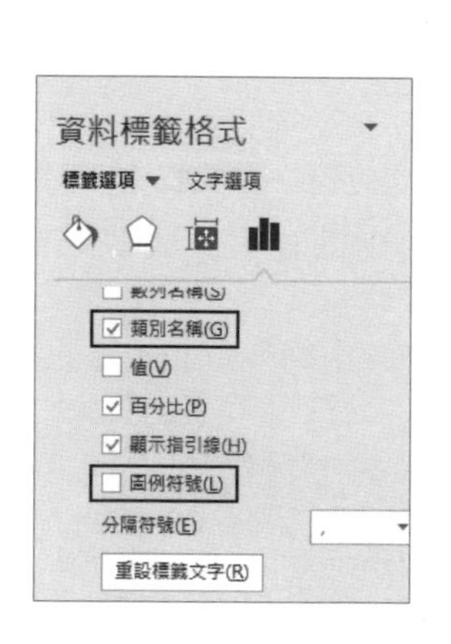

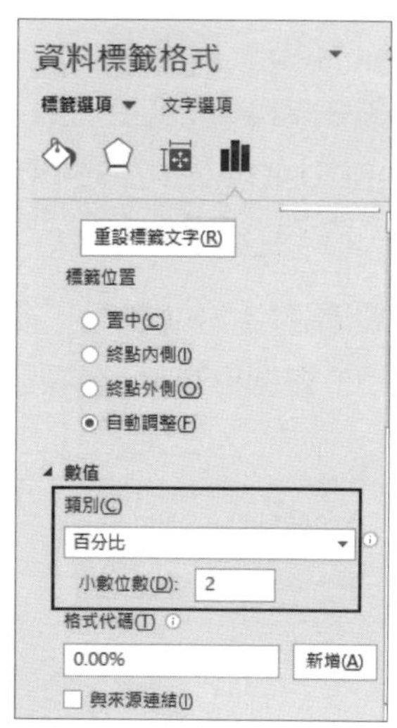

STEP 07 執行「圖表工具→設計功能區→圖表樣式」群組，在下拉式清單中點選「樣式 8」，這時圖表所顯示的美化效果不同以往，並可由此圖得知，在各部門間以製造部門的支領加班費比率為最高，品管部門的比例則為最低，以組織管理的角度思考其原因可能為何。

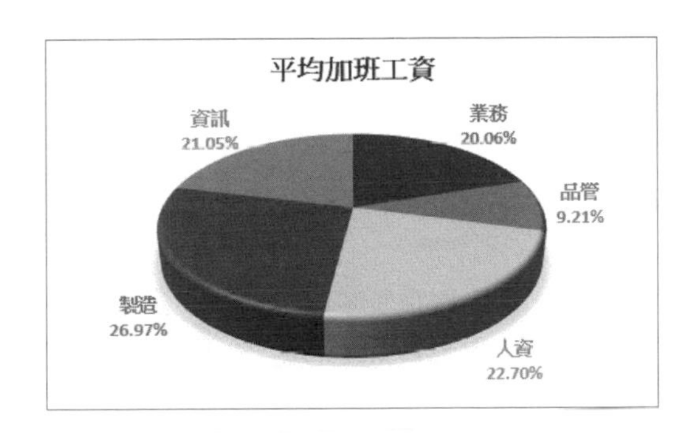

STEP 08 為了增加日後製作類似圖表的方便性，選取圖表後按下滑鼠右鍵，在其快顯功能表中，點選「另存為範本」。在「儲存圖表範本」視窗內，輸入「檔案名稱」為「常用立體圓形體」，「存檔類型」為「圖表範本檔案 (*.crtx)」，而其預設存檔路徑為「C: \ Users \ Angelin_Huang \ AppData \ Roaming \ Microsoft \ Templates \ Charts」，按下 儲存(S) 鈕。

計算各職稱的遲到罰款比率圖

STEP 01 選取儲存格範圍 E1：F6，執行「插入功能區→圖表群組」。點選右下角的「查看所有圖表」，點選「所有圖表」標籤中的「範本」，在視窗右側可檢視建立過的範本，選取「常用立體圓形圖」，按下 確定 鈕。

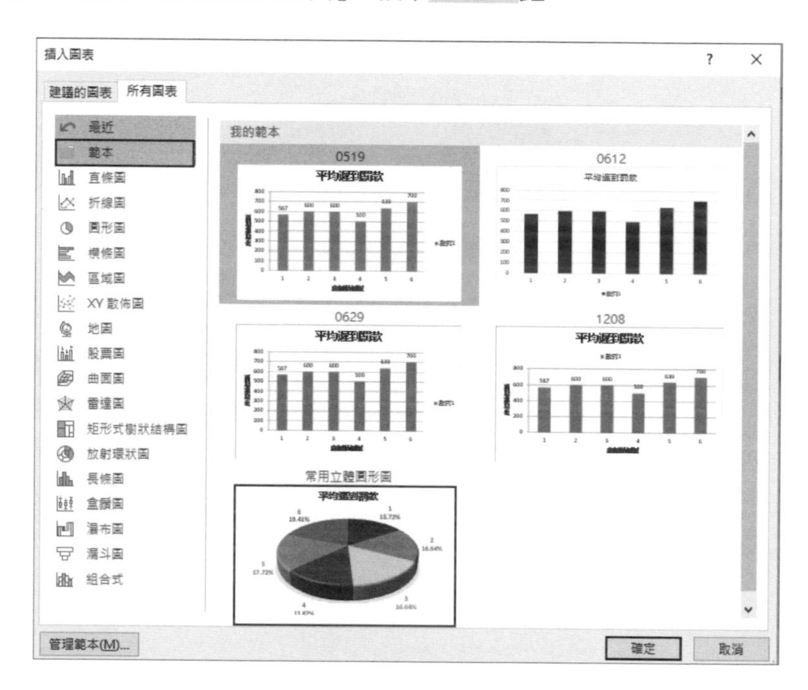

STEP 02 經過上述步驟，可立即完成職稱與遲到罰款間的關係圖。在下圖可得知，職務為工程師者，其遲到罰款所佔的百分比稍微略高於其他職務，身為人事或是管理部門的主事者，可試著找出原因，以便於設定改善方針。

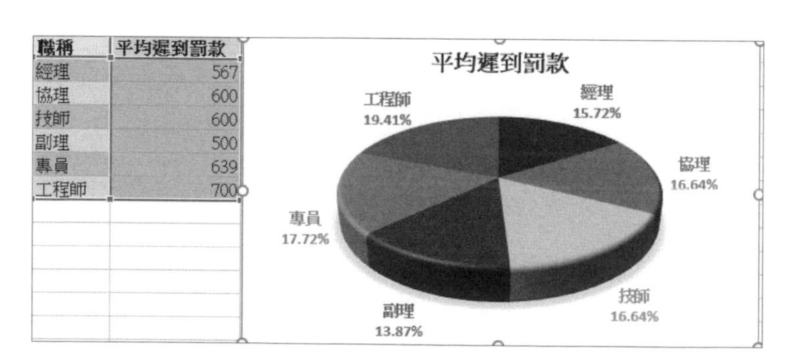

職稱	平均遲到罰款
經理	567
協理	600
技師	600
副理	500
專員	639
工程師	700

STEP 03 以管理層而言，就目前已完成的圖表，要快速觀察出工程師的所佔比率較高或許有些難度，因此選取圖表並按下滑鼠右鍵，在其快顯功能表中點選「立體旋轉」，修改X軸旋轉、Y軸旋轉的值，使得工程師部分的百分比值可較容易被觀察。

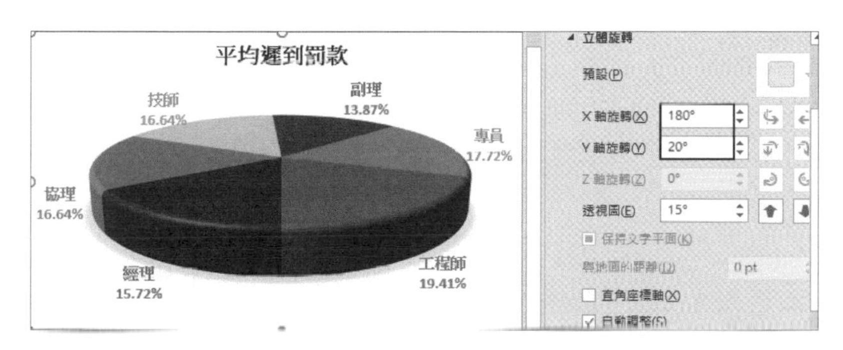

專案進度追蹤

在組織企業中，不論進行何種事項均視為專案的執行，因此專案軟體的普遍需求也就越多。目前較經常被使用的專案管理相關軟體，有 MS Project、GanttProject、Gantter 及 Trello 等等，有些在使用上可能需要支付龐大之費用，有些雖然不需支付相關費用，但在支援辦公室軟體上卻是有一定的困難度，因此在對專案進行追蹤時，會有實際進度早已超過檔案上的訊息。因此，為了避免此狀況的發生，開始有使用者透過辦公室軟體如 MS Word、Excel 的表格製作，來管理及追蹤專案。

2.1 建立任務表

在執行專案時，爲求專案可順利進行，都會先將專案中要執行的任務項別列出，而在列出的過程中，隨著企業及專案主導者的經驗，便會有所差異。在製作任務表時，通常會把需執行任務的相關事項列入，其相關事項包括該執行的任務、工期、開始日期、負責執行的人或單位等。這些資訊越完整，對專案執行的效率將是越高。

身爲專案管理者，在有限時間下須完成這些任務規劃，甚至讓專案團隊都能了解，在沒有專案管理軟體的情況下，最容易上手的軟體即爲運用辦公室軟體執行專案管理的時程進度控管，目前較常見的方式是透過 MS Excel 進行。

透過 Ms Excel 執行的優點是只要運用當中的圖表、函數及清單功能，便能將專案進度資訊即時取得。

2.1.1 外部資料匯入

在前面曾提過，由於經費的關係，不盡然企業辦公室內的設備都會安裝專案軟體，但專案並不會因爲沒有安裝相關軟體而不執行，因此有些單位便轉而利用 MS Excel 進行專案的部分控管。爲了時間效率，可以請單位有專案軟體的同事，先將其轉爲 MS Excel 可接受的檔案型態（辦公室內較多使用的檔案類型有 *.txt、*.csv 或是 *.xlsx），這樣便可以透過 MS Excel 進行專案進度上的安排及管理。

文字檔案類型的匯入

STEP 01 在新的活頁簿上新增一工作表，執行「資料功能區→取得及轉換資料群組→從文字 /CSV」。在「匯入資料」視窗內，點選開啟「範例 \CH2\ 原始檔案 \ 活動講座 .csv」，確定檔案後，按下 匯入(M) 鈕。

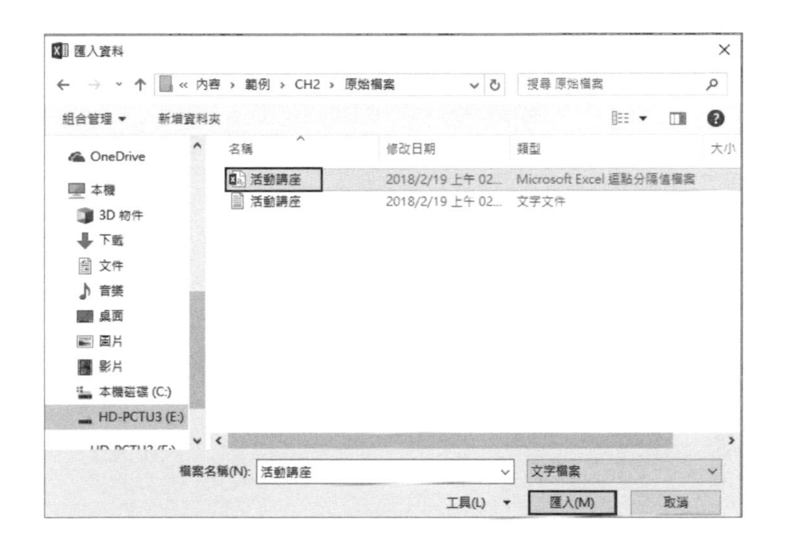

STEP 02 在顯示的連結資訊視窗上，「檔案原點」選擇「950: 繁體中文（Big5）」，「分隔符號」選擇「逗號」，「資料類型偵測」選擇「依據前 200 個列」，然後按下 載入 鈕。

任務名稱	工期	開始時間
1.KJ01專案第一次專案會議	0.5 d	2017/10/11 上午08:00:00
2.講座宣傳	0.5 d	2017/10/11 上午11:00:00
3.活動流程安排/統計	1 d	2017/10/11 上午08:00:00
4.第一次參與人員統計(含CALLOUT)	0.5 d	2017/10/11 下午02:00:00
5.第二次參與人員統計(含CALLOUT)	0.5 d	2017/10/12 上午09:00:00
6.講座活動流程服務人員	3 d	2017/10/12 下午02:00:00
7.講座資料準備-影印/簽收/發放	2 d	2017/10/15 下午02:00:00
8.預算控制	2 d	2017/10/15 下午02:00:00
9.確認活動場地-70人	0.5 d	2017/10/12 下午02:00:00
10.獎牌製作	2 d	2017/10/12 下午04:00:00
11.名牌製作(分已繳費/未繳費)	2 d	2017/10/12 下午04:00:00
12.佈置	0.3 d	2017/10/11 上午08:00:00
13.海報及指示標誌製作/張貼	2 d	2017/10/11 上午09:00:00
14.攝影人員	0.5 d	2017/10/30 上午08:00:00
15.講座招待人員簽收/資料發放	0.3 d	2017/10/28 上午08:00:00
16.參加講座應注意事項PPT	4 d	2017/10/17 上午08:00:00
17.KJ01專案第二次專案會議	0.3 d	2017/10/17 上午11:00:00
18.講座內容	0.5 d	2017/10/30 上午08:00:00
19.結案會議(含LessonsLearn)	0.3 d	2017/11/4 上午11:00:00

STEP 03 匯入後，將該張工作表命名為「活動講座排程」，並將此檔案儲存。

任務名稱	工期	開始時間	完成時間
1.KJ01專案第一次專案會議	0.5 d	2017/10/11	2017/10/11
2.講座宣傳	0.5 d	2017/10/11	2017/10/11
3.活動流程安排/統計	1 d	2017/10/11	2017/10/11
4.第一次參與人員統計(含CALLOUT)	0.5 d	2017/10/11	2017/10/12
5.第二次參與人員統計(含CALLOUT)	0.5 d	2017/10/12	2017/10/12
6.講座活動流程服務人員	3 d	2017/10/12	2017/10/15
7.講座資料準備-影印/簽收/發放	2 d	2017/10/15	2017/10/17
8.預算控制	2 d	2017/10/15	2017/10/17
9.確認活動場地-70人	0.5 d	2017/10/12	2017/10/12
10.獎牌製作	2 d	2017/10/12	2017/10/14
11.名牌製作(分已繳費/未繳費)	2 d	2017/10/12	2017/10/14
12.佈置	0.3 d	2017/10/11	2017/10/11
13.海報及指示標誌製作/張貼	2 d	2017/10/11	2017/10/13
14.攝影人員	0.5 d	2017/10/30	2017/10/30
15.講座招待人員簽收/資料發放	0.3 d	2017/10/28	2017/10/28
16.參加講座應注意事項PPT	4 d	2017/10/17	2017/10/20
17.KJ01專案第二次專案會議	0.3 d	2017/10/17	2017/10/17

透過上述的三個簡單步驟，便可將專案軟體轉換的 CSV 檔案置入於 MS Excel 內，方便所有專案團隊成員的檢視編輯。目前大部分的專案管理軟體在儲存其專案檔案時，亦支援 MS Excel 的類型，因此在下面的步驟中，將介紹如何將該類型檔案於 MS Excel 內進行檢視及編輯等功能。

Excel 檔案類型的匯入

STEP 01 新增一工作表，選取儲存格 A1，並執行「資料功能區→取得及轉換資料群組→取得資料→從檔案→從活頁簿」。在「匯入資料」視窗內，點選開啟「範例\CH2\原始檔案\活動講座 .xlsx」，確定檔案後，按下 匯入(M) 鈕。

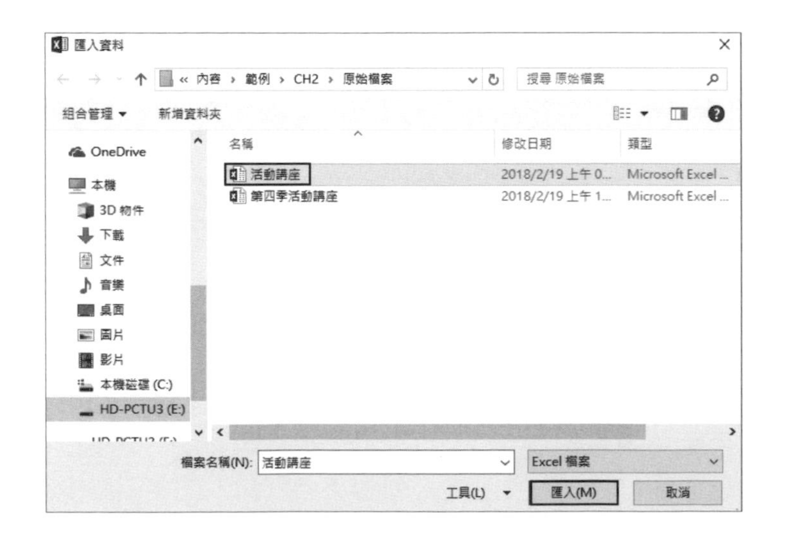

STEP 02 在顯示的連結資訊視窗上，將資料夾開啟後，點選欲匯入的資料表名稱「活動講座」，可在視窗的右側檢視該資料表內容，確定後按下 載入 鈕。內容載入後，將工作表命名為「活動講座規劃」。

STEP 03 上述的兩種檔案都是以匯入方式執行，其優點是當專案內容有所變更時，專案團隊成員對該專案的修改是快速的。因此，當專案任務內容有所修正時，執行「表格工具→設計功能區→外部表格資料群組→內容」，在「外部資料內容」視窗中，可選擇資料重新匯入時列數的變更。

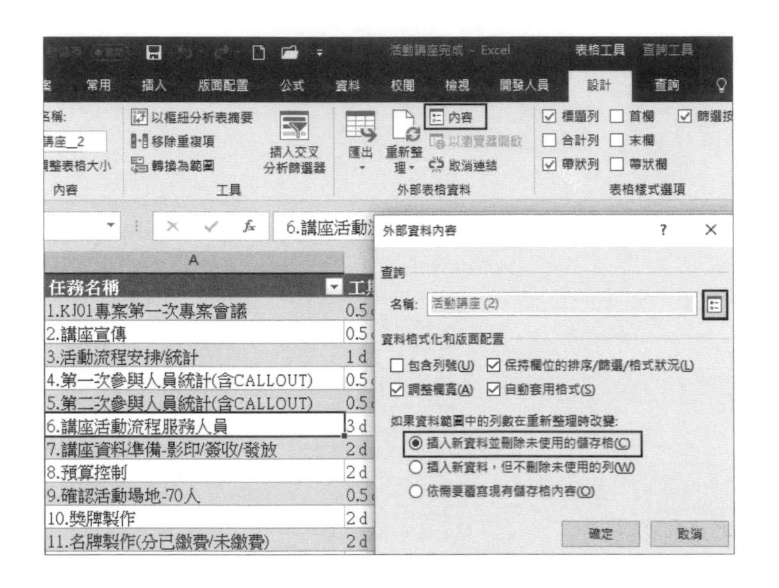

STEP 04 若是不確定任務內容何時會被修正，可在上述步驟的視窗中，點選⊟查詢屬性鈕，在此視窗下可自行設定檔案更新的時機點。

說明　採用外部資料匯入方式的理由

在上述的步驟中，筆者介紹的是將Excel的活頁簿檔案匯入到另一個活頁簿內，可能有讀者認為這樣太費事了，為何不採用複製、貼上的功能，以操作面而言，只要可有複本產出，任何方法都是可執行的，但筆者所建議的方式則是考慮到專案資訊的變動更新即時，所以採用外部資料匯入方式。

2.1.2 利用資料剖析執行資料整理

當專案檔案匯入至 MS Excel 後，對於部分欄位內容要做進一步之分析統計，以便作爲未來專案執行的參考依據。因此，需要進行一些簡易的資料整理，才能在日後對任務上的編輯更迅速。

STEP 01 開啟「範例 \CH2\ 原始檔案 \ 第四季活動講座 .xlsx」活頁簿，點選「活動講座排程」工作表，在 A 欄「任務名稱」的儲存格內，可檢視同時有編號及任務名稱的存在。為了之後任務執行先後的明確性，因此要將編號及任務名稱分割為 2 個欄位。選取 A 欄，按下滑鼠右鍵，在其快顯功能表內點選「插入」，新增此欄位是要讓後面步驟對 A 欄執行分割資料時，所分割的資料可置放於此一欄位。

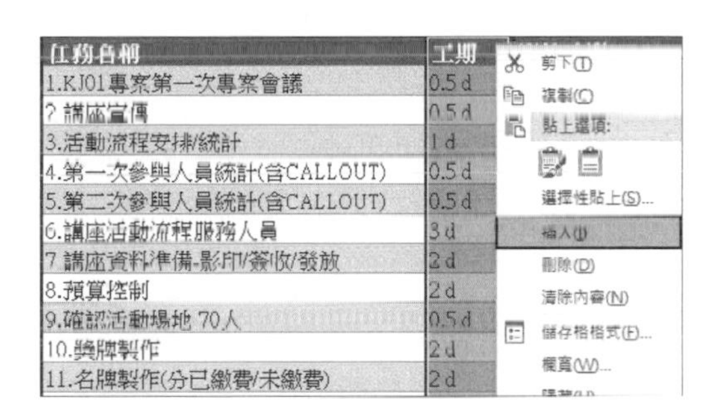

STEP 02 選取 A 欄，執行「資料功能區→資料工具群組→資料剖析」。在展開的視窗中，對剖析資料的檔案類型勾選「分隔符號」，按下 下一步(N) > 鈕。

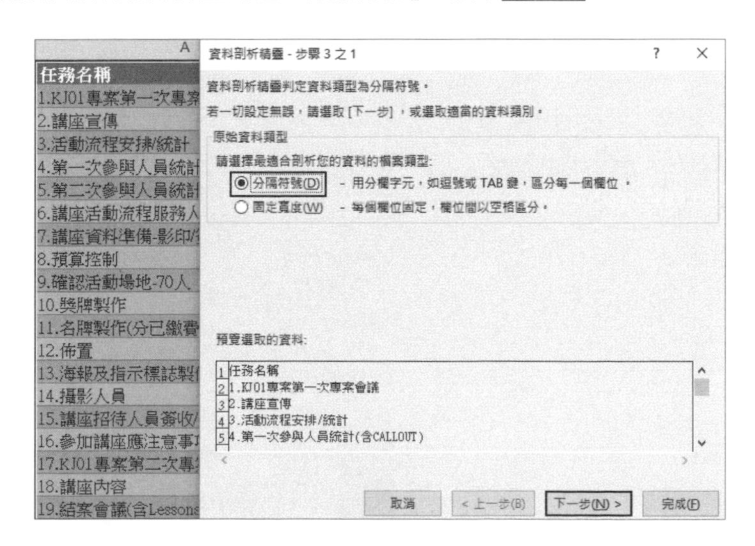

STEP 03 在分隔符號的選擇上，預設值為 Tab 鍵，在部分需剖析的欄位內容上，大部分的情況在此預設值下可完成分割。勾選「其他」，並在其欄位內輸入「.」，按下 下一步(N) > 鈕。

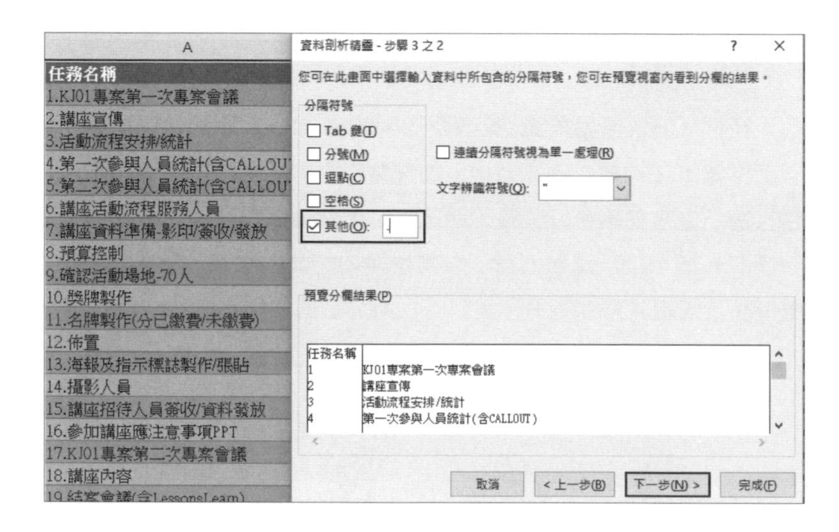

說明 資料剖析

所謂「資料剖析」，便是將同欄位中的內容拆開到數個不同的欄位內，而其拆開的依據便是參考內容中的符號。在內容中的符號較常見的有分號、逗號、句號或是空格等。但目前的資料來源甚廣，有時候在同一欄位內亦會同時存在多種的符號，此時便需要先進行取代功能，使其符號趨於一致性後，才能進行資料的剖析。但資料拆開後，拆出的資料會自動置於右側的欄位內，因此建議先行建立一空欄於其右側，避免已存在的欄位資料被覆蓋。

STEP 04 將第一個欄位的資料格式變更為「一般」，按下 完成(F) 鈕。

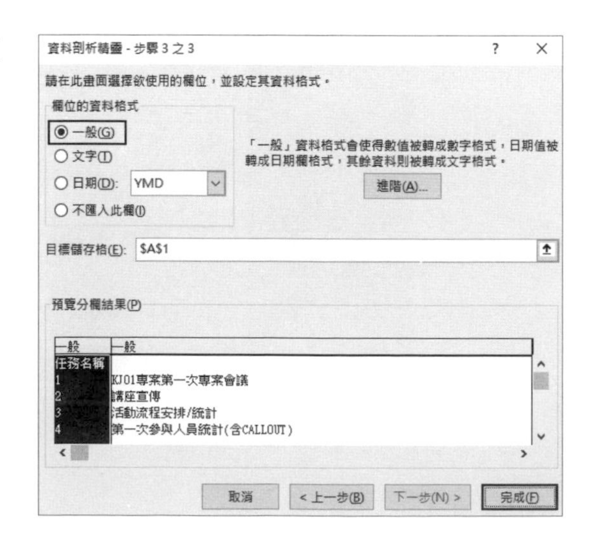

STEP 05 在出現的視窗上，點選 確定 鈕，A 欄部分即可分割完成。

A	B	C
任務名稱		工期
1.KJ01專案第一次專案會議		0.5 d
2.講座宣傳		
3.活動流程安排/統計		
4.第一次參與人員統計(含CALLOUT)		
5.第二次參與人員統計(含CALLOUT)		
6.講座活動流程服務人員		
7.講座資料準備-影印/簽收/發放		

Microsoft Excel

這裡已經有資料。您要取代這筆資料嗎?

確定 取消

STEP 06 重複前述的步驟，這次點選 D 欄新增一欄位，然後選取 C 欄執行資料剖析。執行至步驟 3 之 2 時，在分隔符號勾選「空格」，便可直接按下 完成(F) 鈕。

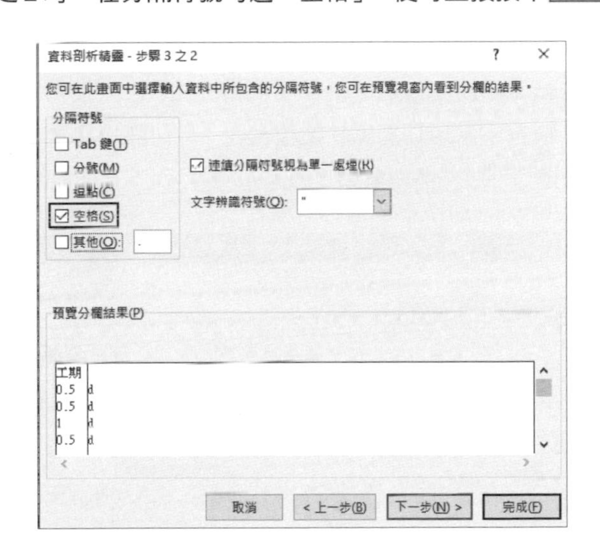

STEP 07 這時已將工期的數值與單位剖析完成，結果如下圖所示。直接選取 E 欄，重複上述之步驟，如此便可將三個欄位的資料剖析完成。

	A	B	C	D	E	F	G
1	任務名稱		工期		開始時間		
2	1	KJ01專案第一次專案會議	0.5	d	2017/10/11 00:00	08:00:00	AM
3	2	講座宣傳	0.5	d	2017/10/11 00:00	11:00:00	AM
4	3	活動流程安排/統計	1	d	2017/10/11 00:00	08:00:00	AM
5	4	第一次參與人員統計(含CALLOUT)	0.5	d	2017/10/11 00:00	02:00:00	PM
6	5	第二次參與人員統計(含CALLOUT)	0.5	d	2017/10/12 00:00	09:00:00	AM
7	6	講座活動流程服務人員	3	d	2017/10/12 00:00	02:00:00	PM
8	7	講座資料準備-影印/簽收/發放	2	d	2017/10/15 00:00	02:00:00	PM

STEP 08 接著，對整個版面欄位編輯。選取儲存格 A1，在儲存格內輸入「編碼」；選取儲存格 B1，在儲存格內輸入「任務名稱」；選取儲存格 D1，在儲存格內輸入「工期單位」，然後同時選取 F 欄及 G 欄，按下滑鼠右鍵，在其快顯功能表中點選「刪除」，執行後結果如下圖所示。

	A	B	C	D	E
1	編碼	任務名稱	工期	工期單位	開始時間
2	1	KJ01專案第一次專案會議	0.5	d	2017/10/11 00:00
3	2	講座宣傳	0.5	d	2017/10/11 00:00
4	3	活動流程安排/統計	1	d	2017/10/11 00:00
5	4	第一次參與人員統計(含CALLOUT)	0.5	d	2017/10/11 00:00
6	5	第二次參與人員統計(含CALLOUT)	0.5	d	2017/10/12 00:00
7	6	講座活動流程服務人員	3	d	2017/10/12 00:00
8	7	講座資料準備-影印/簽收/發放	2	d	2017/10/15 00:00

STEP 09 選取 A 欄，執行「常用功能區→儲存格群組→格式」，在其下拉式清單中點選自動調整欄寬。執行「常用功能區→數值群組」，在數值格式欄位的下拉式選單中點選「簡短日期」，執行後結果如下圖所示。

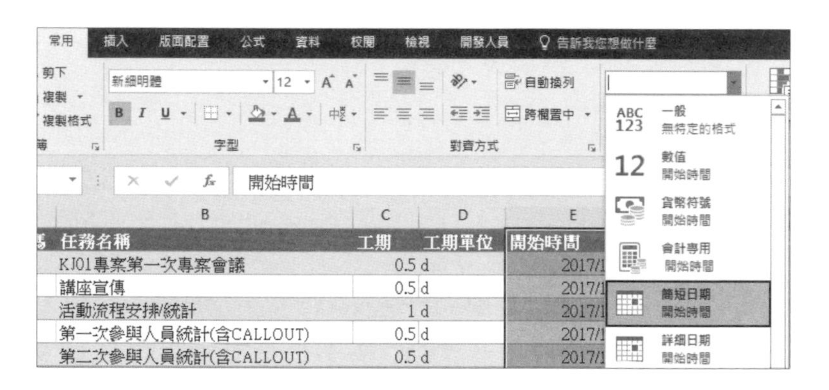

STEP 10 選取 A 欄，執行「常用功能區→數值群組」，在其右下角點開「數字格式」，於該視窗中「數值」標籤的「類別」選單中點選「自訂」，在「類型」中選取「G/ 通用格式」，並在其預設文字前面輸入「任務」，按下 確定 鈕，執行後結果如下圖所示。

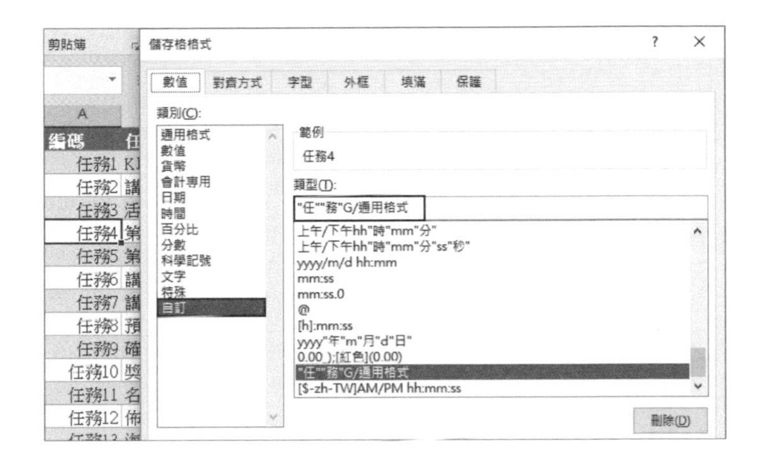

2.2 使用甘特圖分析任務執行

「甘特圖」在專案管理中是個常見的圖表，其基本架構爲一橫條，但由兩個軸向所構成。橫軸部分代表時間，時間的刻度單位可以有年、季、月、週、日等，而縱軸部分則代表任務（工作分解結構），也就是說整個圖表上要同時包含有專案活動中的所有活動內容、工作天數、日期等資訊，當圖表上的資訊越完善，則越有助於專案執行績效。

2.2.1 製作甘特圖

在 MS Excel 中所建立的「甘特圖」，是透過平面橫條圖來完成，相對於部分企業使用美工圖案繪製「甘特圖」更爲方便，且在任務的執行過程中，對時間的使用難免會與規劃階段有差異，此時透過圖表繪製的優點，便是可快速地完成修改後的資訊。

STEP 01 開啟「範例 \CH2\ 原始檔案 \ 講座專案執行表 .xlsx」活頁簿，選取儲存格範圍 A2：A37，按下 Ctrl 鍵，再選取儲存格範圍 C1：C37、E1：E37，執行「插入功能區→圖表群組」，點選直條圖的下拉式清單，於其中點選「平面橫條圖→堆疊橫條圖」，圖表立即產生。

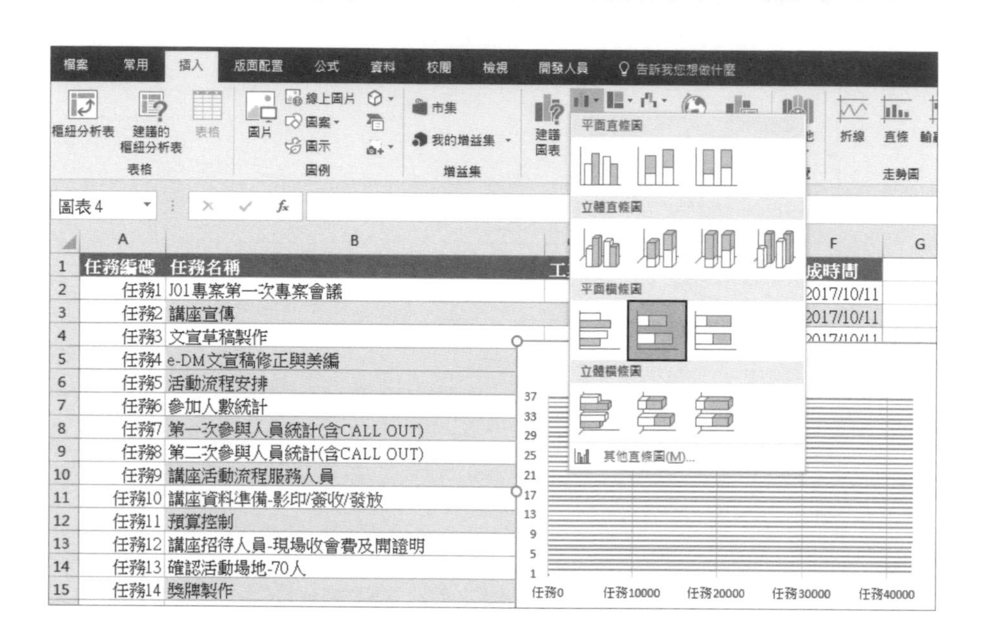

STEP 02 執行「圖表工具→設計功能區→資料群組→選取資料」。在「選取資料來源」視窗中，點選「圖例項目（數列）」的「數列 1」，按下 移除(R) 鈕（此部分的範圍即為步驟一所列之範圍 A2:A37，但在此圖表上，我們希望此部分之範圍所呈現的是數列刻度，而非圖表中的數值資料來源，故將其刪除）。

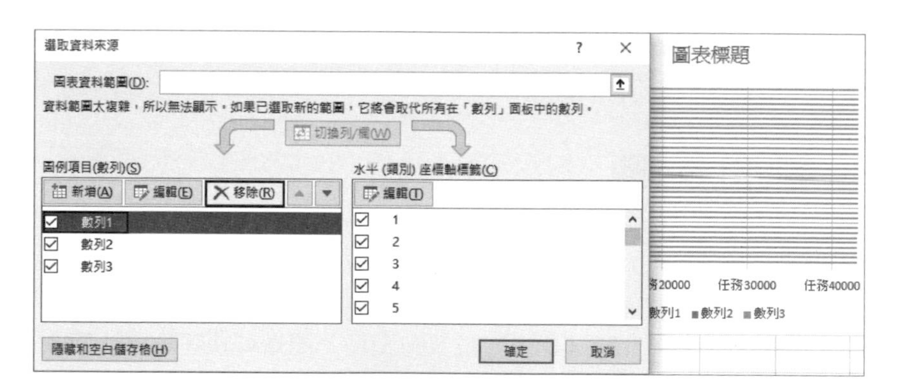

STEP 03 繼續點選「數列 2」，按下 編輯(E) 鈕。在「數列名稱」欄位內輸入「工期」，將「數列值」修改為「= 專案執行 !$C$2:$C$31」，按下 確定 鈕。

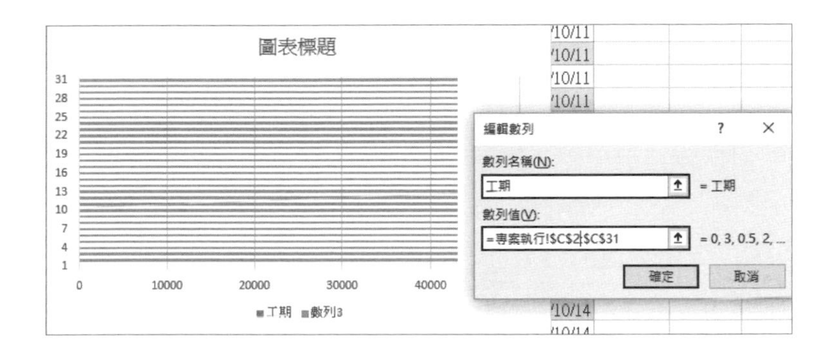

STEP 04 再繼續點選「數列 3」，按下 編輯(E) 鈕。在「數列名稱」欄位內輸入「開始時間」，將「數列值」修改為「= 專案執行 !$E$2:$E$31」，按下 確定 鈕。

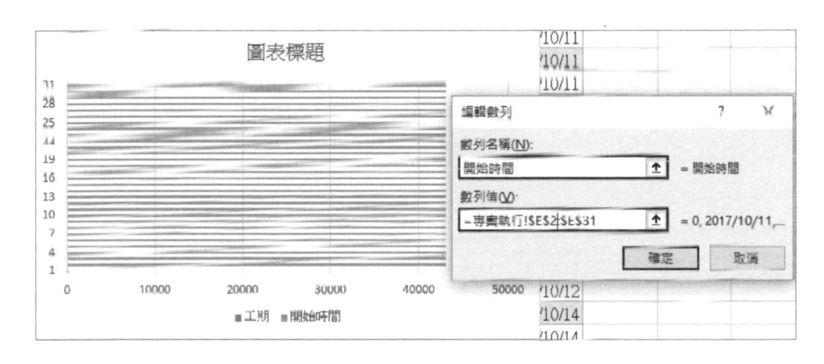

STEP 05 點選「開始時間」數列，按下 ▲ 鈕，使「開始時間」數列移至「工期」數列上方，結果如下圖所示。

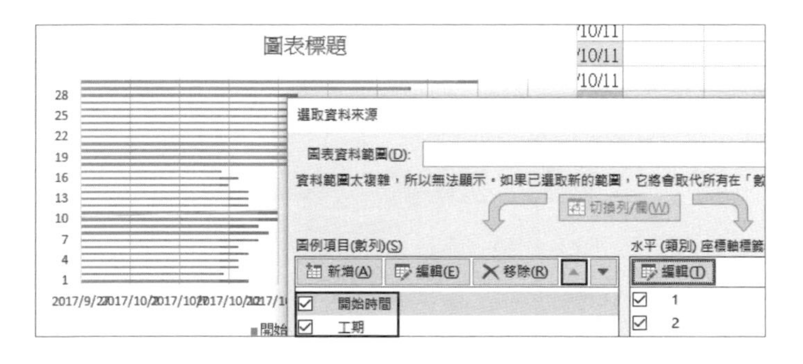

STEP 06 點選水平（類別）座標軸標籤，按下 編輯(E) 鈕。在「座標軸標籤」視窗的「座標軸標籤範圍」欄位內，輸入「= 專案執行 !$A$2:$A$31」，連按兩下 確定 鈕。

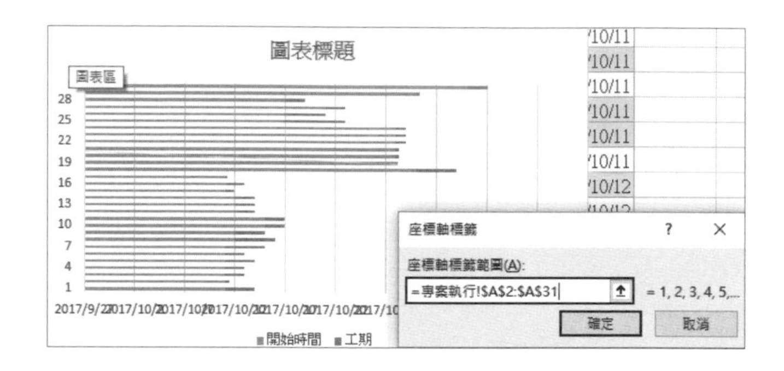

STEP 07 執行「圖表工具→設計功能區→位置群組→移動圖表」。在「移動圖表」視窗中，點選「新工作表」，並將工作表名稱定為「專案執行甘特圖」，按下 確定 鈕。目前在圖表上同時顯示的有「開始時間」及「工期」的堆疊橫條圖，但實際上在「甘特圖」只有顯示「工期」的部分，因此需要將「開始時間」的橫條圖隱藏。

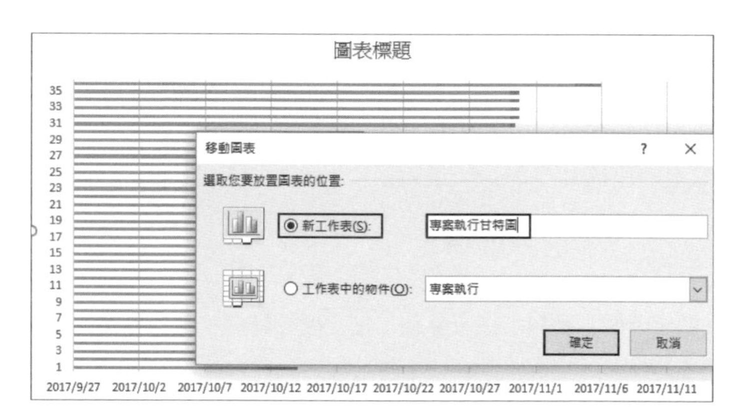

STEP 08 選取「開始時間」橫條圖部分，執行「圖表工具→格式功能區→圖案樣式群組→圖案填滿」。在開啟的色彩下拉式清單中點選「無填滿」，如下圖所示。

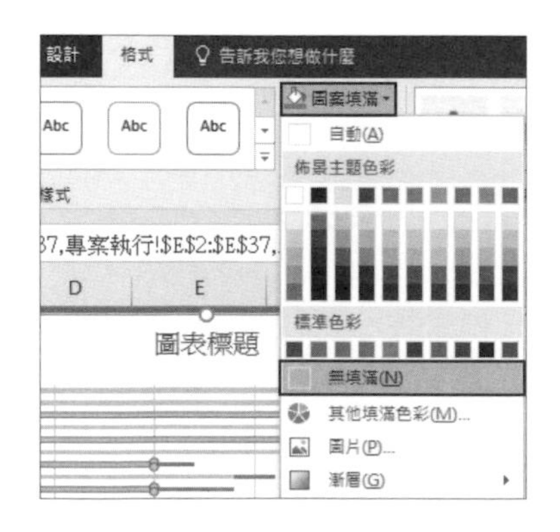

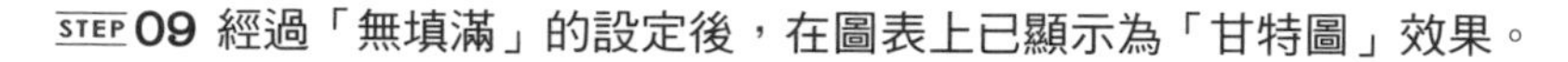

STEP 09 經過「無填滿」的設定後，在圖表上已顯示為「甘特圖」效果。

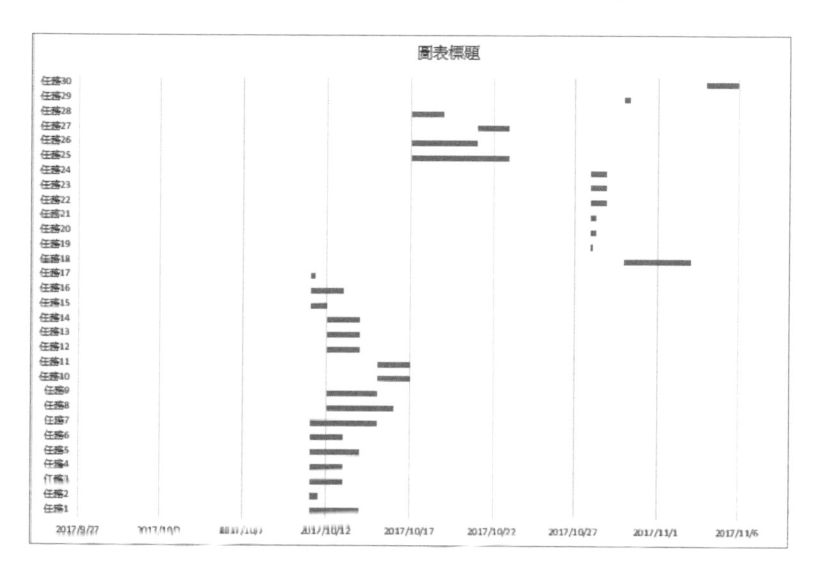

STEP 10 調整水平座標軸格式，點選圖表下方的水平座標軸，按下滑鼠右鍵，在其快顯功能表中點選「座標軸格式」，即可在視窗右側功能窗格中進行編輯。在座標軸選項的範圍值上，「最小值」變更為「43019.0」，「最大值」變更為「43046.0」。

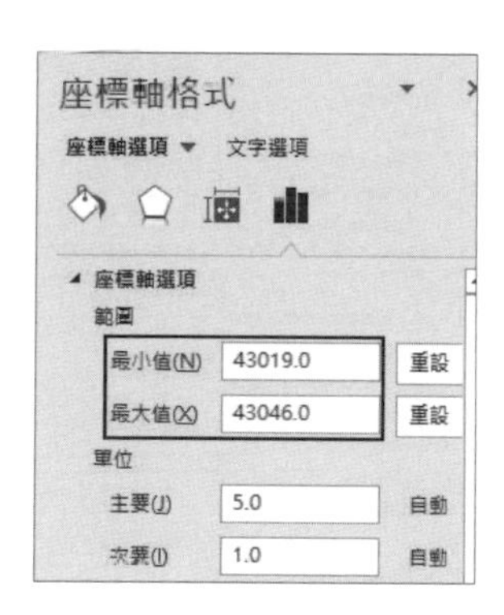

STEP 11 變更後的水平座標軸時間刻度剛好包含整個專案進行所需時間，結果如下圖所示。

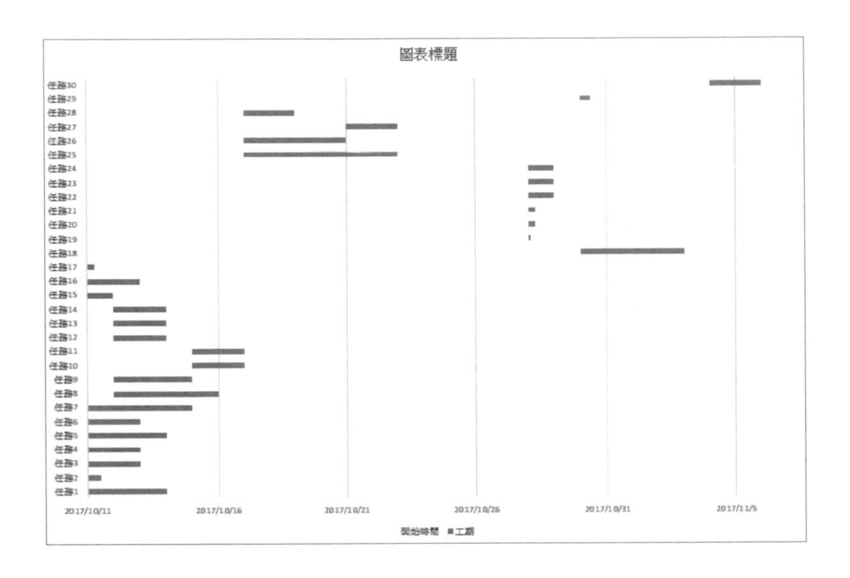

STEP 12 若專案的時間是在同一年度上，這時亦可調整日期刻度的顯示格式。點選「水平座標軸刻度」，在功能視窗的標籤數值設定上，「類型」選擇「簡短日期」（例如：3/14），如下圖所示。

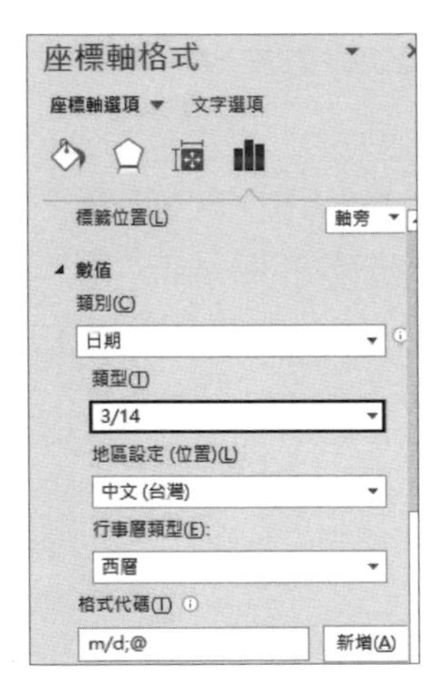

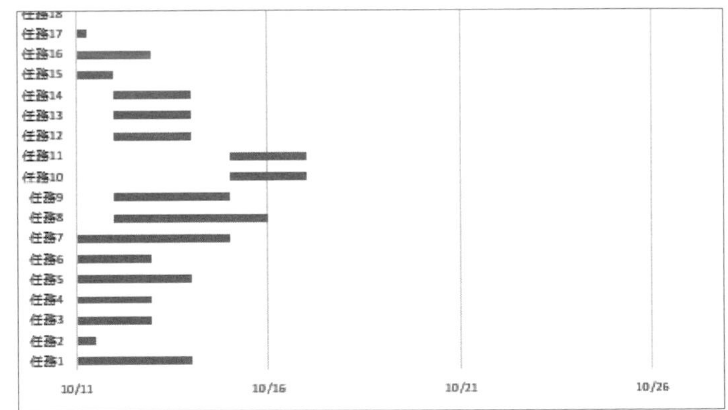

說明　專案時間

專案的時間長短通常會伴隨著專案的大小而定，小型專案的時間可能是一個月到數個月之久，而大型專案的時間卻是有可能數十年之久，但 MS Excel 畢竟不是專案管理軟體，故建議是在小型專案的屬性上，才使用本方式進行。另外，在 MS Excel 中，對於天數的計算單位為「日曆天」，而非「工作天」，故在輸入工期時，需特別注意是否該任務有觸及到「星期六」或是「星期日」等，若是未注意到此部分，極有可能會造成專案完成日期的誤差。

STEP 13 調整垂直座標軸格式。點選圖表左方的垂直座標軸，按下滑鼠右鍵，在其快顯功能表中點選「座標軸格式」，即可在視窗右側功能窗格中進行編輯。在座標軸選項的類型上，勾選「類別次序反轉」，設定後可發覺水平座標軸由圖表下方移至圖表上方，結果如下圖。

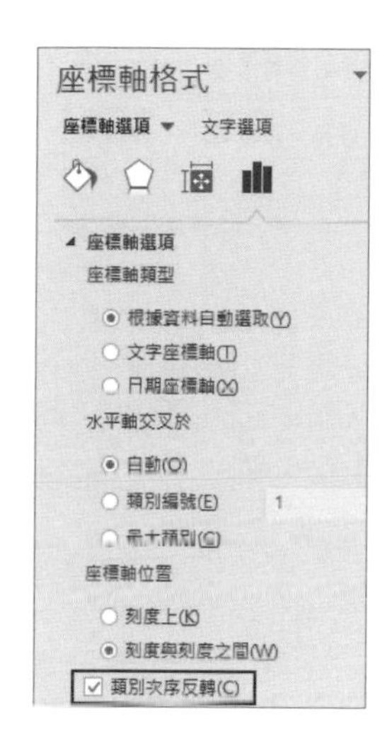

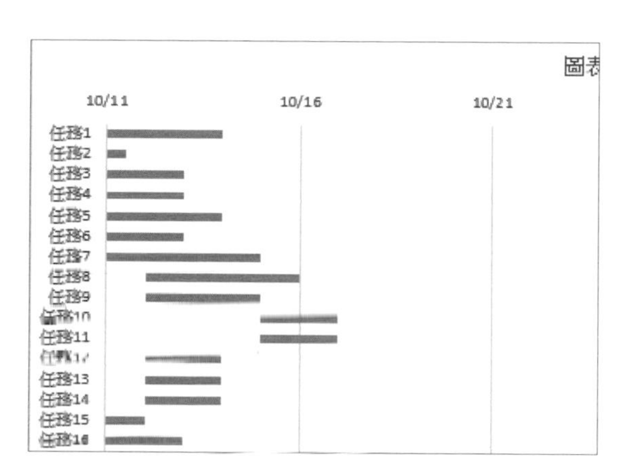

STEP 14 將圖表標題變更為「專案任務甘特圖」，選取圖表右側的 + 標籤，在其開啟的清單中取消勾選「圖例」。由於圖表目前的代表含義為「甘特圖」，故不需要圖例說明。

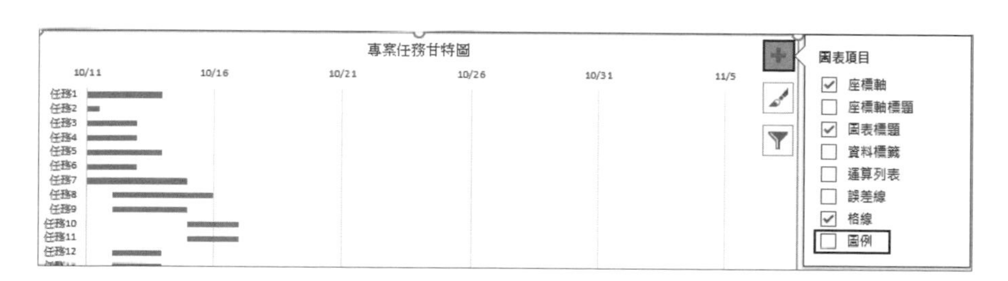

STEP 15 點選圖表「繪圖區」，執行「圖表工具→格式功能區→圖案樣式群組→圖案外框」。在開啟的色彩下拉式清單中，點選「白色，背景 1，較深 35%」，如下圖所示。

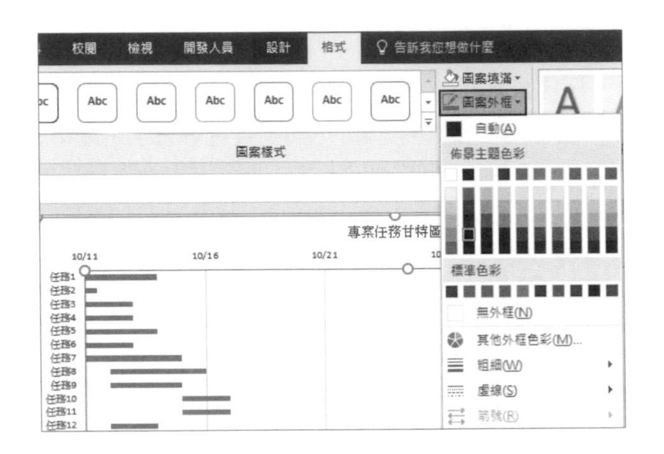

經過上述步驟，「甘特圖」即已編輯完成。對專案團隊成員而言，只需要在「工期」欄位或是「開始時間」欄位中，輸入專案任務中的資訊，圖表即會隨之調整，變更爲符合專案任務的需求。

2.2.2 製作有「追蹤線」的甘特圖

當「甘特圖」製作完成後，這只是完成了專案當中的規劃階段。專案進行中，重要的是能有效掌控專案進度，且有適當的報表呈現說明，而爲了讓上述完成的「甘特圖」更符合實際上的使用，可再加上「追蹤線」設定。

「追蹤線」的顯示方式是條垂直線，它能表示專案進行的目前階段。對於專案團隊成員或是專案管理者而言，若有「追蹤線」設定，在有限的時間下，可立即清楚專案目前的狀態，獲得清楚有用之訊息。

STEP 01 開啟「專案執行」工作表，在儲存格A33內輸入「追蹤日」，在儲存格B33內輸入「2017/10/18」，如下圖所示。

	A	B	C
28	任務27	參與會員宣導PROJECTPLUS及相關事宜PPT	2
29	任務28	J01專案第二次專案會議	2
30	任務29	講座內容	0.38
31	任務30	結案會議(含Lessons Learn)	2
32			
33	追蹤日	2017/10/18	
34			

STEP 02 選取圖表，執行「圖表工具→設計功能區→資料群組→選取資料」。在「選取資料來源」視窗中，點選「圖例項目（數列）」區塊的 新增(A) 鈕。

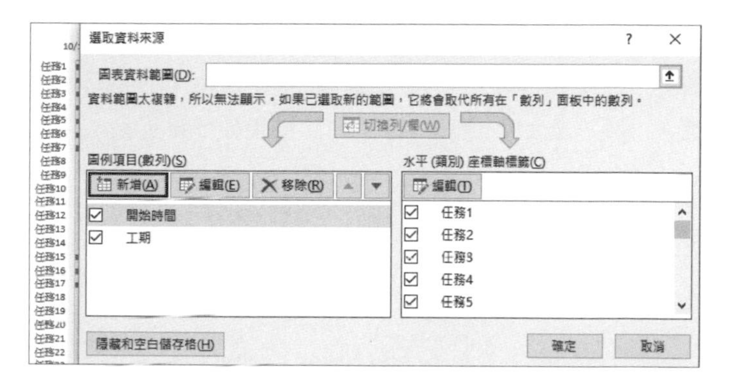

STEP 03 在「編輯數列」視窗中，於「數列名稱」欄位內輸入「追蹤線」，連按兩下 確定 鈕。

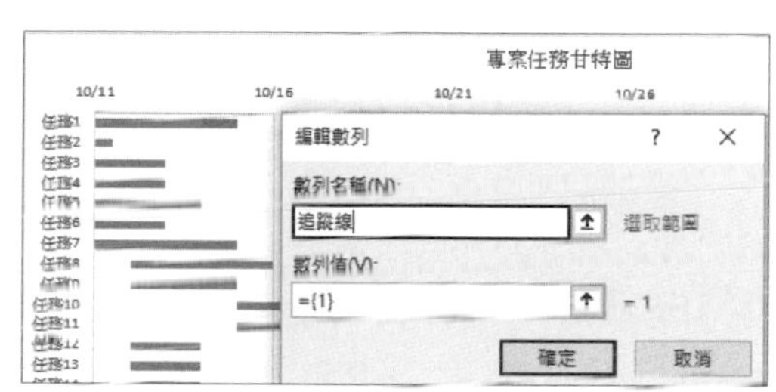

STEP 04 選取追蹤線圖表，按下滑鼠右鍵，在快顯功能表中點選「變更數列圖表類型」。在「變更圖表類型」視窗中，將追蹤線的圖表類型變更為「XY 散佈圖」中的「帶有直線的 XY 散佈圖」，按下 確定 鈕。。

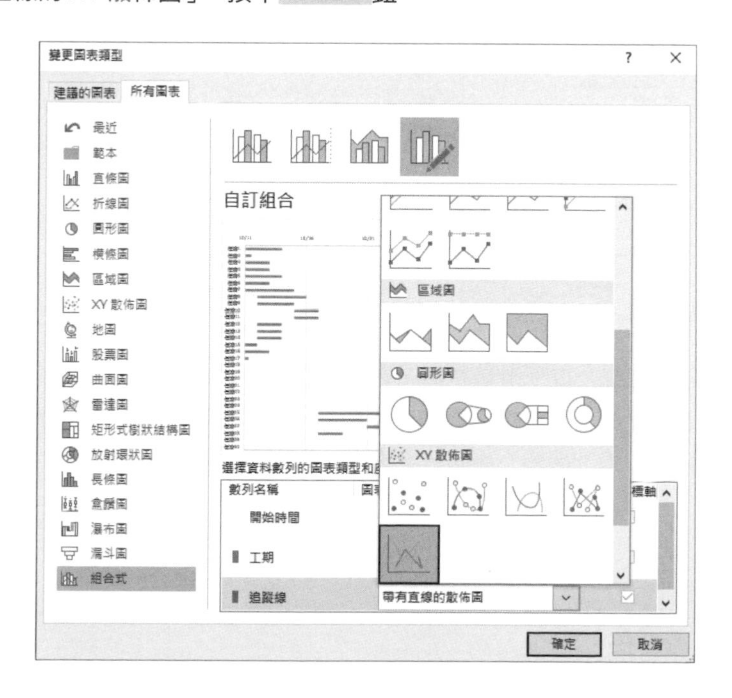

STEP 05 在完成後的圖表中，選取其右側垂直座標軸，按下滑鼠右鍵，接著在其快顯功能表中，點選「座標軸格式」，即可在視窗右側功能窗格中進行編輯。在座標軸選項的範圍上，將「最大值」變更為「12」，結果如下圖所示。

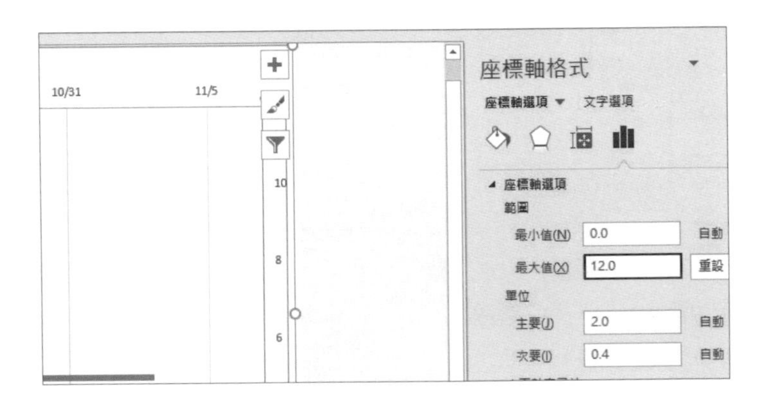

STEP 06 選取圖表，執行「圖表工具→設計功能區→資料群組→選取資料」。在開啟的視窗中，點選「圖例項目（數列）」的區塊，選取「追蹤線」數列，按下 編輯(E) 鈕。在「編輯數列」視窗中，於「數列 X 值」欄位內輸入「= 專案執行 !$B$33, 專案執行 !$B$33」，於「數列 Y 值」欄位內輸入「={12,0}」，連按兩下 確定 鈕，即可檢視「追蹤線」已被建立。

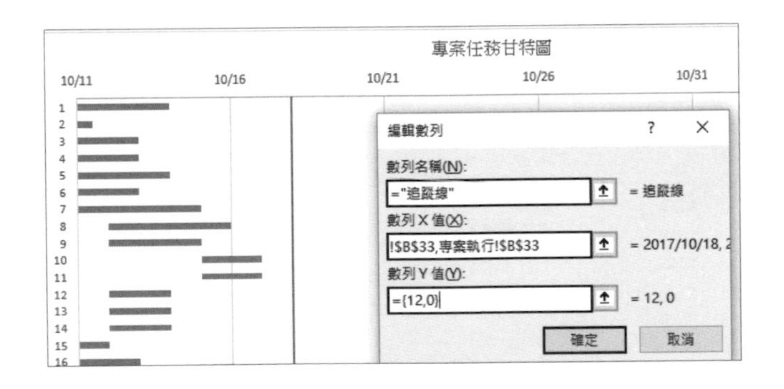

STEP 07 點選「追蹤線」，按下滑鼠右鍵，在其快顯功能表中點選「座標軸格式」，即可在視窗右側功能窗格中進行編輯。在數列選項的線條設定上，將「線條」變更為「實心線條」，「色彩」變更為「綠色，輔色 6，較深 25%」，「寬度」變更為「4pt」，結果如下圖所示。

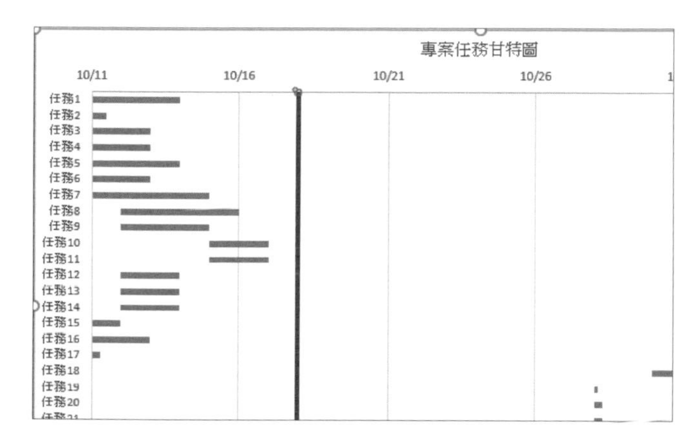

STEP 08 經過上述步驟，「追蹤線」已編輯完成。對專案團隊成員而言，只需在「專案執行」工作表的追蹤日期欄位內輸入日期，「追蹤線」即會隨之調整，變更為符合專案任務的需求，如下圖所示。

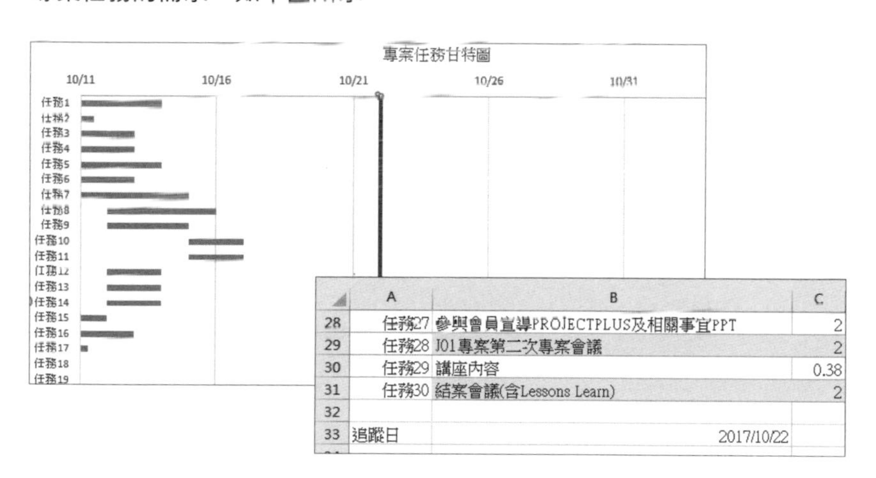

	A	B	C
28	任務27	參與會員宣導PROJECTPLUS及相關事宜PPT	2
29	任務28	J01專案第二次專案會議	2
30	任務29	講座內容	0.38
31	任務30	結案會議(含Lessons Learn)	2
32			
33	追蹤日	2017/10/22	

企業財務預測與規劃分析

對任何企業而言，財務預測對企業是否能長久經營，具有其重大影響力，尤其對新創企業而言更是重要。而所謂的財務預測，是指企業對未來收入、成本、利潤、現金流量及融資等方面所作的推測預估，這個預測越精準，對企業的整個營運無疑是有很大的助力，因此對企業的經營者而言，負責財務預測的相關人員應該能夠善用企業的相關訊息資料，從中預測對公司財務的有利對應。

3.1 資金需求量預測

資金需求量預測是指企業對根據目前規劃的生產經營的需求，對未來所需資金的估計推算。一個企業不論是處於哪個時期，都會有需要籌集資金的時間點，當此時間點發生時，企業的財務相關部門便需對其經營活動的所需資金量進行估計、分析等。而目前在資金需求量預測中，較常被使用的方法爲「資金習性法」，也就是透過資金暫用量與產品產銷量間的依存關係，從而求出其需求。

3.1.1 透過 INDEX 函數建立預測模型

已知勝方企業在 2012 年到 2017 年間的每年產銷量及資金量，假設該企業在 2018 年預計產量爲 1,260,000 包，現需預測其在 2018 年所需的資金量。假設資金需求量與產量的關係爲一元線性關係：資金需求量 (y)=a+b* 產量，這裡的 a、b 爲待估計參數。

高低點是一種典型的預測方法，其主要是利用函數關係 y=a+bx，來進行資金的預測，通常這種方法的表格內包含要運算的產量最高點、產量最低點、預測方程變量項 b、預測方程變量項 a 及 2018 年預測值。接著透過下面的步驟，來說明此方法的運作。

說明　一元線性迴歸分析

所謂「一元線性迴歸分析」，是指根據兩個變數間的相互關係，建立兩者間的線性迴歸方程式進行預測。由於產品在市場上的銷售會受到多種因素的影響，若硬用此方法做迴歸分析預測，必須對影響市場現象的多種因素做全面分析。

STEP 01 開啟「範例\CH3\原始檔案\資金需求預測.xlsx」活頁簿，點選「資金預測」工作表，選取儲存格 H4，執行「公式功能區→函數庫群組→自動加總」，在展開的下拉式清單中，點選「最大值」，並在資料編輯列中輸入內容為「=MAX(B4:B9)」，按下 ✓ 鈕。

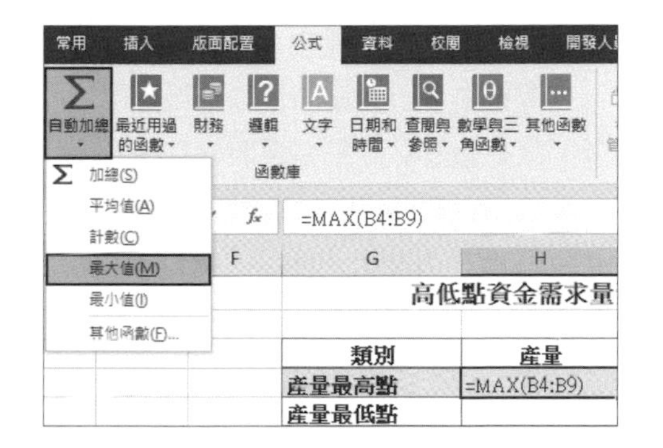

函數小提示 MAX 函數

MAX 函數屬於統計函數，為傳回某儲存格範圍內的最大值，在此範圍內的邏輯值及文字將被忽略不計。

其語法架構為：

MAX(Number1, Number2….)

各欄位之說明如下：

- Number1, Number2….：為 1~255 個引數，其內容可以為數值、空白儲存格、邏輯值或是文字串。

STEP 02 選取儲存格 H4，執行「公式功能區→函數庫群組→自動加總」，在展開的下拉式清單中，點選「最小值」，並在資料編輯列中輸入內容為「=MIN(B4:B9)」，按下 ✓ 鈕。

=MIN(H4)

D	E	F	G	H	I
			高低點資金需求量預測		
			類別	產量	資金占用
			產量最高點	960000包	
			產量最低點	=MIN(H4)	
			預測方程變量項b	MIN(number1, [number2], ...)	

函數小提示 MIN 函數

MIN 函數屬於統計函數，為傳回某儲存格範圍內的最小值，在此範圍內的邏輯值及文字將被忽略不計。

其語法架構為：

MIN(Number1, Number2….)

各欄位之說明如下：

- Number1, Number2….：為 1~255 個引數，其內容可以為數值、空白儲存格、邏輯值或是文字串。

STEP 03 要計算的是其資金佔有量。前述步驟中，分別求出產量之最高點及最低點，但因其在不同年度的表格配置中，所對應的位置不盡相同，因此對於資金佔有量的金額將對應到其產量的最高點及最低點。選取儲存格 I4，執行「公式功能區→函數庫群組→查閱與參照」，在展開的下拉式清單中，點選 MATCH 函數，接著在「函數引數」視窗的第一個欄位內輸入「H4」，第二個欄位內輸入「$B$4:$B$9」，按下 確定 鈕。

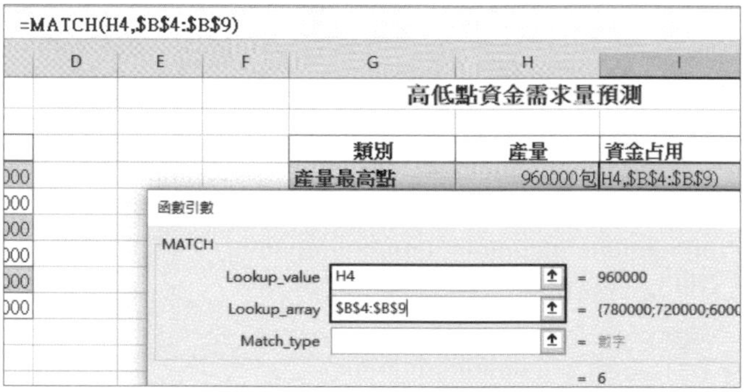

=MATCH(H4,$B$4:$B$9)

高低點資金需求量預測

類別	產量	資金占用
產量最高點	960000包	H4,$B$4:$B$9)

函數引數

MATCH

Lookup_value　H4　= 960000

Lookup_array　$B$4:$B$9　= {780000;720000;6000

Match_type　= 數字

= 6

函數小提示 MATCH 函數

MATCH 函數屬於查詢與參照函數，為搜尋儲存格範圍內的指定項目，並傳回該項目於該範圍內的相對位置。

其語法架構為：

MATCH(Lookup_value, Lookup_array, Match_type)

各欄位之說明如下：

- ❏ Lookup_value：必要值，為要在儲存格範圍內尋找的值，其值可以為數值、文字或是邏輯值。
- ❏ Lookup_array：必要值，為連續的儲存格範圍，其範圍內可包含查詢資料、陣列值或是陣列參照。
- ❏ Match_type：為一邏輯值，分別用 1、0 或 -1 來表示所要傳回的結果。

STEP 04 在前述步驟中，只是求出產量最高點所在的位置，但表格中的需求為相對位置內的金額。將插入點置於其資料編輯列內，並將原函數修改為「=INDEX($C$4:$C$9,MATCH(H4,$B$4:$B$9))」，按下 ✓ 鈕，完成後可向下拖曳，自動填滿至儲存格 I5。

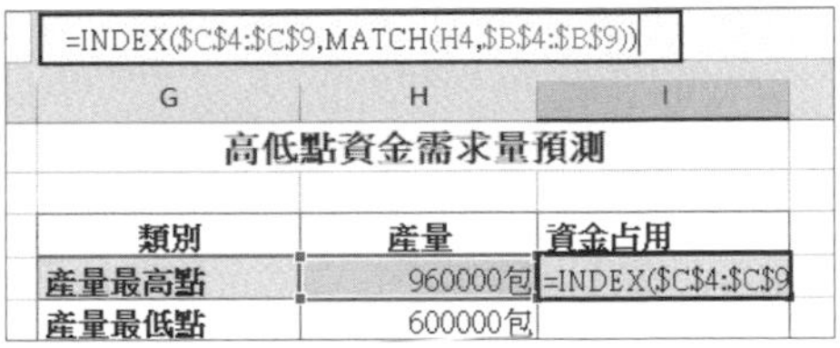

=INDEX($C$4:$C$9,MATCH(H4,$B$4:$B$9))

G	H	I
高低點資金需求量預測		
類別	產量	資金占用
產量最高點	960000包	=INDEX($C$4:$C$9
產量最低點	600000包	

函數小提示　INDEX 函數

INDEX 函數屬於查詢與參照函數，指要傳回表格或範圍內的特定欄或列交集處的儲存格參照。

其語法架構為：

INDEX(Array, Row_num, Column_num)

各欄位之說明如下：

- Array：必要值，為儲存格範圍或是常數陣列。如果 Array 只有單欄或單列，則其對應的 Row_num 或 Column_num 引數是選擇性的；反之，則會傳回陣列中整列或整欄的陣列。
- Row_num：必要值，為選取陣列中傳回值的列。
- Column_num：選擇值，為選取陣列中傳回值的欄。

STEP 05 求出上述結果後，便可計算變量項 b。選取儲存格 H6，在資料編輯列內輸入「=ROUNDUP((I4-I5)/(H4-H5),0)」，按下 ✓ 鈕（因計算出的數值為小數位多位，在此練習情境中的產量單位為「包」，未滿 1「包」時，將以 1「包」計算，故使用 ROUNDUP 函數執行）。

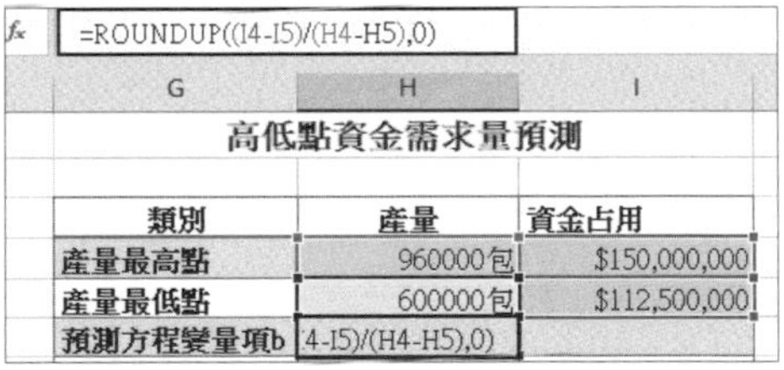

fx =ROUNDUP((I4-I5)/(H4-H5),0)

G	H	I
高低點資金需求量預測		
類別	產量	資金占用
產量最高點	960000包	$150,000,000
產量最低點	600000包	$112,500,000
預測方程變量項b	4-I5)/(H4-H5),0)	

STEP 06 計算變量項 a。選取儲存格 H7，在資料編輯列內輸入「=I4-H4*H6」，按下 ✓ 鈕。

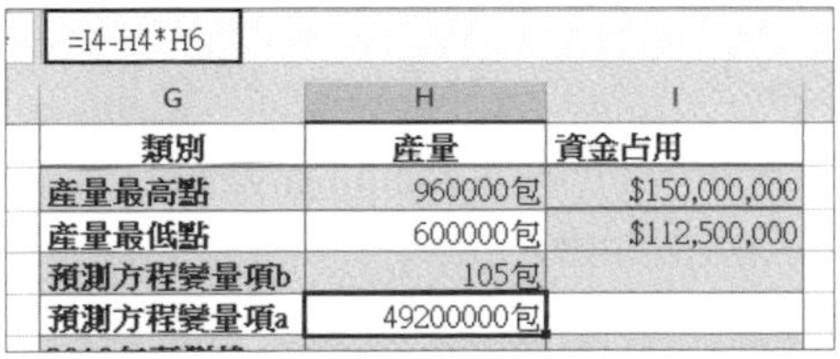

=I4-H4*H6

G	H	I
類別	產量	資金占用
產量最高點	960000包	$150,000,000
產量最低點	600000包	$112,500,000
預測方程變量項b	105包	
預測方程變量項a	49200000包	

STEP 07 計算 2018 年所需的資金量。在儲存格 H8 的欄位內，輸入預估產量為 1,260,000 包，接著將滑鼠插入點置於儲存格 I8 的資料編輯列上，並輸入「=H7+H8*H6」，按下 ✓ 鈕。如此，可計算出 2018 年的產量預估為 1,260,000 包時，所需的資金需求為 $181,500,000。

=H7+H8*H6

G	H	I
高低點資金需求量預測		
類別	產量	資金占用
產量最高點	960000包	$150,000,000
產量最低點	600000包	$112,500,000
預測方程變量項b	105包	
預測方程變量項a	49200000包	
2018年預測值	1260000	=H7+H8*H6

3.1.2 用 INTERCEPT 函數建立迴歸分析

在前述的需求預算中，大抵上是使用公式，但在迴歸分析的預測方法裡，對於 y=a+bx 中的常數與變量的運算，則是使用了 Excel 中的函數，透過如此的方式，財務管理者可比較兩者間的差異，並從中找出最適合單位的運作方法。

STEP 01 首先，要先行計算變量項 b。選取儲存格 N3，執行「公式功能區→函數庫群組→其他函數→統計」，在展開的下拉式清單中，點選 SLOPE 函數，在「函數引數」視窗的第一個欄位內輸入「C4:C9」，第二個欄位內輸入「B4:B9」，按下 確定 鈕。

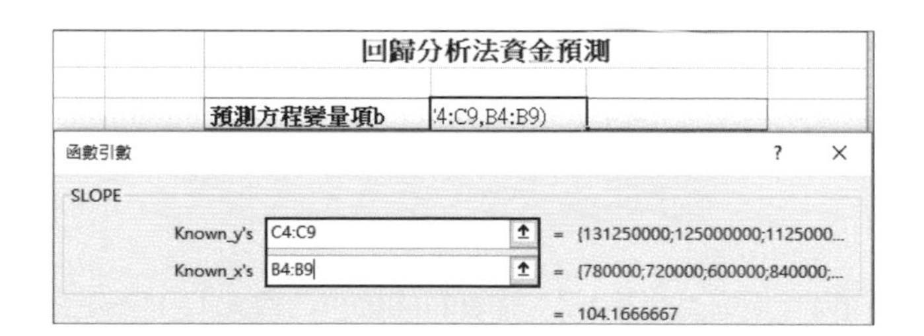

函數小提示　SLOPE 函數

SLOPE 函數屬於統計函數，為傳回穿過兩個陣列中資料點之線性迴歸線的斜率，其斜率的計算方式為將線上任意兩點的垂直距離除以水平距離，也就是迴歸線的變動率。

其語法架構為：

SLOPE(Known_y's, Known_x's)

各欄位之說明如下：

- ❏ Known_y's：必要值，為數值相依資料點的陣列或儲存格範圍，其範圍內可以為數字，或是含有數字名稱、陣列或參照。
- ❏ Known_x's：必要值，為一組獨立資料點，可以是數字，或是含有數字名稱、陣列或參照。

STEP 02 在儲存格 N3 的資料編輯列內，輸入「=ROUNDUP((I4-I5)/(H4-H5),0)」，按下 ✓ 鈕（因計算出的數值為小數位多位，在此取整數運算，故使用 ROUNDUP 函數執行）。

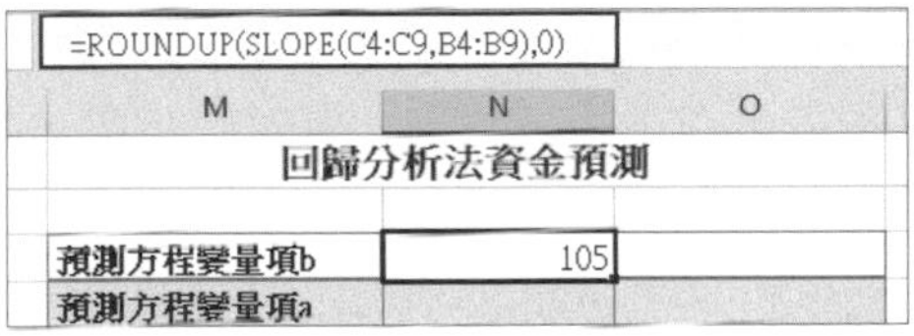

=ROUNDUP(SLOPE(C4:C9,B4:B9),0)

M	N	O
回歸分析法資金預測		
預測方程變量項b	105	
預測方程變量項a		

STEP 03 計算變量項 a。選取儲存格 N4，執行「公式功能區→函數庫群組→其他函數→統計」，在展開的下拉式清單中，點選 INTERCEPT 函數，在「函數引數」視窗的第一個欄位內輸入「C4:C9」，第二個欄位內輸入「B4:B9」，按下 確定 鈕。

回歸分析法資金預測	
預測方程變量項b	105
預測方程變量項a	'4:C9,B4:B9)

函數引數 ? ×

INTERCEPT

Known_y's C4:C9 = {131250000;125000000;1125000...

Known_x's B4:B9 = {780000;720000;600000;840000;...

= 50000000

函數小提示 INTERCEPT 函數

INTERCEPT 函數屬於統計函數，為利用現有的 x 值和 y 值計算出一條與 y 軸的截距，而截距點依據的是透過已知 x 值和已知 y 值所繪製的直線迴歸線。。

其語法架構為：

INTERCEPT (Known_y's, Known_x's)

各欄位之說明如下：

- ❏ Known_y's：必要值，為所觀測的因變數值組或資料，其範圍內可以為數字，或是含有數字名稱、陣列或參照。
- ❏ Known_x's：必要值，為所觀測的自變數值組或資料，可以是數字，或是含有數字名稱、陣列或參照。

STEP 04 在儲存格 N5 輸入預估產量為 1,260,000 包，將滑鼠插入點置於儲存格 I8 的資料編輯列上，並輸入「=N4+N3*N5」，按下 ✓ 鈕。如此，可計算出在 2018 年的產量預估為 1,260,000 包時，所需的資金需求則為 $182,300,000。

=N4+N3*N5

M	N	O
回歸分析法資金預測		
預測方程變量項b	105	
預測方程變量項a	50000000	
2018年預測值	1260000包	$182,300,000

不同的預測方法有時難免會產生些微誤差，但對於企業的財務管理者而言，都可視為一個極佳的參考指標。

3.2 營運費用線性預測

已知勝方企業在 2017 年下半年度各月份的營業額及營業費用，公司的財務管理者依據目前的實際狀況和市場環境，推測出在 2018 上半年度各月份的營業額，現根據此營業額預估其營業費用。

3.2.1 線性 LINEST 函數應用

STEP 01 開啟「範例\CH3\原始檔案\營運費用預測.xlsx」活頁簿，點選「2017 營運費用」工作表，選取儲存格範圍 E4：F8，執行「公式功能區→函數庫群組→其他函數→統計」。在其下拉式清單中，點選 LINEST 函數，並在「函數引數」視窗中，第一個欄位內輸入「C4:C9」，第二個欄位內輸入「B4:B9」，第四個欄位內輸入「1」，按下 確定 鈕，如下圖所示。

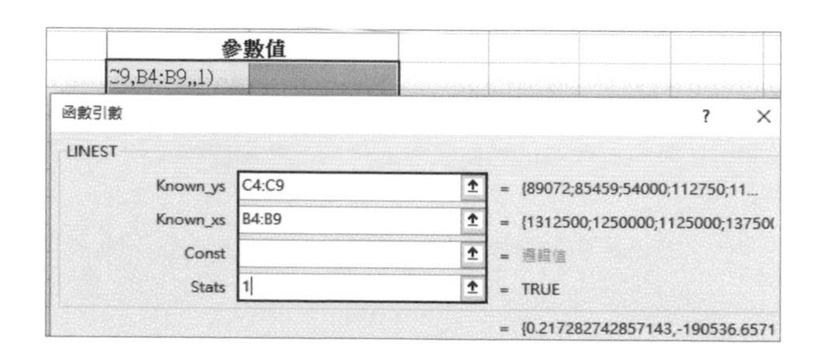

函數小提示 LINEST 函數

LINEST 函數屬統計函數中的線性迴歸，為使用最小平方方法的計算，來找出最適合的直線，並依該直線的統計資料傳回描述該線的陣列。

其語法架構為：

LINEST (Known_ys, Known_xs, Conts, Stats)

各欄位之說明如下：

- Known_ys：必要值，為在 y=mx+b 關係中一組已知的 y 值。如果 Known_ys 的範圍在單欄內，則 Known_xs 的每個欄位就被視為獨立變數。
- Known_xs：選擇值，為在 y=mx+b 關係中一組已知的 x 值。Known_xs 的範圍可包含一或多組變數，如果只用一個變數，則 Known_ys 與 Known_xs 可以是任何圖形的範圍。
- Conts：選擇性，為一個指定是否強迫常數 b=0 的邏輯值。
- Stats：為一個指定是否要傳回額外迴歸統計值的邏輯值。如果 Stats 為 TRUE，LINEST 會傳回額外的迴歸統計值；若 Stats 為 FALSE 或省略，則 LINEST 就只會傳回 m 係數和常數 b。

STEP 02 前述步驟的結果並未能顯示迴歸值。因此，在資料編輯列上選取整個函數值，並按下 Ctrl + Shift + Enter 鍵，以產生陣列，結果如右圖所示。

說明 陣列值的編輯技巧

在 Excel 中，陣列是簡化運算公式的好用工具，通常陣列可區分為一維陣列及二維陣列；而要建立陣列時，其原則是將要輸入或編輯的儲存格範圍選取後，按下 Ctrl + Shift + Enter 鍵。

對大部分使用者而言，較少機會用到陣列，因此在進行編輯修改時，會有些狀況發生，以下說明幾個在編輯過程中的注意事項：

- 陣列一旦編輯完成後，便不能修改其陣列內容，否則視窗上會有提示視窗出現，如右圖所示。

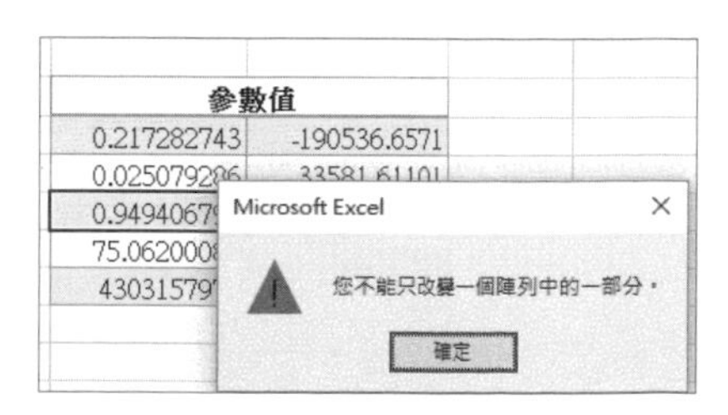

- ❑ 可以移動或刪除整個陣列，但無法部分移動或刪除。
- ❑ 若要刪除陣列函數，需先選擇整個陣列，才能執行 Delete 鍵。
- ❑ 不能在二維陣列中，插入空白儲存格或刪除部分儲存格。
- ❑ 陣列中的大括號「{}」不能手動輸入，須透過按下 Ctrl + Shift + Enter 鍵後自動產生。

STEP 03 開啟「2018 營運費用工作表」，在儲存格 C4 的資料編輯列上，輸入「='2017 營運費用 '!$F$4+'2018 營運費用 '!B4*'2017 營運費用 '!$E$4」，按下 ✓ 鈕，往下拖曳，自動填滿至儲存格 C9，結果如下圖所示。

=’2017營運費用 '!$F$4+'2018營運費用'!B7*'2017營運費用 '!$E$4

	A	B	C	D	E	F
1	2018上半年度營運費用預測分析					
2						
3	**月份**	**預計營業額**	**營運費用**			
4	JAN	$1,618,750	$161,190			
5	Feb	$1,855,222	$212,571			
6	Mar	$2,056,532	$256,312			
7	Apr	$2,227,500	$293,461			
8	May	$2,592,781	$372,830			
9	Jun	$2,823,167	$422,889			

3.2.2 運用圖表進行營運分析

當營業額與營運費用的表格建置完成後，尚無法明確得知兩者間的關係，因此，我們再透過圖表做此部分的加強。

STEP 01 選取儲存格範圍 A3：C9，執行「插入功能區→圖表群組」，點選「插入直條圖或橫條圖」的下拉式清單，於其中點選「平面橫條圖」。

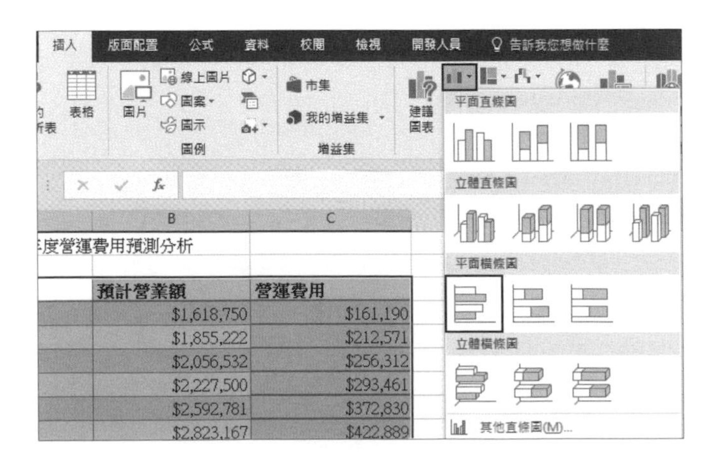

STEP 02 將圖表標題修改為「2018 上半年度營運費用分析」，並執行「圖表工具→設計功能區→位置群組→移動圖表」，在「移動圖表」視窗中點選「新工作表」，將工作表命名為「2018 分析」，按下 確定 鈕。

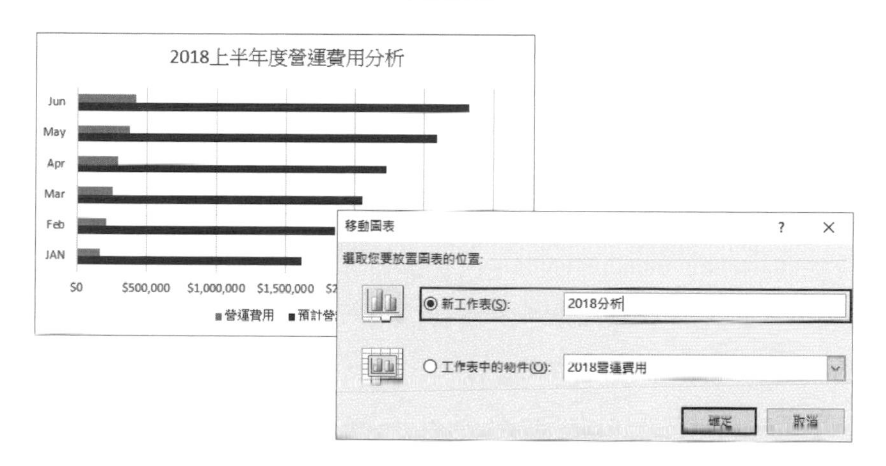

STEP 03 選取水平座標軸，按下滑鼠右鍵，在其快顯功能表中，點選「座標軸格式」。在視窗右側的功能窗格內，將座標軸選項的「座標軸數值」變更為「60000」，如下圖所示。

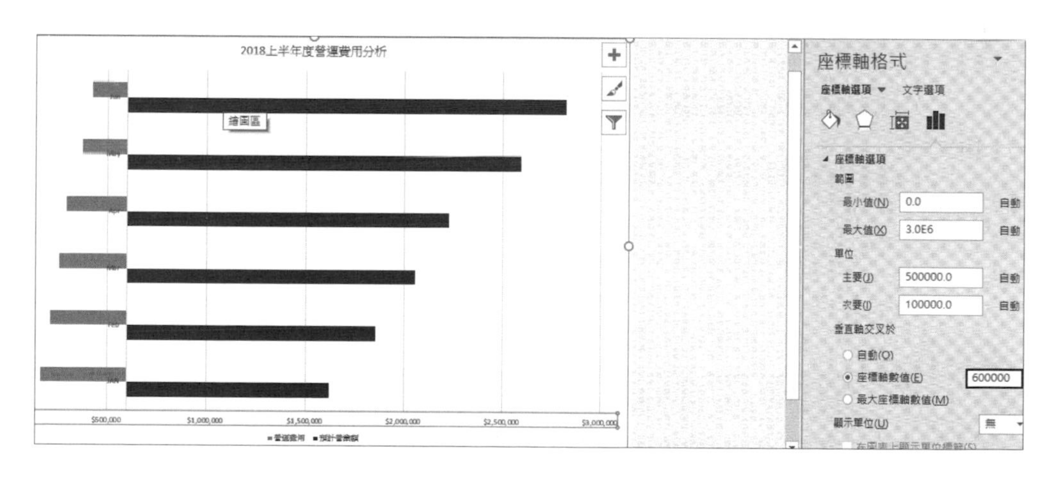

STEP 04 點選「營業費用」圖表，按下滑鼠右鍵，在其快顯功能表中，點選「資料數列格式」。在視窗右側的功能窗格內，將數列選項的「數列重疊」值變更為「100%」，「類別間距」值變更為「130%」，如下圖所示。

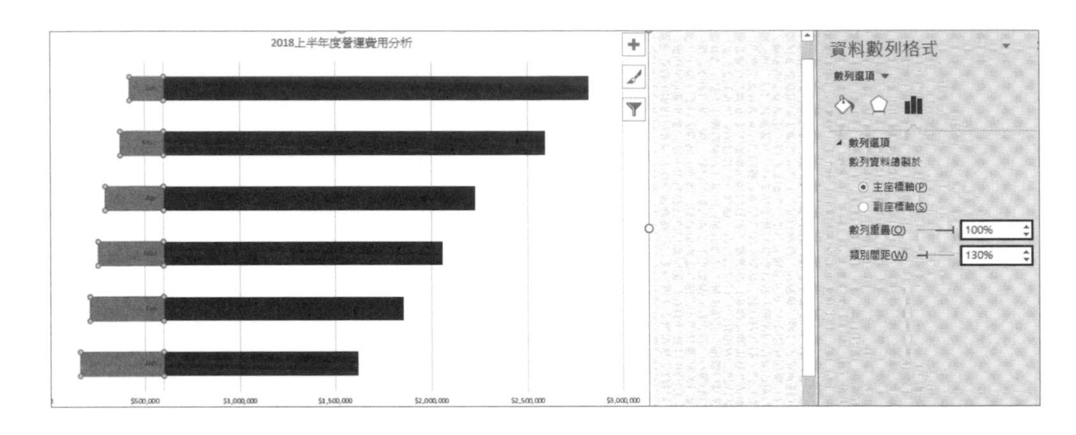

STEP 05 選取圖表右側的 + 標籤，在其開啟的清單中勾選「資料標籤」，如下圖所示。

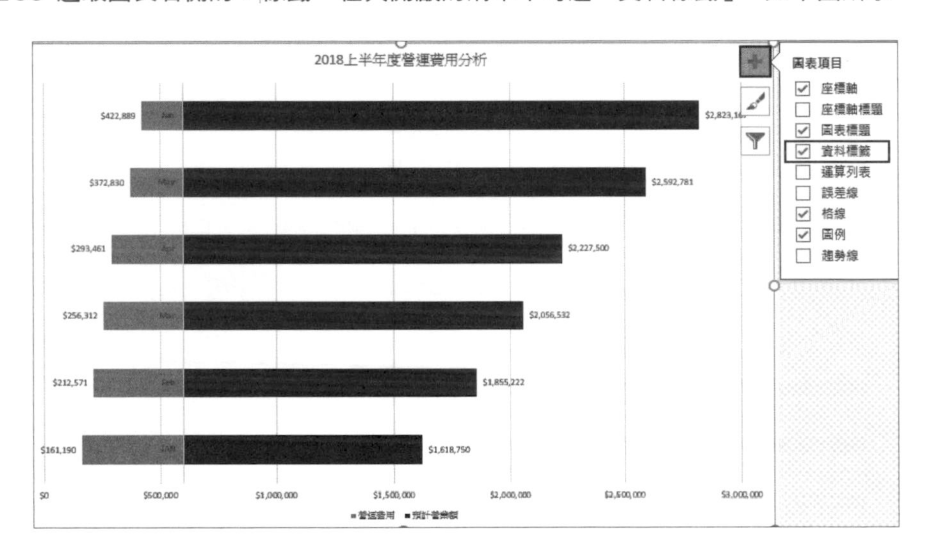

3.3 預測產量與生產成本

「成本預測」對於成本控制中非常重要的一個環節，其屬於成本事前控制，而「成本事前控制」是指在產品生產前，對未來生產經營活動中可以發生的成本進行規劃、審核及監督的活動。因此，不論是對應何種型態的企業，成本預測都可為成本決策和實施成本控制提供有用的訊息。

3.3.1 使用 GROWTH 函數預測

STEP 01 開啟「範例 \CH3\ 原始檔案 \ 生產費用預測 .xlsx」活頁簿，點選「生產成本」工作表，選取儲存格範圍 B9：E9，執行「公式功能區→函數庫群組→其他函數→統計」，在其下拉式清單中點選 GROWTH 函數，並在「函數引數」視窗中，第一個欄位內輸入「B4:M4」，第二個欄位內輸入「B3:M3」，第三個欄位內輸入「B8:E8」，按下 確定 鈕，如下圖所示。

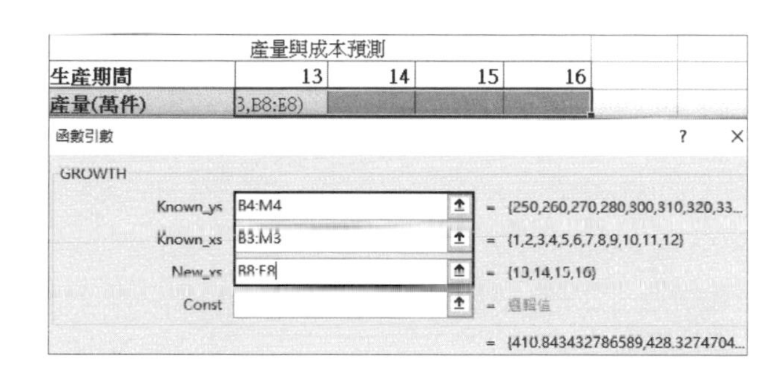

函數小提示 GROWTH 函數

GROWTH 函數屬於統計函數，其作用在於使用現有資料計算預測的指數成長，即根據現有的 x 值和 y 值，GROWTH 函數會返回一組新的 x 值對應的 y 值。

其語法架構為：

GROWTH (Known_ys, Known_xs, New_xs, Conts)

各欄位之說明如下：

- Known_ys：必要值，這是在 y = b*m^x 關係中一組已知的 y 值。
- Known_xs：選擇值，這是在 y = b*m^x 關係中一組選擇性的 x 值。
- New_xs：選擇性，要 GROWTH 傳回對應 y 值的新 x 值。
- Conts：選擇性，指定是否強迫常數 b 等於 1 的邏輯值。

STEP 02 執行後的結果，顯示有小數點多位，將插入點置於資料編輯列上，將函數修改為「=ROUNDUP(GROWTH(B4:M4, B3:M3, B8:E8),0)」，按下 ✓ 鈕。

=ROUNDUP(GROWTH(B4:M4,B3:M3,B8:E8),0)

A	B	C	D	E	F
	產量與成本預測				
生產期間	13	14	15	16	
產量(萬件)	411				
生產成本(萬元)					

STEP 03 選取儲存格範圍 B9：E9，在資料編輯列上選取整個函數值，並按下 Ctrl + Shift + Enter 鍵，以產生陣列，結果如下圖所示。

{=ROUNDUP(GROWTH(B4:M4,B3:M3,B8:E8),0)}

A	B	C	D	E	F
	產量與成本預測				
生產期間	13	14	15	16	
產量(萬件)	411	429	447	466	
生產成本(萬元)					

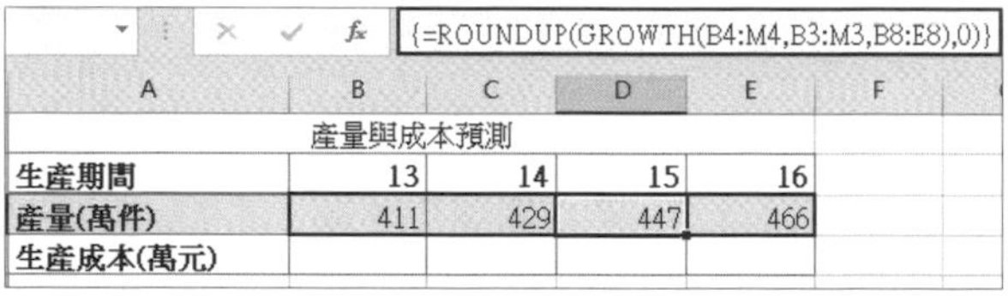

STEP 04 選取儲存格範圍 B10：E10，執行前述相同函數類別，在其下拉式清單中，點選 GROWTH 函數，並在「函數引數」視窗中，第一個欄位內輸入「B5:M5」，第二個欄位內輸入「B3:M3」，第三個欄位內輸入「B8:E8」，按下 確定 鈕，如下圖所示。

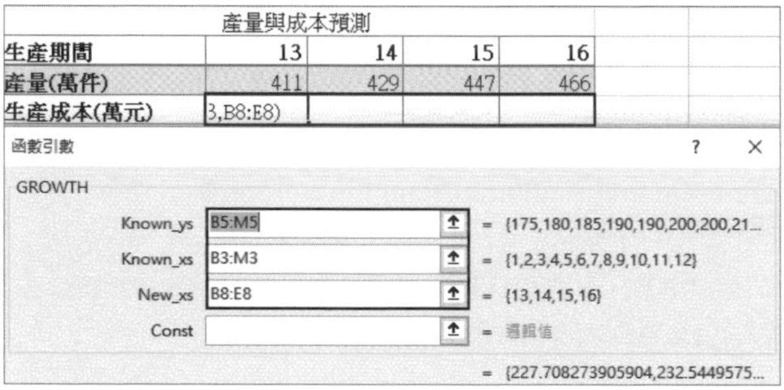

	產量與成本預測			
生產期間	13	14	15	16
產量(萬件)	411	429	447	466
生產成本(萬元)	3,B8:E8)			

函數引數

GROWTH

Known_ys B5:M5 = {175,180,185,190,190,200,200,21...

Known_xs B3:M3 = {1,2,3,4,5,6,7,8,9,10,11,12}

New_xs B8:E8 = {13,14,15,16}

Const = 邏輯值

= {227.708273905904,232.5449575...

STEP 05 將插入點置於資料編輯列上，將函數修改為「=ROUNDUP(GROWTH(B5:M5,B3:M3,B8:E8),0)」，按下 ✓ 鈕。

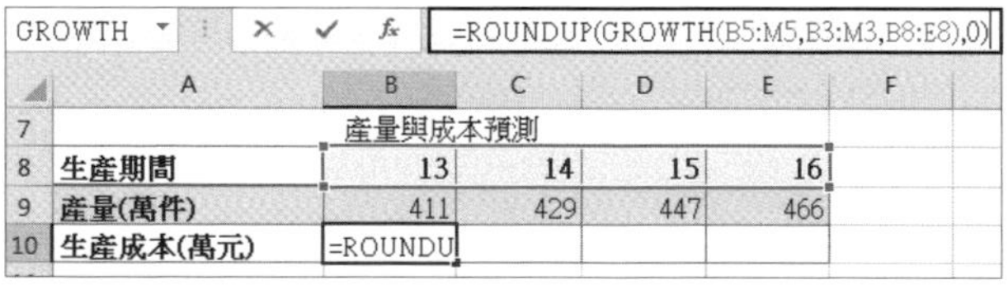

GROWTH =ROUNDUP(GROWTH(B5:M5,B3:M3,B8:E8),0)

	A	B	C	D	E	F
7		產量與成本預測				
8	生產期間	13	14	15	16	
9	產量(萬件)	411	429	447	466	
10	生產成本(萬元)	=ROUNDU				

STEP 06 選取儲存格範圍 B10：E10，在資料編輯列上選取整個函數值，並按下 Ctrl + Shift + Enter 鍵，以產生陣列，結果如下圖所示。

{=ROUNDUP(GROWTH(B5:M5,B3:M3,B8:E8),0)}

A	B	C	D	E	F
	產量與成本預測				
生產期間	13	14	15	16	
產量(萬件)	411	429	447	466	
生產成本(萬元)	228	233	238	243	

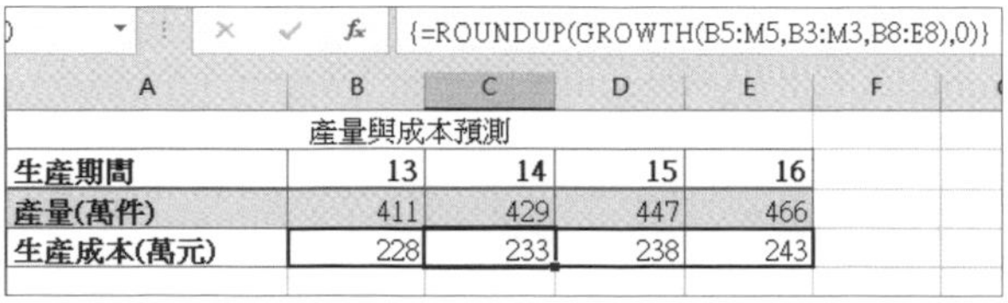

3.3.2 運用圖表趨勢線分析

在前一節中，介紹了使用 GROWTH 函數進行指數預測，另外還可使用散佈圖和趨勢線圖進行指數預測，其執行方式將在下面說明。

STEP 01 將插入點置於「產量與成本預測」表格內，執行「插入功能區→圖表群組」，點選「插入 XY 散佈圖或泡泡圖」的下拉式清單，於其中點選「散佈圖」，如下圖所示。

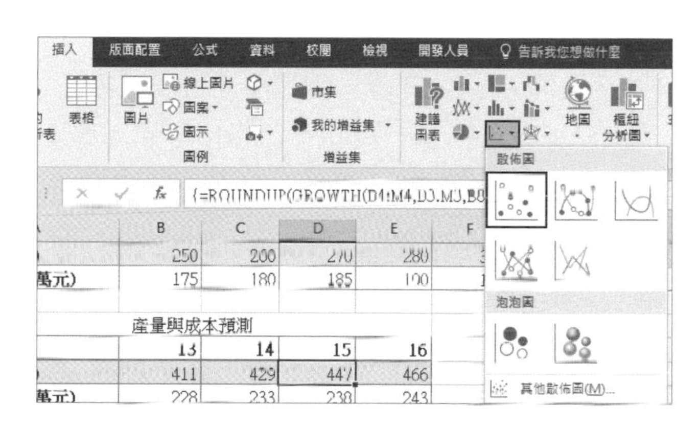

STEP 02 選取圖表，執行「圖表工具→設計功能區→資料群組→選取資料」，在「選取資料來源」視窗中，於「圖例項目（數列）」的欄位內點選「生產期間」，再點選上方的 移除(R) 鈕，如下圖所示。

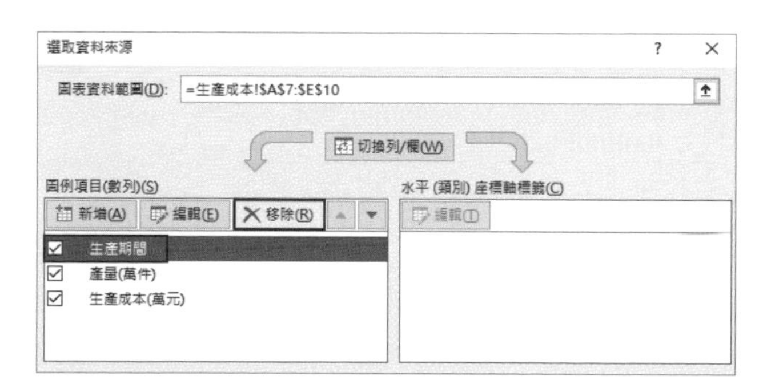

STEP 03 點選「產量（萬件）」，再點選上方的 編輯(E) 鈕。在「編輯數列」視窗中，將「數列名稱」欄位修改為「= 生產成本 !$A$4」，「數列 X 值」欄位修改為「= 生產成本 !$B$3:$M$3」，「數列 Y 值」欄位修改為「= 生產成本 !$B$4:$M$4」，按下 確定 鈕。

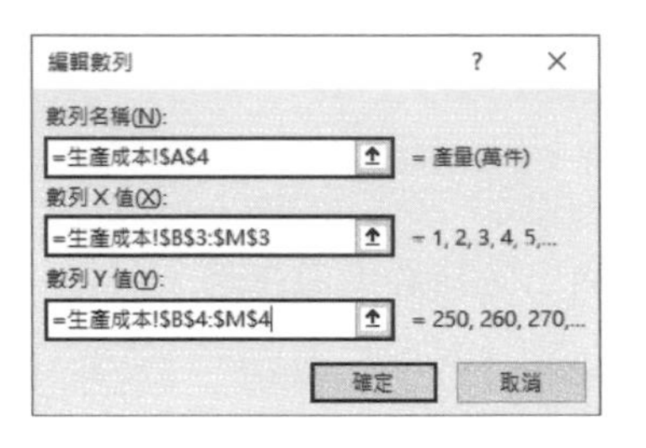

STEP 04 點選「生產成本（萬元）」，再點選上方的 編輯(E) 鈕，將「數列名稱」欄位修改為「= 生產成本 !$A$5」，「數列 X 值」欄位修改為「= 生產成本 !$B$3:$M$3」，「數列 Y 值」欄位修改為「= 生產成本 !$B$5:$M$5」，連按兩下 確定 鈕。

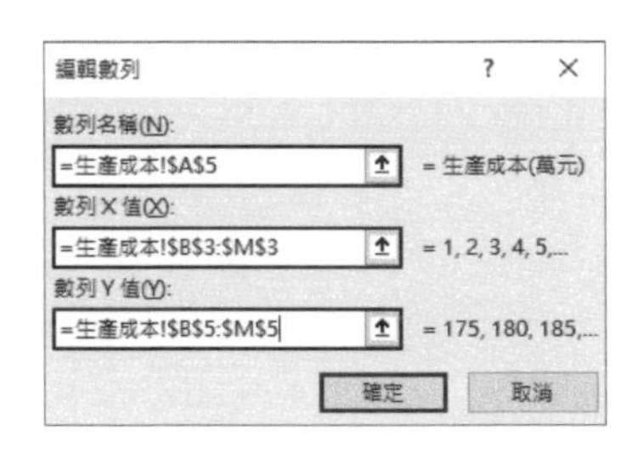

STEP 05 在完成的圖表上，執行「圖表工具→設計功能區→圖表版面配置群組→快速版面配置」。在展開的下拉式清單中，點選「版面配置 4」，並將圖表標題修改為「產量與成本趨勢預測」。

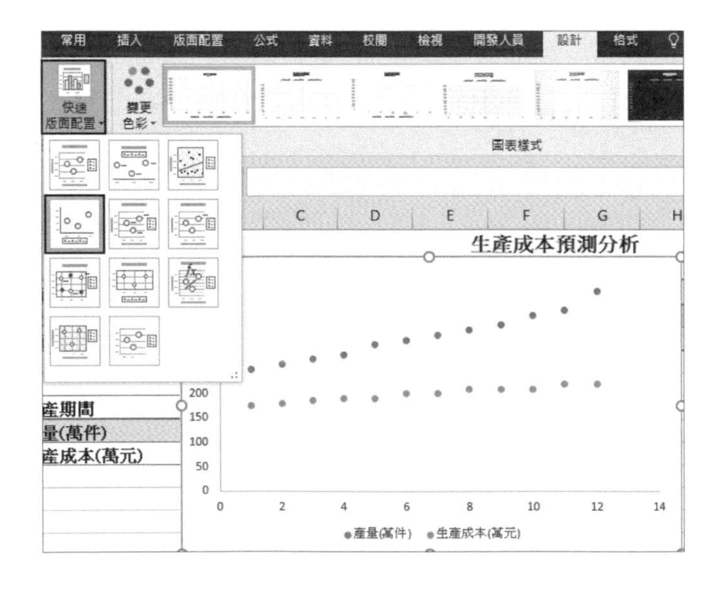

STEP 06 選取水平座標軸，按下滑鼠右鍵，在其快顯功能表中，點選「座標軸格式」。在視窗右側的功能窗格內，將座標軸選項的「最小值」變更為「1」，「最大值」變更為「13」，「主要」變更為「1」，「次要」變更為「0.5」，如下圖所示。

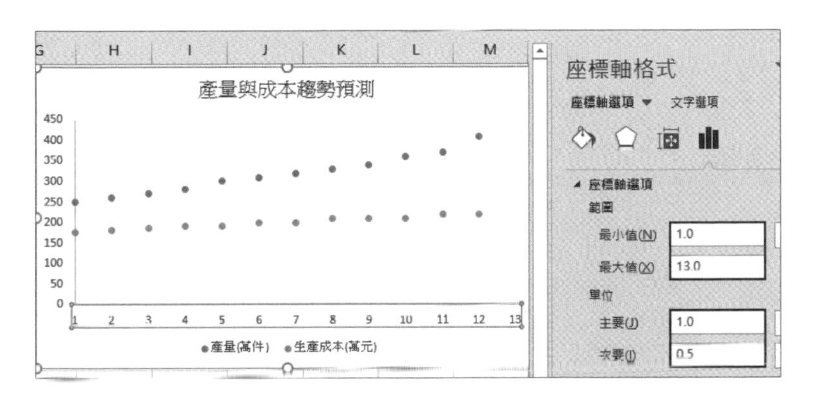

STEP 07 選取垂直座標軸，按下滑鼠右鍵，在其快顯功能表中，點選「座標軸格式」。在視窗右側的功能窗格內，將座標軸選項的「最小值」變更為「100」，如下圖所示。

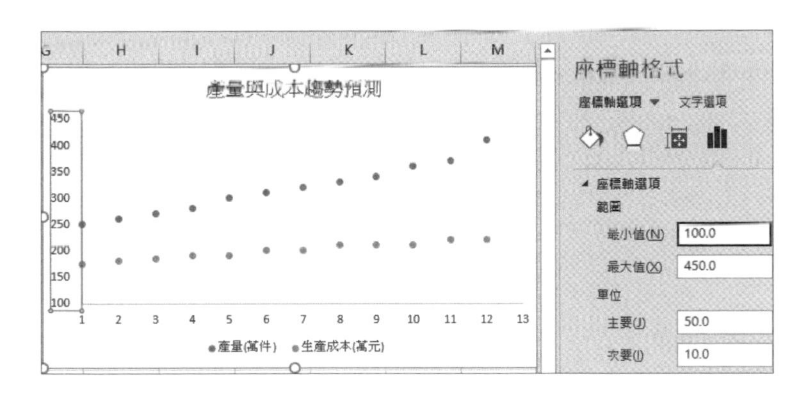

STEP 08 在圖表上點選「產量（萬件）」圖表標籤，按下滑鼠右鍵，在其快顯功能表中，點選「加上趨勢線」。在視窗右側的功能窗格內，將趨勢線選項勾選「指數」，以及「趨勢預測」的「正推」變更為「4」週期，勾選「圖表上顯示公式」，如下圖所示。

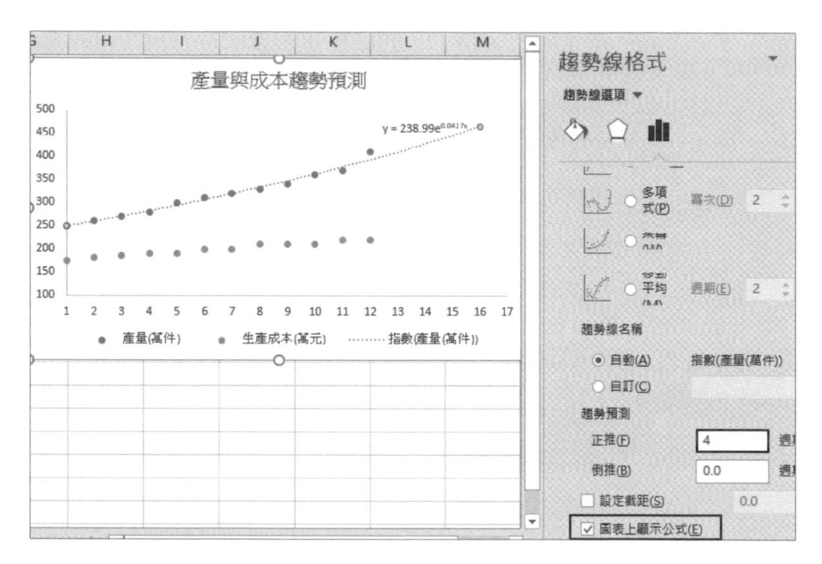

STEP 09 在圖表上點選「生產成本（萬元）」圖表標籤，執行前述步驟，得其結果如右圖所示。

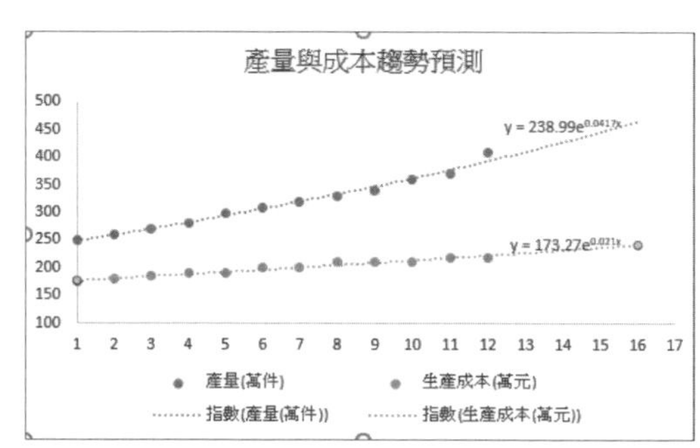

說明 認識散佈圖

「散佈圖」又稱為「相關圖」，它是將兩個可能相關的變數資料用點畫在座標圖上，這兩個可能相關的變數通常會用 X, Y 來表示，其中用垂直軸表示現象測量值 Y，用水平軸表示可能有關係的原因因素 X，透過其所繪製的結果，來觀測此兩個可能相關資料的關係緊密度。

說明 認識泡泡圖

泡泡圖和散佈圖類似，但繪製泡泡圖時需要有 3 組數值資料，其中的 2 組數據資料呈現為 X 軸及 Y 軸，也就是其在圖表上的對應位置，而第 3 組數據資料所呈現的則為泡泡的大小。

3.4 善用迴歸分析與規劃求解

對於企業的產品面向而言，其銷售量與利潤是相互的緊密關係，作爲行銷策畫或是財務管理者，當在做例行報告時，須採用正確的工具才會具有說服力，此時「迴歸分析工具」就可以解決這個問題。「迴歸分析工具」的重點是透過對樣本數據的觀察，使用統計分析來執行線性迴歸，藉以觀察兩者間的相互影響關係。

對於產品的行銷策略，在制定過程中，會因應市場環境的變化，而有多種策略行程，但到底哪種較佳，這時就可以採用「規劃求解」。

3.4.1 迴歸分析工具設定與使用

在所有版本的 Excel 都有相同的狀況，即所有分析工具的使用，都須由使用者自行載入設定。其操作步驟非常簡易，且分析工具一經安裝後便長存，對於使用者而言，具有一定便利性。在下面的操作中，將介紹如何設定及使用這些分析工具。

STEP 01 開啟「範例\CH3\原始檔案\利潤分析 .xlsx」活頁簿，點選「總額分析」工作表，執行「檔案→選項」，在「Excel 選項」視窗中點選「增益集」，並在其右側窗格中點選「分析工具箱」，按下 執行(G)... 鈕。

STEP 02 在出現的功能視窗中，勾選所需之分析工具，按下 確定 鈕。

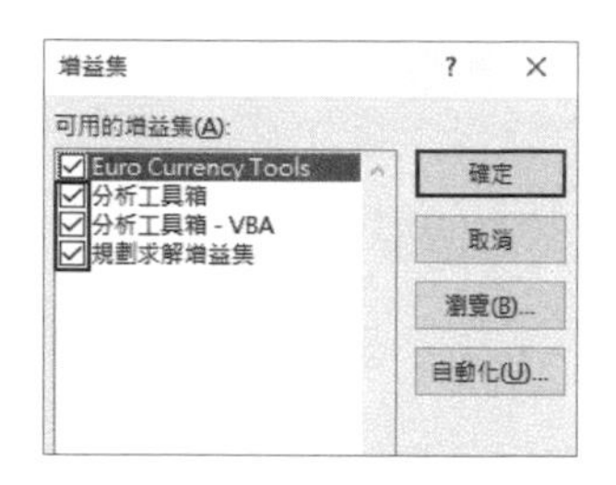

STEP 03 點選「資料」功能區，可在該功能區右側新增「分析」群組，而在上一步驟所勾選之功能設定都已在其中。

STEP 04 滑鼠點選資料表格內的任一儲存格，執行「資料功能區→分析群組→資料分析」，在「資料分析」視窗中點選「迴歸」，按下 確定 鈕。

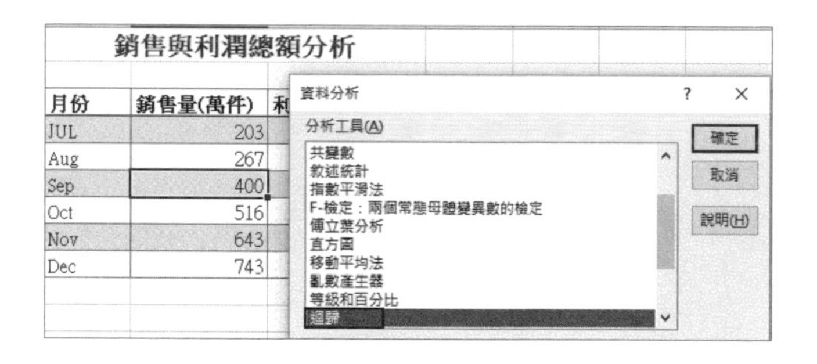

STEP 05 在「迴歸」視窗中，「輸入Y範圍」欄位中填入「$C$4:$C$9」，「輸入X範圍」欄位中填入「$B$4:$B$9」，「輸出範圍」欄位中填入「$A$12」，勾選「信賴度」，並將其值設定為「95%」，再分別勾選「標準化殘差」、「樣本迴歸線圖」及「常態機率圖」，按下 確定 鈕。

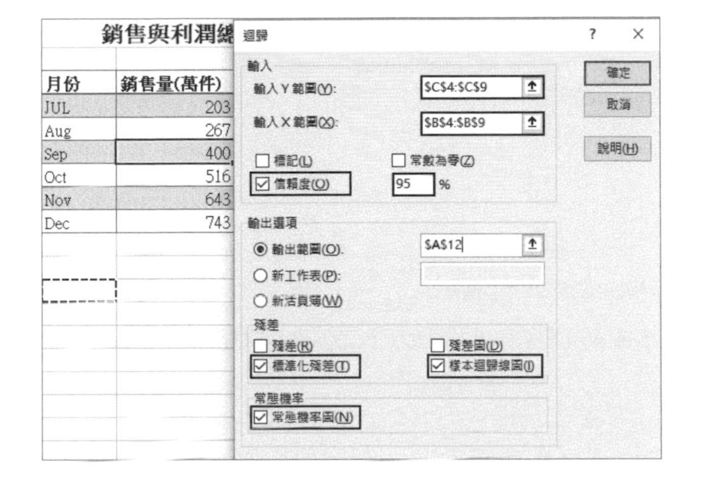

STEP 06 完成後，其結果如下圖所示。

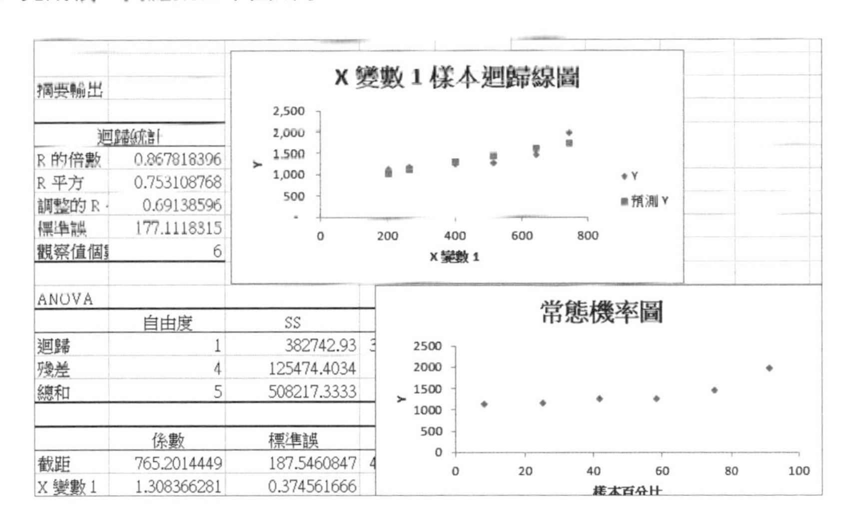

摘要輸出	
迴歸統計	
R 的倍數	0.867818396
R 平方	0.753108768
調整的 R	0.69138596
標準誤	177.1118315
觀察值個數	6

ANOVA

	自由度	SS
迴歸	1	382742.93
殘差	4	125474.4034
總和	5	508217.3333

	係數	標準誤
截距	765.2014449	187.5460847
X 變數 1	1.308366281	0.374561666

3.4.2 執行規劃求解

STEP 01 開啟「利潤」工作表，選取儲存格 B18，執行「公式功能區→函數庫群組→數學與三角函數」。在下拉式清單中點選 SUMPRODUCT 函數，並於「函數引數」視窗的第一個欄位內填入「B4:B8」，第二個欄位內填入「E4:E8」，按下 確定 鈕。

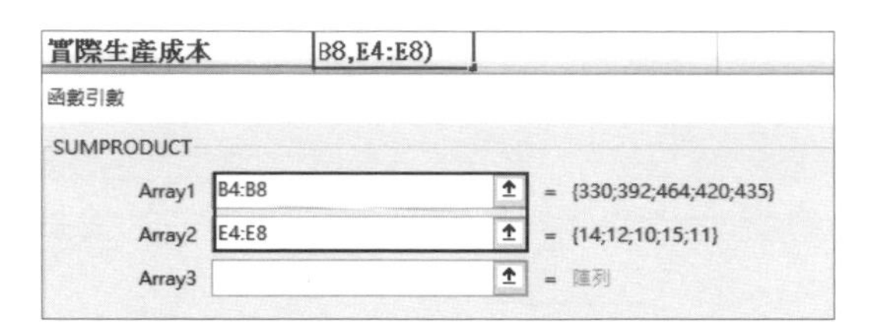

函數小提示 SUMPRODUCT 函數

SUMPRODUCT 函數是屬於數學與三角函數，此函數為傳回陣列或是範圍中乘積之總和。

其語法架構為：

SUMPRODUCT (Array1, Array2, Array3⋯.)

各欄位之説明如下：

- Array1, Array2, Array3⋯：為 1~255 個陣列，所有陣列其大小均需相同，用以求得陣列乘積間的加總。

STEP 02 選取儲存格 B19，執行與前述相同之函數，在「函數引數」視窗的第一個欄位內填入「C4:C8」，第二個欄位內填入「E4:E8」，按下 確定 鈕。接著，到資料編輯列上，將函數修改為「=SUMPRODUCT(C4:C8,E4:E8)/60」，按下 ✓ 鈕（透過 SUMPRODUCT 函數運算出的數值其單位為分鐘，故將其轉為小時數）。

MPRO... =SUMPRODUCT(C4:C8,E4:E8)/60

A	B	C
實際生產成本	25049	
實際生產時間	=SUMPRODU(	
最高生產利潤		

STEP 03 計算各機台之生產利潤。選取儲存格 F4，在資料編輯列上輸入「=D4*E4」，按下 ✓ 鈕，並往下拖曳，自動填滿至儲存格 F4。

=D5*E5

C	D	E	F
生產時間(min/台)	利潤($/台)	產量(台)	利潤小計($)
6	$289	14	$4,046
11	$309	12	$3,708
16	$361	10	$3,610
12	$318	15	$4,770
13	$340	11	$3,740

STEP 04 選取儲存格 B20，執行「公式功能區→函數庫群組→自動加總」，在下拉式清單中點選 Σ 加總(S)，在資料編輯列上輸入「=SUM(F4:F8)」，按下 ✓ 鈕。

SUMPRO... × ✓ fx =SUM(F4:F8)

	A	B
18	實際生產成本	$25,049
19	實際生產時間	11.65
20	最高生產利潤	=SUM(F4:F8)

STEP 05 執行「資料功能區→分析群組→規劃求解」，在「規劃求解參數」視窗中，「設定目標式」欄位內輸入「$B$20」，勾選「最大值」，接著在「藉由變更變數儲存格」欄位內輸入「$E$4:$E$8」，按下 新增(A) 鈕。

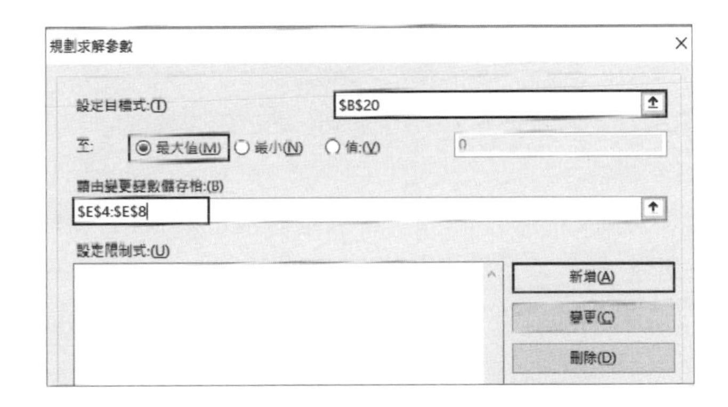

STEP 06 設定第一台機台的約定式。在「新增限制式」視窗內，將其限制式設定為「$E$4>=$B$12」，按下 新增(A) 鈕，如下圖所示。

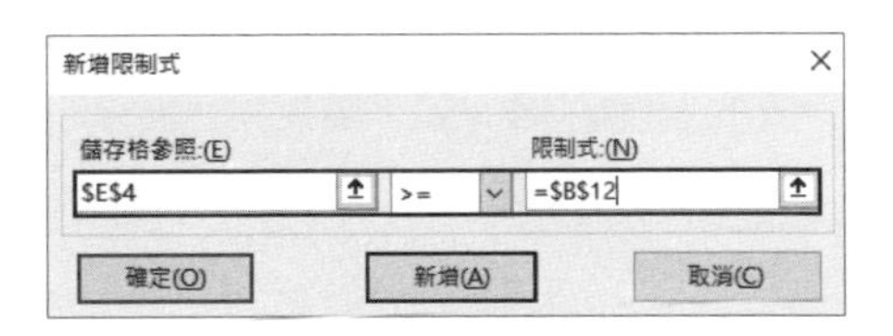

STEP 07 設定第一台機台的數值格式。在「新增限制式」視窗內，將其限制式設定為「$E$4 為整數」，按下 新增(A) 鈕，如下圖所示。

STEP 08 設定第二台機台的約定式。在「新增限制式」視窗內，將其限制式設定為「$E$5>=$B$13」，按下 新增(A) 鈕，如下圖所示。

STEP 09 設定第二台機台的數值格式。在「新增限制式」視窗內，將其限制式設定為「$E$5 為整數」，按下 新增(A) 鈕，如下圖所示。

STEP 10 設定第三台機台的約定式。在「新增限制式」視窗內，將其限制式設定為「$E$6>=$B$14」，按下 新增(A) 鈕，如下圖所示。

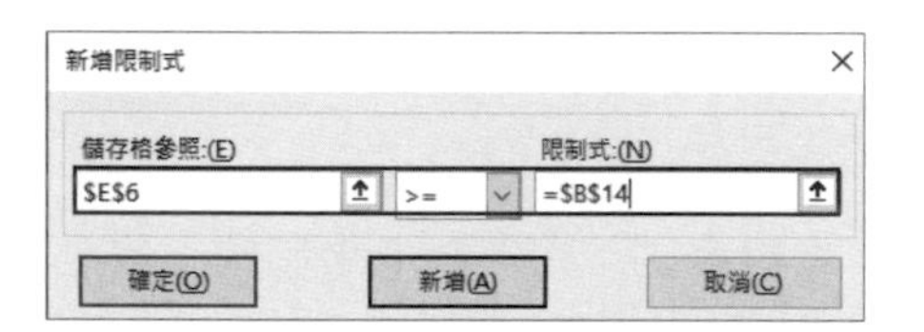

STEP 11 設定第三台機台的數值格式。在「新增限制式」視窗內，將其限制式設定為「$E$6 為整數」，按下 新增(A) 鈕，如下圖所示。

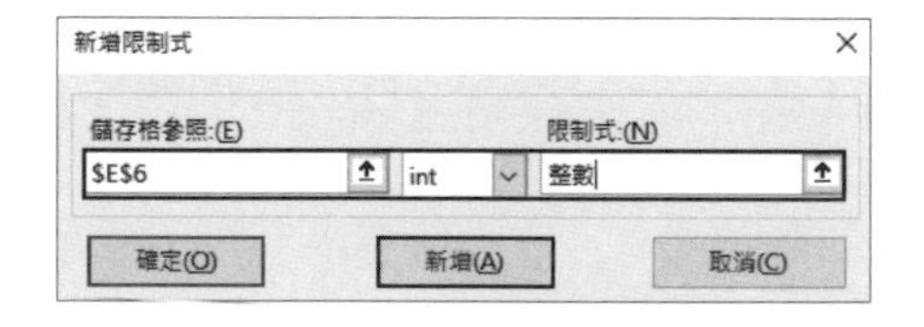

STEP 12 設定第四台機台的約定式。在「新增限制式」視窗內，將其限制式設定為「$E$7>=$B$15」，按下 新增(A) 鈕，如下圖所示。

STEP 13 設定第四台機台的數值格式。在「新增限制式」視窗內，將其限制式設定為「$E$7 為整數」，按下 新增(A) 鈕，如下圖所示。

STEP 14 設定第五台機台的約定式。在「新增限制式」視窗內，將其限制式設定為「$E$8>=$B$10」，按下 新增(A) 鈕，如下圖所示。

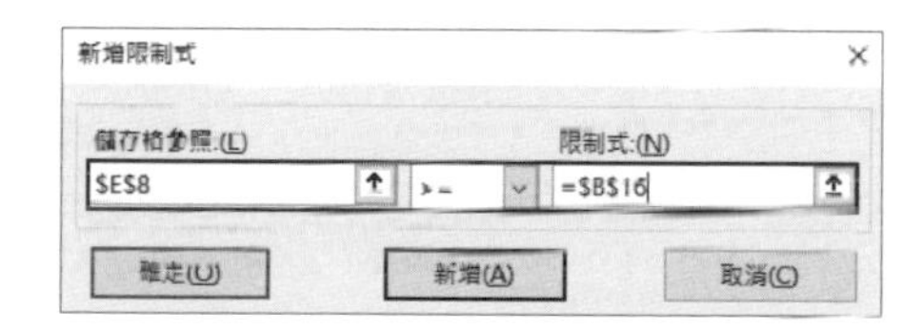

STEP 15 設定第五台機台的數值格式。在「新增限制式」視窗內，將其限制式設定為「$E$8 為整數」，按下 新增(A) 鈕，如下圖所示。

STEP 16 設定每日成本限制條件。在「新增限制式」視窗內，將其限制式設定為「$E$18<=$B$10」，按下 新增(A) 鈕，如下圖所示。

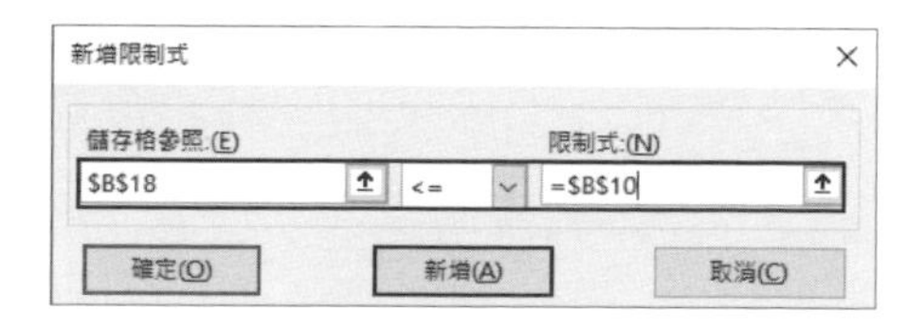

STEP 17 設定每日工時限制條件。在「新增限制式」視窗內，將其限制式設定為「$E$19<=$B$11」，按下 新增(A) 鈕，如下圖所示。

STEP 18 回到規劃求解參數視窗，前述設定的限制式已詳列在「設定限制式」欄位中，按下 求解(S) 鈕，如下圖所示。

設定限制式:(U)
$B$19 <= $B$11
$E$4 = 整數
$E$4 >= $B$12
$E$5 = 整數
$E$5 >= $B$13
$E$6 = 整數
$E$6 >= $B$14
$E$7 = 整數
$E$7 >= $B$15
$E$8 = 整數
$E$8 >= $B$16
新增(A)
變更(C)
刪除(D)
全部重設(R)
載入/儲存(L)
將未設限的變數設為非負數(K)
選取求解方法:(E) GRG 非線性
選項(P)
求解方法
針對平滑非線性的規劃求解問題，請選取 GRG 非線性引擎。針對線性規劃求解問題，請選取 LP 單純引擎，非平滑性的規劃求解問題則選取演化引擎。
說明(H)
求解(S)
關閉(O)

STEP 19 在「規劃求解結果」視窗中，於「報表」欄位內選取「分析結果」，勾選「保留規劃求解解答」，按下 確定 鈕。

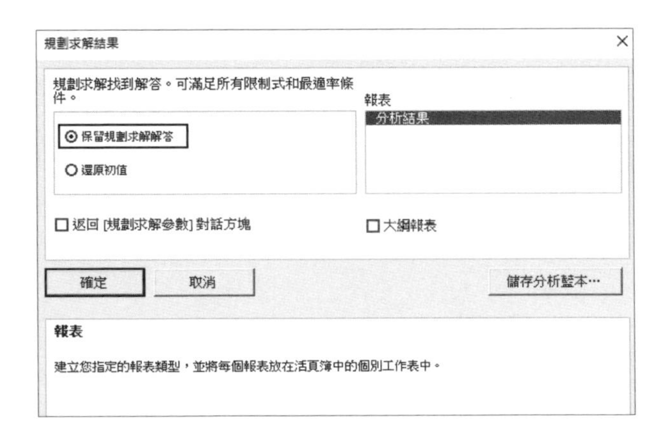

STEP 20 在「利潤」工作表中，此時儲存格 E4：E8 中的值為規劃求解後之結果，即對應每日五種機台生產的數量，同時儲存格 B20 顯示每日的最大利潤，如下圖所示。

	A	B	C	D	E	F
2						
3	機台	成本($/台)	生產時間(min/台)	利潤($/台)	產量(台)	利潤小計($)
4	TBA-023	$330	6	$289	11	$3,179
5	TCP-057	$392	11	$309	12	$3,708
6	TBA-075	$464	16	$361	11	$3,971
7	TRH-089	$420	12	$318	10	$3,180
8	TYG-203	$435	13	$340	13	$4,420
9						
10	生產成本限制	$12,360				
11	生產時間限制	16				
12	TBA-023產量限制(台)	11				
13	TCP-057產量限制(台)	12				
14	TBA-075產量限制(台)	11				
15	TRH-089產量限制(台)	10				
16	TYG-203產量限制(台)	13				
17						
18	實際生產成本	$23,293				
19	實際生產時間	11.05				
20	最高生產利潤	$18,458				

STEP 21 規劃求解執行完成後，會自行產生「運算結果報表 1」工作表，並在該工作表內顯示所運算之報告，如下圖所示。

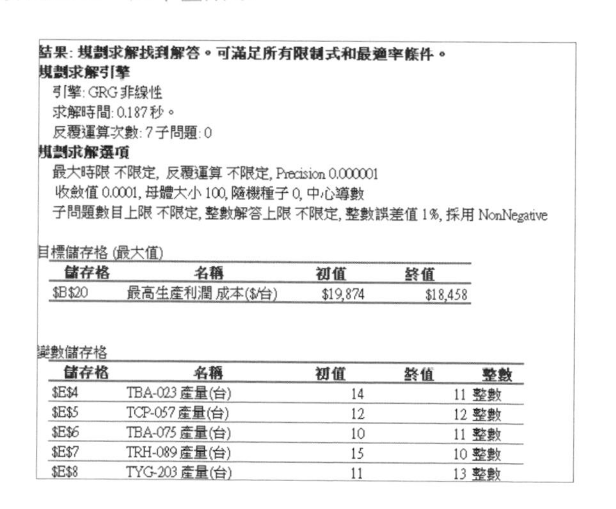

結果: 規劃求解找到解答。可滿足所有限制式和最適率條件。
規劃求解引擎
引擎: GRG 非線性
求解時間: 0.187 秒。
反覆運算次數: 7 子問題: 0
規劃求解選項
最大時限 不限定, 反覆運算 不限定, Precision 0.000001
收斂值 0.0001, 母體大小 100, 隨機種子 0, 中心導數
子問題數目上限 不限定, 整數解答上限 不限定, 整數誤差值 1%, 採用 NonNegative

目標儲存格 (最大值)

儲存格	名稱	初值	終值
$B$20	最高生產利潤 成本($/台)	$19,874	$18,458

變數儲存格

儲存格	名稱	初值	終值	整數
$E$4	TBA-023 產量(台)	14	11	整數
$E$5	TCP-057 產量(台)	12	12	整數
$E$6	TBA-075 產量(台)	10	11	整數
$E$7	TRH-089 產量(台)	15	10	整數
$E$8	TYG-203 產量(台)	11	13	整數

至此，對於財務管理方面的整個預測告一段落，希望此部分的介紹能為對財務分析設定有困惑的使用者，提供有利的協助。

企業銷售與稅金綜合分析

對於任何企業而言，從開始建立的那一刻起，其成本管控的良好與否，就成了該企業是否能經營長久之重要根基。如果沒有妥善地管控成本，很有可能在短時間內，便會將創業基金用之殆盡，或是在創業的前幾年內，無法在支出與收益間達成平衡，那麼就算是有良好的產品，亦很難有行銷施展空間。

因此，每項產品的銷售都需要完整的行銷方案，才能促使該項產品有吸引消費者的特色，而當產品銷售完後的收益，便會和稅金有著緊密的連結關係。對於公司的財務部分，必須在產品盈餘及稅金支出項別上，取得所能接受的平衡度，這是個重大的課題，因此本章將帶領讀者透過各類圖表分析來求得最佳方針。

4.1 單項銷售收入與成本分析

對於企業的銷售部門而言，必須在諸多產品中，針對不同時節、不同區域、甚至於不同屬性的客戶，找出適合的產品銷售。所謂的適合產品，除了包含前述要件外，其所得收益須能涵蓋該項產品成本及其所得的最大利潤。而如何從中做最佳選擇，將透過下述案例功能介紹。

4.1.1 運用 IF 函數進行各項成本分析

STEP 01 開啟「範例\CH4\原始檔案\企業成本.xlsx」活頁簿，點選「銷售費用」工作表選取儲存格 C7，執行「公式功能區→函數庫群組→數學與三角函數」。在展開的下拉式清單中，點選 ROUNDDOWN 函數。將插入點置於第一個欄位內，點選「名稱方塊」的下拉式清單，在清單中點選「其他函數」，如下圖所示。

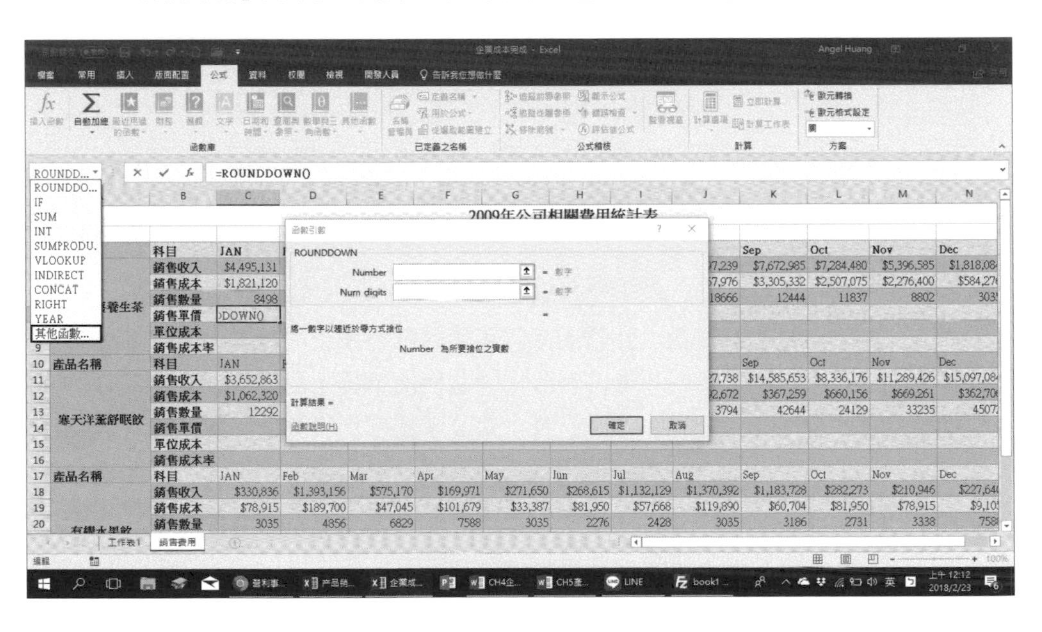

STEP 02 在開啟的函數視窗中，選擇「邏輯」類別的IF函數，按下 確定 鈕後，該函數的「函數引數」視窗開啟，在第一個欄位內輸入「C6=0」，第二個欄位內輸入「0」，第三個欄位內輸入「C4/C6」，按下 確定 鈕（此部分的設定是指當銷售數量為0時，即將銷售單價視為0，如果有銷售量存在，則銷售單價為銷售成本除以銷售數量）。

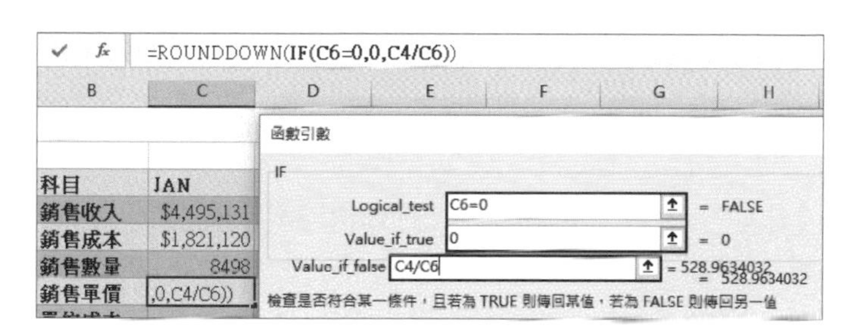

函數小提示 IF函數

IF函數屬於邏輯函數，此函數意指檢查是否符合某一情境，若情境為TRUE時傳回某值，若為FALSE時則傳回另一值。

其語法架構為：

IF(Logical_test, Value_if_true, Value_if_false)

各欄位之說明如下：

- ❑ Logical_test：為可求得TRUE或FALSE的任意值或是運算式（公式、函數）。
- ❑ Value_if_true：為驗證Logical_test等於TRUE所傳回的條件值。
- ❑ Value_if_false：為驗證Logical_test等於FALSE所傳回的條件值。

STEP 03 此時運算之單價會有多位小數位數，在此處將不採用小數點進位，故透過ROUNDDOWN函數。在資料編輯列中，將函數修改為「=ROUNDDOWN(IF(C6=0,0,C4/C6),0)」，按下 ✓ 鈕。

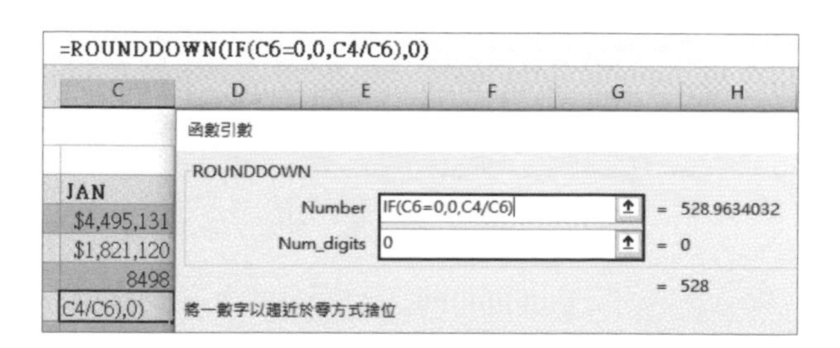

函數小提示　ROUNDDOWN 函數

ROUNDDOWN 函數屬於數學與三角函數，此意指將數值依指定的位數捨去尾數。

其語法架構為：

ROUNDDOWN(Number, Num_digits)

各欄位之說明如下：

- ❑ Number：為要無條件捨去的任何實數。
- ❑ Num_digits：為要捨去的位數，負數會捨位到小數點左邊，零則會捨位到最接近整數。

STEP 04 選取儲存格 C8 來計算「單位成本」，所使用的函數與計算「銷售單價」相同。在資料編輯列上輸入「=ROUNDDOWN (IF(C6=0,0,C5/C6),0)」，按下 ✓ 鈕。

✓ fx =ROUNDDOWN(IF(C6=0,0,C5/C6),0)

B	C	D	E
科目	JAN	Feb	Mar
銷售收入	$4,495,131	$6,143,244	$4,384,
銷售成本	$1,821,120	$2,883,440	$1,821,
銷售數量	8498	10926	8
銷售單價	$528		
單位成本	C5/C6),0)		

STEP 05 選取儲存格 C9 來計算「銷售成本率」，將插入點置於資料編輯列上，並輸入「=ROUND(IF(C4=0,0,C5/C4),4)」，輸入完成後按下 ✓ 鈕（計算銷售成本率的計算公式為銷售成本 / 銷售收入，也就是要計算產品成本是佔當月收入的多少百分比；而目前計算後之結果為小數位數多位，通常在設定為百分比時，其百分比的小數位數為 2 位數，故使用 ROUND 函數設定位數上的指定）。

× ✓ fx =ROUND(IF(C4=0,0,C5/C4),4)

A	B	C	D	
產品名稱	科目	JAN	Feb	Ma
玫瑰紅棗養生茶	銷售收入	$4,495,131	$6,143,244	$
	銷售成本	$1,821,120	$2,883,440	$
	銷售數量	8498	10926	
	銷售單價	$528		
	單位成本	$214		
	銷售成本率	,0,C5/C4),4)		

函數小提示 **ROUND 函數**

ROUNDN 函數屬於數學與三角函數，此意指將數值依指定的位數進行四捨五入的進位。

其語法架構為：

ROUND (Number, Num_digits)

各欄位之說明如下：

- ❏ Number：為要四捨五入的數值。
- ❏ Num_digits：為要四捨五入的位數，負數會四捨五入到小數點左邊，零則會四捨五入到最接近整數。

STEP 06 選取儲存格範圍 C7：C9，往右拖曳自動填滿至儲存格 O7：O9，結果如下圖所示。

科目	JAN	Feb	Mar	Apr	May
銷售收入	$4,495,131	$6,143,244	$4,384,346	$10,210,412	$12,060,142
銷售成本	$1,821,120	$2,883,440	$1,821,120	$3,262,840	$4,328,195
銷售數量	8498	10926	8195	19577	26254
銷售單價	$528	$562	$535	$521	$489
單位成本	$214	$263	$222	$166	$164
銷售成本率	0.4051	0.4694	0.4154	0.3196	0.3366

STEP 07 選取儲存格範圍 C7：O9，按下 Ctrl + C 鍵進行複製，分別點選儲存格 C14、C21，按下 Ctrl + V 鍵進行貼上。如此，三種產品的「銷售單價」、「銷售成本」及「銷售成本率」之欄位，均已計算完成。

產品名稱	科目	JAN	Feb	Mar	Apr
玫瑰紅棗養生茶	銷售收入	$4,495,131	$6,143,244	$4,384,346	$10,210,412
	銷售成本	$1,821,120	$2,883,440	$1,821,120	$3,262,840
	銷售數量	8498	10926	8195	19577
	銷售單價	$528	$562	$535	$521
	單位成本	$214	$263	$222	$166
	銷售成本率	0.4051	0.4694	0.4154	0.3196
產品名稱	科目	JAN	Feb	Mar	Apr
寒天洋薰舒眠飲	銷售收入	$3,652,863	$14,805,705	$15,018,169	$1,085,084
	銷售成本	$1,062,320	$5,343,469	$1,179,175	$59,186
	銷售數量	12292	47349	50687	3642
	銷售單價	$297	$312	$296	$297
	單位成本	$86	$112	$23	$16
	銷售成本率	0.2908	0.3609	0.0785	0.0545

STEP 08 按下 Ctrl 鍵，分別選取儲存格範圍 C9：O9、C16：O16、C23：O23，執行「常用功能區→數值群組」。在其右下角點開「數字格式」，於「儲存格格式」視窗的「數值」標籤的「類別」選單中點選「百分比」，將其小數位數設定為「2」，按下 確定 鈕。

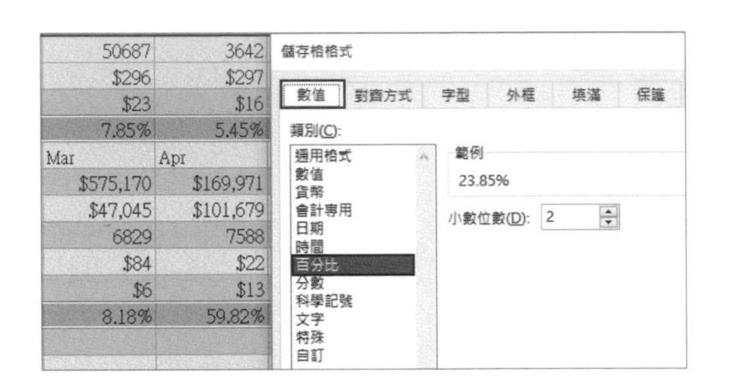

STEP 09 對於企業而言，當「銷售成本率」佔比過高時，意味著有異常狀況，因此在這張報表中，要將「銷售成本率」超過60%的儲存格值，透過格式設定來標示出來。按下Ctrl鍵，分別選取儲存格範圍C9：N9、C16：N16、C23：N23，執行「常用功能區→樣式群組→設定格式化條件」。在其下拉式清單中點選「新增規則」，於「新增格式化規則」視窗中的規則類型有六類，選擇「只格式化包含下列的儲存格」，將其條件設定為「>=60%」，如下圖所示，並按下 格式(F)... 鈕，設定符合條件的字型色彩及儲存格顏色。

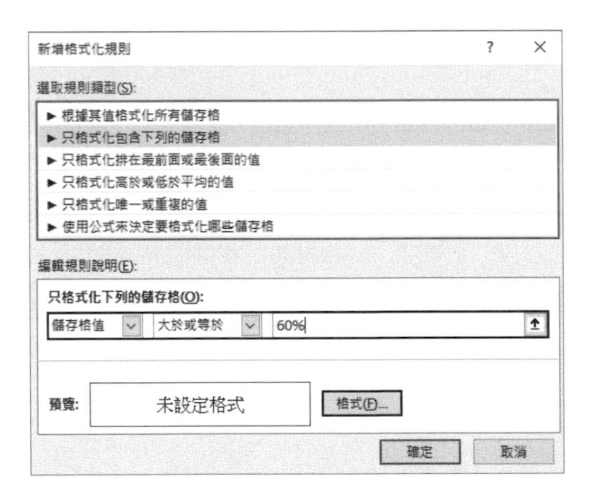

說明 **產品成本**

對每種產業而言，每個產品的銷售金額會包含該產品的原料成本、人事成本、例行事項成本、該項產品所應得利潤。若是原料成本在整個結構中所佔的比例過重，極有可能會導致該項產品的利潤降低，或是得提高其銷售金額。而提高銷售金額卻是大部分企業在後期才會選擇的方案，因此對於組織的生產及財務部門而言，管控產品成本是需要特別注意的要點。

STEP 10 點選「字型」標籤，設定「字型樣式」為「粗體」，「色彩」為「橙色、輔色 2、較深 25%」。

STEP 11 點選「填滿」標籤，設定「背景色彩」為「橙色、輔色 2、較淺 40%」，連按兩下 確定 鈕。

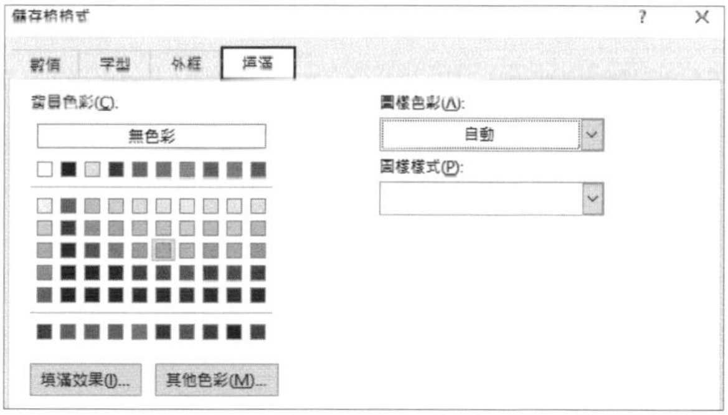

STEP 12 執行「常用功能區→樣式群組→設定格式化條件」，在其下拉式清單中點選「管理規則」，可發現視窗內已有剛才建立的規則存在。除了剛才設定的規則性之外，當想要在報表上再加以呈現「銷售成本率」低於 10% 的部分格式化（在成本管控角度思考，有可能是極為異常），則點選 新增規則(N)... 鈕。

STEP 13 在「新增格式化規則」視窗內，選擇「只格式化包含下列的儲存格」，將其條件設定為「<10%」，如下圖所示，並按下 格式(F)... 鈕，設定符合條件的字型色彩。

新增格式化規則
選取規則類型(S):
► 根據其值格式化所有儲存格
► 只格式化包含下列的儲存格
► 只格式化排在最前面或最後面的值
► 只格式化高於或低於平均的值
► 只格式化唯一或重複的值
► 使用公式來決定要格式化哪些儲存格
編輯規則說明(E):
只格式化下列的儲存格(O):
儲存格值 小於 10%
預覽: 未設定格式 格式(F)...

STEP 14 點選「字型」標籤，設定「字型樣式」為「粗斜體」，「色彩」為「金色、輔色 4、較深 25%」，連按兩下 確定 鈕。

STEP 15 經過上述設定，結果如下圖所示。

設定格式化的條件規則管理員

顯示格式化規則(S)：目前的選取

新增規則(N)... 編輯規則(E)... 刪除規則(D)

規則 (依照顯示的順序套用)	格式	套用到	如果 True 則停止
儲存格值 < 0.1	AaBbCcYyZz	=$C$9:$N$9,$C$16:$N$16,$C$23:$N	☐
儲存格值 >= 0.6	AaBbCcYyZz	=$C$9:$N$9,$C$16:$N$16,$C$23:$N	☐

	Aug	Sep
	43.52%	43.08%
	$1,227,738	$14,585,653
	$1,092,672	$367,259
	3794	42644
	$323	$342
	$288	$8
	89.00%	2.52%

至此，已將在成本計算的基礎架構執行完成，緊接著就可透過這些的資訊進行其他的圖表分析。

4.1.2 使用圖表分析

前述曾提及對於成本等相關資料的管控，可以透過表格進行，但若在年度過程中有異常狀況時，透過表格並非可被立即觀察得知其脈絡，因此可透過圖表的輔助檢視。

STEP 01 選取儲存格範圍 B3：N6，執行「插入功能區→圖表群組」，點選右下角的「察看所有圖表」。在「插入圖表」視窗中，點選「所有圖表」標籤的「組合式」圖表，在右側自訂組合區塊內，將「銷售收入」及「銷售成本」的圖表類型變更為「含有資料標記的折線圖」，並勾選「副座標軸」，然後將「銷售數量」的圖表類型變更為「群組直條圖」，按下 確定 鈕。

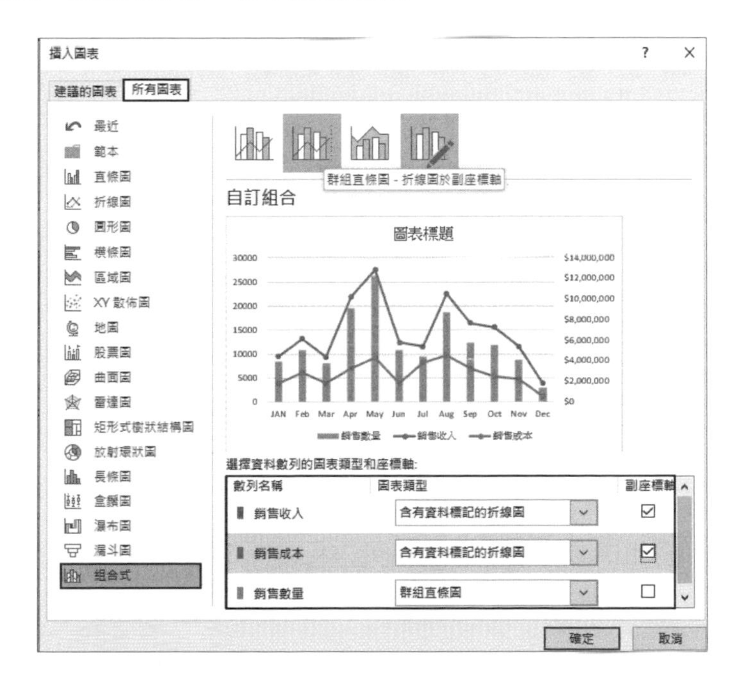

STEP 02 執行「圖表工具→設計功能區→位置群組→移動圖表」，在「移動圖表」視窗中點選「新工作表」，並將其命名為「2017 玫紅費用統計圖」，按下 確定 鈕。

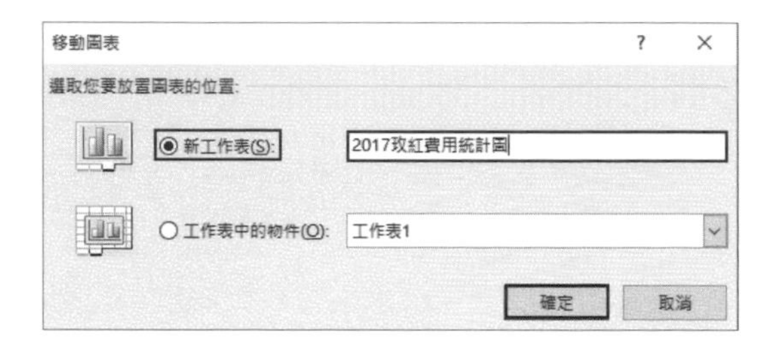

STEP 03 對圖表的縱軸及橫軸加上標題。執行「圖表工具→設計功能區→圖表版面配置群組→快速版面配置」，在開啟的下拉式清單中點選「版面配置 9」，接著輸入圖表標題，結果如下圖所示。

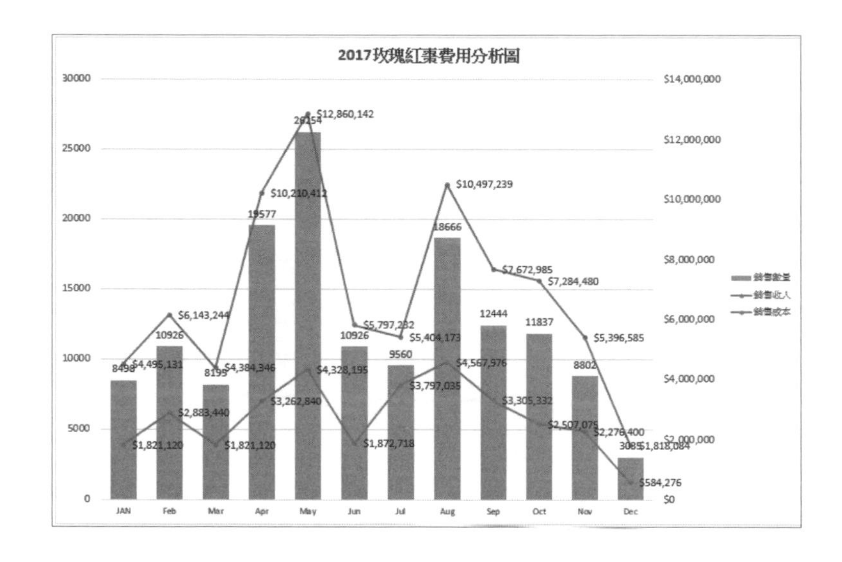

STEP 04 選取五月份折線圖的圖表標籤，按下滑鼠右鍵，在其快顯功能表中點選「變更資料標籤圖案」，選擇「語音泡泡：橢圓形」。

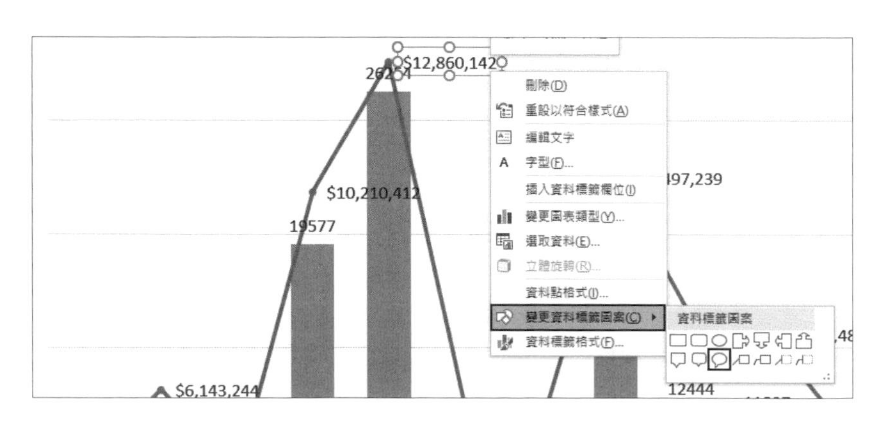

STEP 05 執行「圖表工具→格式功能區→圖案樣式群組→圖案填滿」，在顯示的色彩下拉式清單中，點選適合圖表的顏色，便可使該折線圖之標籤更清楚的顯示。

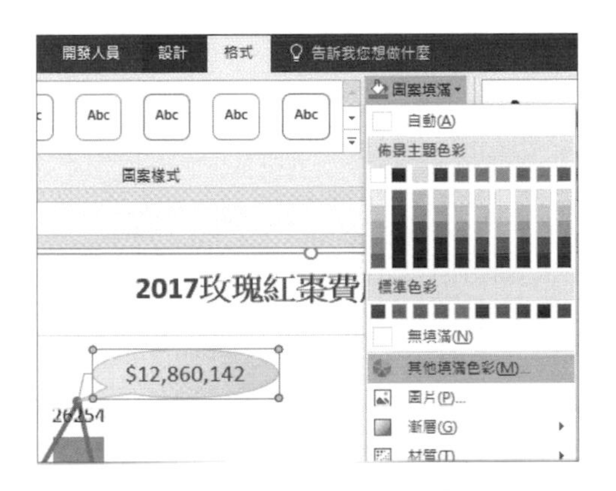

STEP 06 選取圖表，按下滑鼠右鍵，在其快顯功能表中點選「另存為範本」。在「儲存圖表範本」視窗的「檔案名稱」欄位內，輸入「成本費用分析」，按下 確定 鈕。

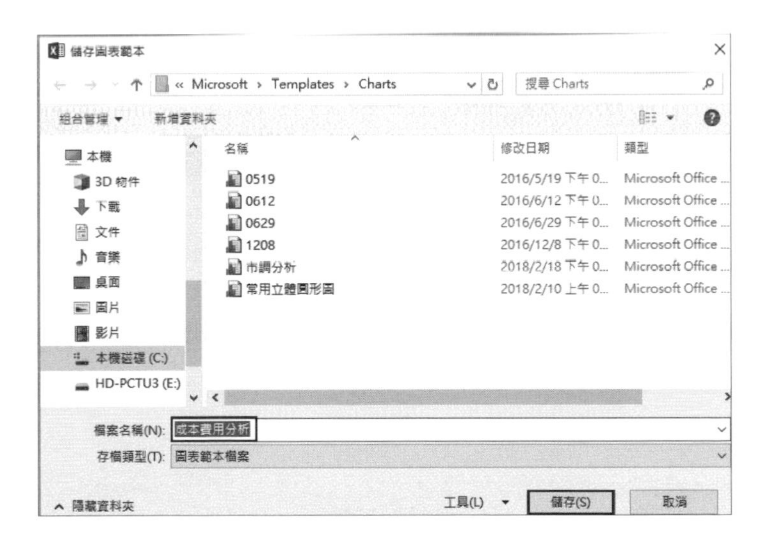

說明 **圖表範本管理**

對於常需要使用的圖表，建議可在第一次圖表建立後即儲存為範本，其範本存檔的路徑為 C:\ Users\ Angelin_Huang\ AppData\ Roaming\ Microsoft\ Templates\ Charts。若日後不再需要此範本，則在此路徑下對範本檔案刪除即可。

STEP 07 選取儲存格範圍 B3：N3、B7：N8，執行「插入功能區→圖表群組」，點選右下角的「察看所有圖表」。在「插入圖表」視窗中，點選「所有圖表」標籤的「範本」圖表，在右側視窗內點選「成本費用分析」範本，按下 確定 鈕。

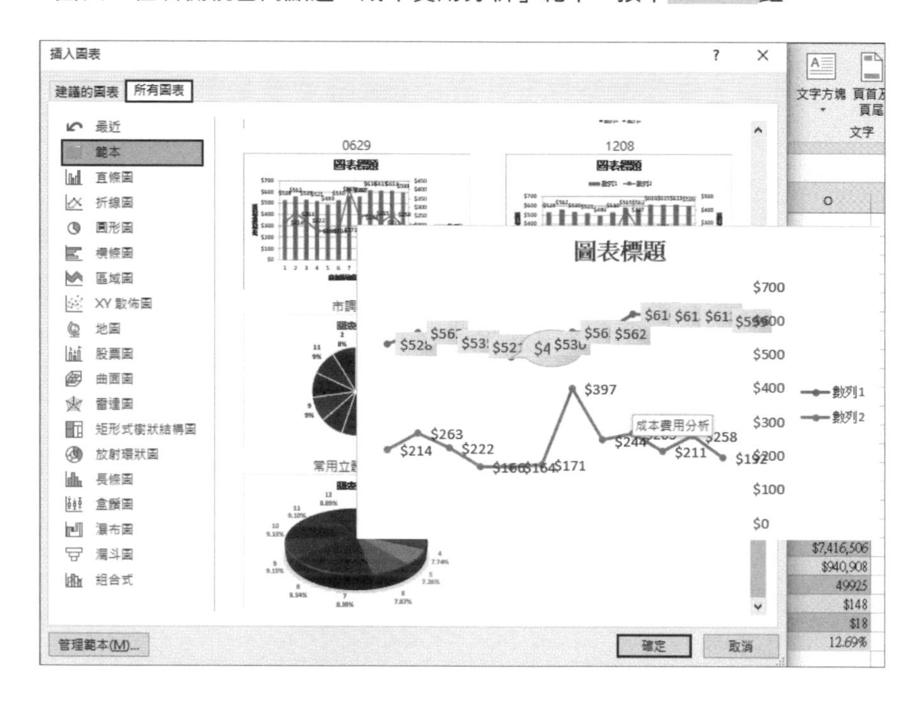

STEP 08 執行「圖表工具→設計功能區→位置群組→移動圖表」，在「移動圖表」視窗中點選「新工作表」，並將其命名為「2017 玫瑰紅成本分析圖」，按下 確定 鈕。修改圖表標題為「2017 玫瑰紅棗成本分析圖」，結果如下圖所示。

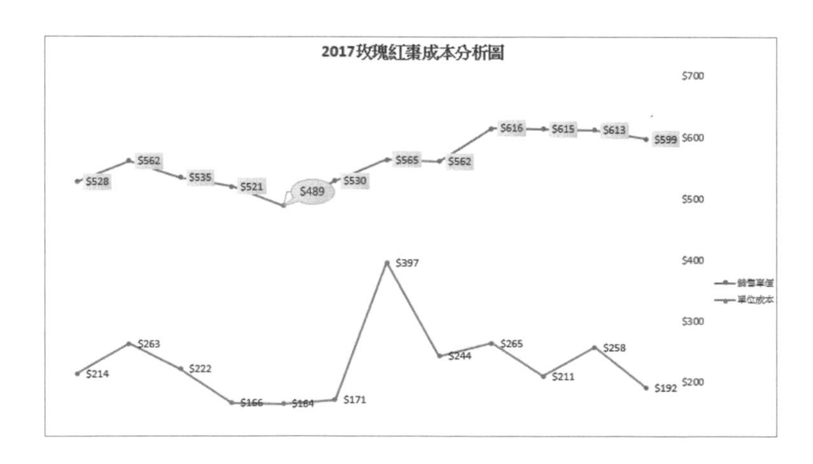

STEP 09 選取儲存格範圍 B3：N3、B9：N9，執行前述相同的步驟，可得圖表如下。

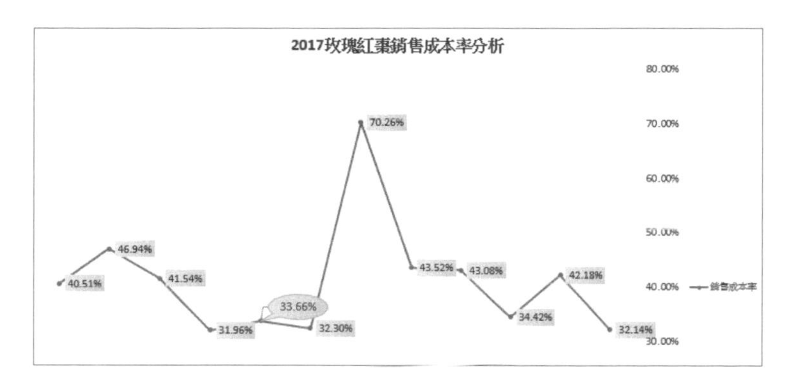

4.2 年度收入、成本及稅金分析

對企業而言，除了對各個產品進行成本等相關分析之外，爲了整體資金的運作流暢，需要做所有產品的年度成本及稅金管控。因此，在下面就此部分做說明。

STEP 01 開啟「2017 相關費用分析」，並選取儲存格 B4，在資料編輯列上輸入「= 銷售費用 !C4+ 銷售費用 !C11+ 銷售費用 !C18」，按下 ✓ 鈕。選取儲存格 B5，在資料編輯列上輸入「= 銷售費用 !C5+ 銷售費用 !C12+ 銷售費用 !C19」，按下 ✓ 鈕。選取儲存格 B6，在資料編輯列上輸入「= 銷售費用 !C6+ 銷售費用 !C13+ 銷售費用 !C20」，按下 ✓ 鈕。

B6 =銷售費用!C6+銷售費用!C13+銷售費用!C20

	A	B	C	D	E	F	G
1						2017相關費用	
2							
3	月份	JAN	Feb	Mar	Apr	May	Jun
4	銷售收入	8478830					
5	銷售成本	2962355					
6	銷售費用	23825					

STEP 02 選取儲存格範圍 B4：B6，往右拖曳，自動填滿至儲存格 N6，結果如下圖所示。

月份	JAN	Feb	Mar	Apr	May
銷售收入	$8,478,830	$22,342,105	$19,977,685	$11,465,467	$22,812,562
銷售成本	$2,962,355	$8,416,609	$3,047,340	$3,423,705	$5,147,698
銷售數量	23825	63131	65711	30807	64497
銷售稅金					
銷售成本率					

STEP 03 選取儲存格 B7，在資料編輯列上輸入「=B4*0.05」，按下 ✓ 鈕，往右拖曳，自動填滿至儲存格 N7。

=B4*0.05

A	B	C	D	E
月份	JAN	Feb	Mar	Apr
銷售收入	$8,478,830	$22,342,105	$19,977,685	$11,465,467
銷售成本	$2,962,355	$8,416,609	$3,047,340	$3,423,705
銷售數量	23825	63131	65711	30807
銷售稅金	$423,942	$1,117,105	$998,884	$573,273

STEP 04 選取儲存格 B8，在資料編輯列上輸入「=B5/B4」，按下 ✓ 鈕。選取儲存格 B9，在資料編輯列上輸入「=B7/B4」，按下 ✓ 鈕。選取儲存格範圍 B8：B9，往右拖曳，自動填滿至儲存格 N9。

月份	JAN	Feb	Mar	Apr	May	Jun
銷售收入	$8,478,830	$22,342,105	$19,977,685	$11,465,467	$22,812,562	$12,403,344
銷售成本	$2,962,355	$8,416,609	$3,047,340	$3,423,705	$5,147,698	$2,467,616
銷售數量	23825	63131	65711	30807	64497	34600
銷售稅金	$423,942	$1,117,105	$998,884	$573,273	$1,140,628	$620,167
銷售成本率	34.94%	37.67%	15.25%	29.86%	22.57%	19.89%
銷售稅金率	5.00%	5.00%	5.00%	5.00%	5.00%	5.00%

4.2.1 透過文字函數進行資料整理

找出銷售收入、銷售成本間的相關性

當產品銷售後，站在業務部及財務部的立場，需有明確的數值或圖表報告，來顯示該項產品中其成本佔銷售收入的所佔百分比。若其所佔的百分比偏高，就得思考該項產品的存在意義。在每家企業的銷售產品中，雖說會有幾類是利潤較高的銷售產品，但在銷售業績上有其必須存在的意義。下列將透過範例說明。

STEP 01 選取儲存格範圍 B30：C30，執行「公式功能區→函數庫群組→其他函數→統計」，在其下拉式清單中點選 LINEST 函數，並在「函數引數」視窗的第一個欄位內輸入「B4:M4」，第二個欄位內輸入「B5:M5」，按下 確定 鈕，如下圖所示。

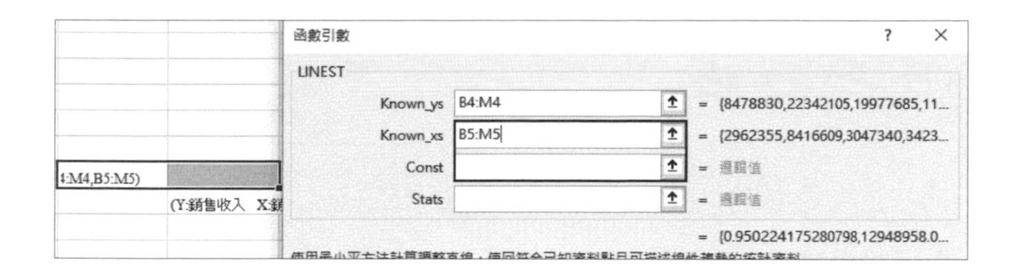

函數小提示 LINEST 函數

LINEST 函數屬統計函數中的線性回歸，此意指使用最小平方法的計算，來找出最適合的直線，並依該直線的統計資料傳回描述該線的陣列。

其語法架構為：

LINEST (Known_ys, Known_xs, Conts, Stats)

各欄位之說明如下：

- ❑ Known_ys：必要值，為在 y=mx+b 關係中一組已知的 y 值。如果 Known_ys 的範圍在單欄內，則 Known_xs 的每個欄位就被視為獨立變數。
- ❑ Known_xs：選擇值，為在 y=mx+b 關係中一組已知的 x 值。Known_xs 的範圍可包含一或多組變數，如果只用一個變數，則 Known_ys 與 Known_xs 可以是任何圖形的範圍。
- ❑ Conts：選擇性，為一個指定是否強迫常數 b=0 的邏輯值。
- ❑ Stats：選擇性，為一個指定是否要傳回額外迴歸統計值的邏輯值。

在這次的練習會使用到線性回歸的函數，因為在商業產品上通常都會用過去的銷售結果與銷售計畫預測未來發展，簡單的銷售比技術可以指出資產與負債之間的關係性，但隨著時間的變化，其準確性便會產生差異。而回歸分析適合用在較為複雜的計算環境下，其功能為分析龐大的資料，並將其轉為座標或是曲線，使得資料觀察者能有較明顯之依據。

STEP 02 在上一步驟的結果，並未能完整顯示所要的結果。因此，在資料編輯列上選取整個函數值，並按下 Ctrl + Shift + Enter 鍵，以產生陣列，結果如右圖所示。

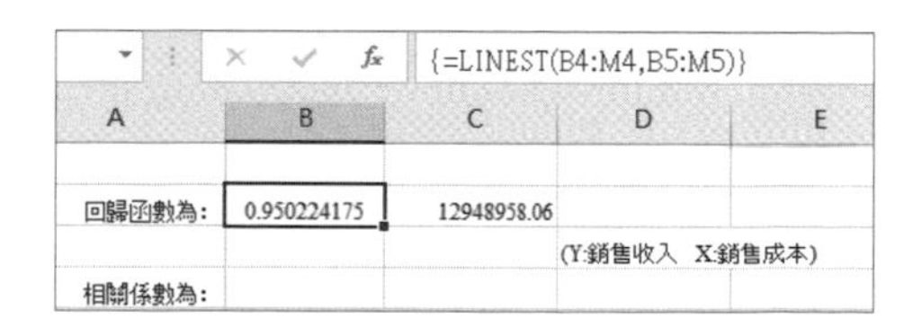

STEP 03 選取儲存格 B31，執行「公式功能區→函數庫群組→文字」，在其下拉式清單中點選 CONCAT 函數，並在「函數引數」視窗的第一個欄位內輸入「"Y="」，第二個欄位內輸入「TEXT(B31,"0.0000")」，第三個欄位內輸入「"X+"」，第四個欄位內輸入「TEXT(C31,"0.0000")」，按下 確定 鈕，如下圖所示（在線性回歸的

計算式中，m 值及 b 值已在前面步驟計算完成，當要將 y=mx+b 完整示意，則透過 CONCAT 函數串接）。

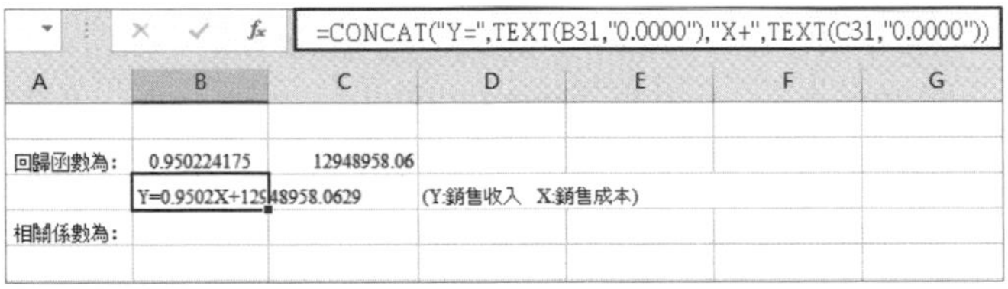

=CONCAT("Y=",TEXT(B31,"0.0000"),"X+",TEXT(C31,"0.0000"))

	A	B	C	D	E	F	G
	回歸函數為:	0.950224175	12948958.06				
		Y=0.9502X+12948958.0629		(Y:銷售收入　X:銷售成本)			
	相關係數為:						

函數小提示 **TEXT 函數**

CONCAT 函數是屬於文字函數，意指將文字字串的清單或是範圍串接，進而為一長字串。

其語法架構為：

CONCAT(Text1, Text2, Text3….)

各欄位之說明如下：

- Text1, Text2, Text3….：為 1~254 個要連結成單一文字字串的字串或是精靈，而這裡的文字串串值可以是文字、數字或是符號等。

函數小提示 **CONCAT 函數**

TCONCAT 函數是屬於文字函數，意指將文字字串的清單或是範圍串接，進而為一長字串。

其語法架構為：

CONCAT(Text1, Text2, Text3….)

各欄位之說明如下：

- Text1, Text2, Text3….：為 1~254 個要連結成單一文字字串的字串或是精靈，而這裡的文字串串值可以是文字、數字或是符號等。

STEP 04 選取儲存格 B32，執行 CONCAT 函數，並在「函數引數」視窗的第一個欄位內輸入「"r="」，第二個欄位內輸入「TEXT(CORREL(B4:M4,B5:M5),"0.0000")」，按下 確定 鈕，如下圖所示。

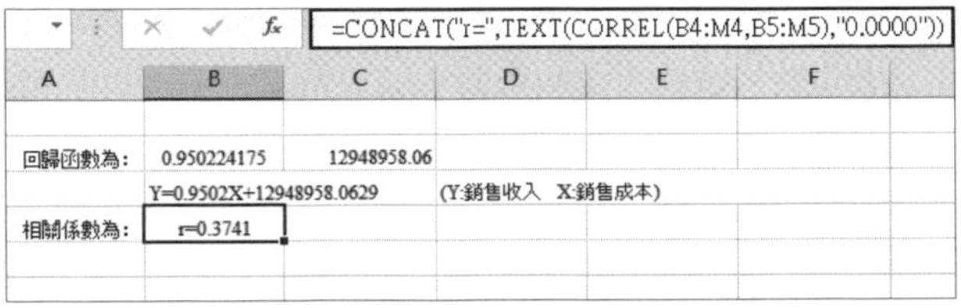

=CONCAT("r=",TEXT(CORREL(B4:M4,B5:M5),"0.0000"))

A	B	C	D	E	F
回歸函數為:	0.950224175	12948958.06			
	Y=0.9502X+12948958.0629		(Y:銷售收入　X:銷售成本)		
相關係數為:	r=0.3741				

函數小提示 CORREL 函數

CORREL 函數是屬於統計函數，通常使用此函數判斷二個資料群間的關係性。

其語法架構為：

CORREL (Array1, Array2)

各欄位之說明如下：

- ❑ Array1：必要值，為數值的儲存格範圍。
- ❑ Array2：必要值，為第二個數值的儲存格範圍。

STEP 05 選取儲存格 C32，執行巢狀函數，在資料編輯列上輸入「=IF(CORREL(B4:M4,B5:M5)<0.5, "異常","")」，按下 確定 鈕（此部分為判斷「銷售收入」與「銷售成本」兩個群組間的關係性。假設兩者間的關係性 <0.5 時，需判斷為異常，但這樣的變數要由各企業自行依屬性定義）。

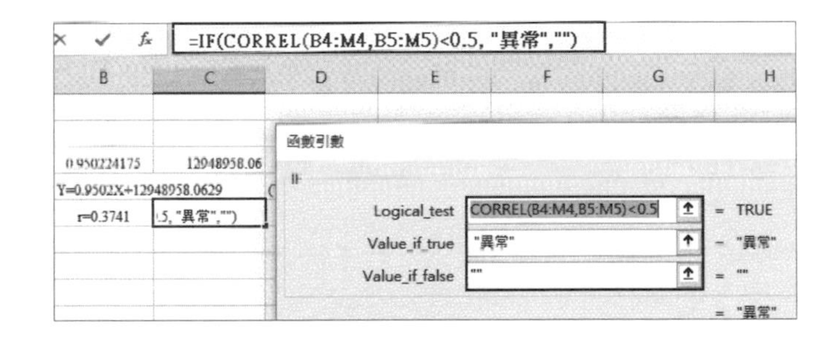

找出銷售收入、銷售數量間的相關性

對業務或行銷部門而言，要檢視產品的銷售狀況良好與否，並非只是檢視銷售量或是銷售金額即可，畢竟銷售量大並不等於銷售金額高，因此要明確了解該項產品於市場上的接受度，可經出這兩個變數的相關比較所得出的結果做說明。

STEP 01 選取儲存格範圍 B53：C53，執行「公式功能區→函數庫群組→其他函數→統計」，在其下拉式清單中點選 LINEST 函數，並在「函數引數」視窗的第一個欄位內輸入「B4:M4」，第二個欄位內輸入「B6:M6」，按下 確定 鈕。接著，在資料編輯列上選取整個函數值，並按下 Ctrl + Shift + Enter 鍵，以產生陣列，結果如下圖所示。

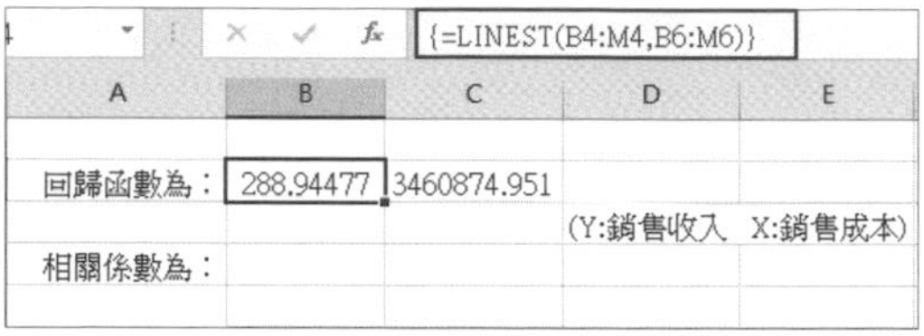

{=LINEST(B4:M4,B6:M6)}

A	B	C	D	E
回歸函數為：	288.94477	3460874.951		
			(Y:銷售收入	X:銷售成本)
相關係數為：				

STEP 02 選取儲存格 B54，執行「公式功能區→函數庫群組→文字」，在其下拉式清單中點選 CONCAT 函數，並在「函數引數」視窗的第一個欄位內輸入「"Y="」，第二個欄位內輸入「TEXT(B54,"0.0000")」，第三個欄位內輸入「"X+"」，第四個欄位內輸入「TEXT(C54,"0.0000")」，按下 確定 鈕，如下圖所示。

=CONCAT("Y=",TEXT(B54,"0.0000"),"X+",TEXT(C54,"0.0000"))

A	B	C	D	E	F	G
回歸函數為：	288.94477	3460874.951				
	Y=288.9448X+3460874.9506		(Y:銷售收入	X:銷售成本)		
相關係數為：						

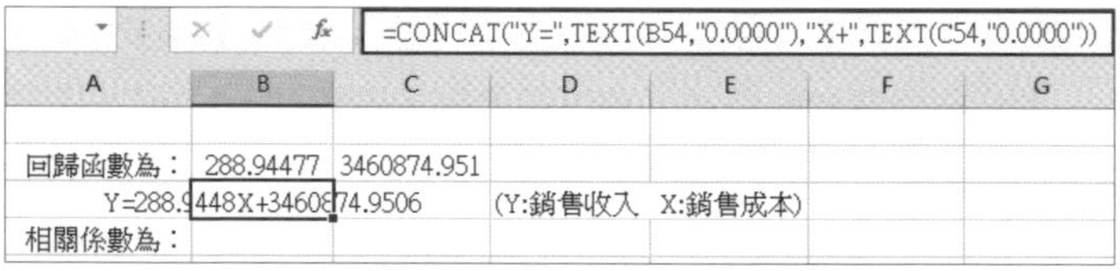

STEP 03 選取儲存格 B55，執行 CONCAT 函數，並在「函數引數」視窗的第一個欄位內輸入「"r="」，第二個欄位內輸入「TEXT(CORREL(B4:M4,B6:M6),"0.0000")」，按下 確定 鈕，如下圖所示。

=CONCAT("r=",TEXT(CORREL(B4:M4,B6:M6),"0.0000"))

A	B	C	D	E	F
回歸函數為：	288.94477	3460874.951			
	Y=288.9448X+3460874.9506		(Y:銷售收入	X:銷售成本)	
相關係數為：	r=0.9284				

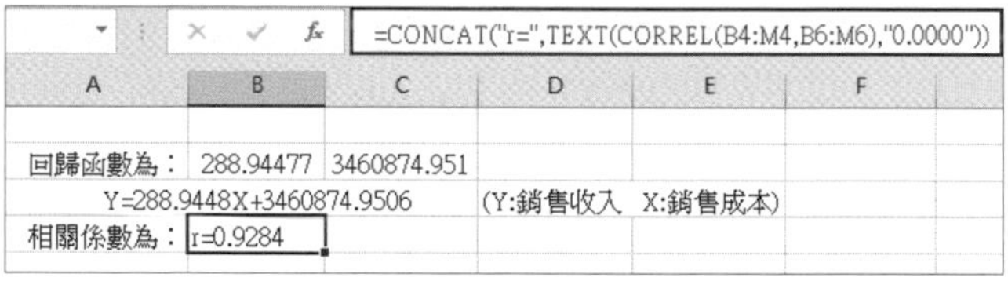

STEP 04 選取儲存格 C55，執行巢狀函數，在資料編輯列上輸入「=IF(CORREL(B4:M4,B6:M6)<0.5,"異常","")」，按下 確定 鈕（此部分為判斷「銷售收入」與「銷售數量」兩個群組間的關係性，假設兩者間的關係性 <0.5 時，需判斷為異常，但這樣的變數要由各企業自行依屬性定義）。

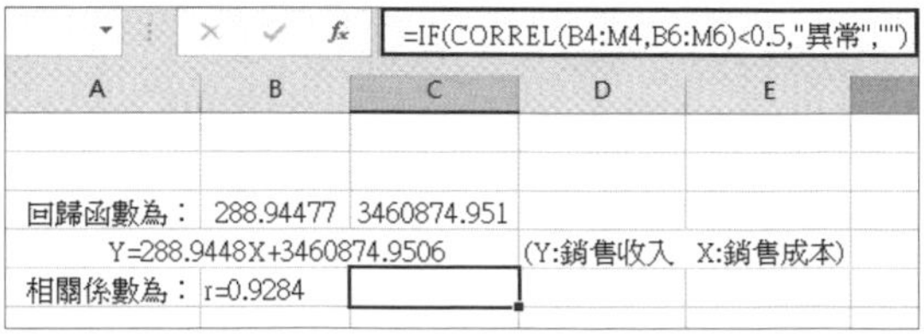

=IF(CORREL(B4:M4,B6:M6)<0.5,"異常","")

A	B	C	D	E
回歸函數為：	288.94477	3460874.951		
	Y=288.9448X+3460874.9506		(Y:銷售收入	X:銷售成本)
相關係數為：	r=0.9284			

找出銷售收入、銷售稅金間的相關性

產品銷售後會有其銷售稅金的課徵。對消費者而言，其所繳納之消費稅金幾乎是採用固定比例；但對企業生產者而言，其稅金則有可能依據其銷售金額的多寡分為數個級距，也因此會有不同的稅金百分比。若是單純的檢視銷售收入與銷售稅金的金額數量，對部分資訊的判讀會有影響，因此需要計算兩者之相關性，以得到有利之訊息。

STEP 01 選取儲存格範圍B75：C75，執行「公式功能區→函數庫群組→其他函數→統計」，在其下拉式清單中點選LINEST函數，並在「函數引數」視窗的第一個欄位內輸入「B4:M4」，第二個欄位內輸入「B7:M7」，按下 確定 鈕。接著，在資料編輯列上選取整個函數值，並按下Ctrl＋Shift＋Enter鍵，以產生陣列，結果如下圖所示。

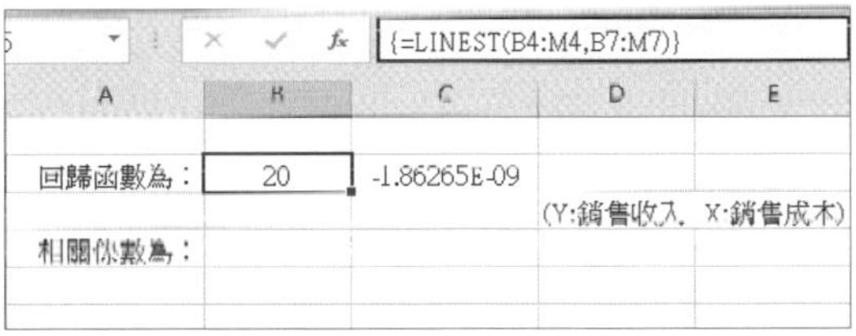

{=LINEST(B4:M4,B7:M7)}

A	B	C	D	E
回歸函數為：	20	-1.86265E-09		
			(Y:銷售收入	X:銷售成本)
相關係數為：				

STEP 02 選取儲存格B76，執行「公式功能區→函數庫群組→文字」，在其下拉式清單中點選CONCAT函數，並在「函數引數」視窗的第一個欄位內輸入「"Y="」，第二個欄位內輸入「TEXT(B75,"0.0000")」，第三個欄位內輸入「"X+"」，第四個欄位內輸入「TEXT(C75,"0.0000")」，按下 確定 鈕，如下圖所示。

=CONCAT("Y=",TEXT(B75,"0.0000"),"X+",TEXT(C75,"0.0000"))

A	B	C	D	E	F	G
回歸函數為：	20	-1.86265E-09				
	Y=20.0000X+0.0000		(Y:銷售收入	X:銷售成本)		
相關係數為：						

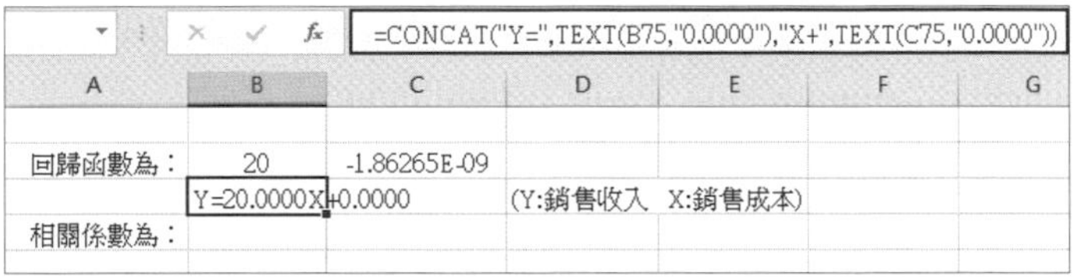

STEP 03 選取儲存格B77，執行CONCAT函數，並在「函數引數」視窗的第一個欄位內輸入「"r="」，第二個欄位內輸入「TEXT(CORREL(B4:M4,B7:M7),"0.0000")」，按下 確定 鈕，如下圖所示。

=CONCAT("r=",TEXT(CORREL(B4:M4,B6:M6),"0.0000"))

A	B	C	D	E	F
回歸函數為：	288.94477	3460874.951			
	Y=288.9448X+3460874.9506		(Y:銷售收入 X:銷售成本)		
相關係數為：	r=0.9284				

STEP 04 選取儲存格C77，執行巢狀函數，在資料編輯列上輸入「=IF(CORREL(B4:M4,B7:M7)<0.5,"異常","")」，按下 確定 鈕（此部分為判斷「銷售收入」與「銷售稅金」兩個群組間的關係性，假設兩者間的關係性<0.5時，需判斷為異常，但這樣的變數要由各企業自行依屬性定義）。

=IF(CORREL(B4:M4,B7:M7)<0.5,"異常","")

A	B	C	D	E
回歸函數為：	20	-1.86265E-09		
	Y=20.0000X+0.0000		(Y:銷售收入 X:銷售成本)	
相關係數為：	r=1.0000			

經過運用統計函數的線性回歸功能分析，對於產品企劃及行銷團隊將會有極大的助益。在企業的年度結算報表上，都有其損益分析報表，當狀況出現時，在企業內的各團隊也許會有意見分歧的情況發生，但若透過圖表及統計分析，便可知道問題點是發生在哪個部分，使得制定修正方針亦能更清楚從何著手。

4.2.2 使用圖表分類解讀

前面的資料都已整理完成，接著便可依據這些資料進行年度產品資金分析。而年度分析可以區分爲三個部分進行，分別是「銷售收入、成本相關分析」、「銷售收入、數量相關分析」、「銷售收入、稅金相關分析」，以下一一介紹。

繪製銷售收入、銷售成本分析圖

STEP 01 選取儲存格範圍A3：M5，執行「插入功能區→圖表群組」，點選「折線圖」的下拉式清單，於其中點選「含有資料標記的折線圖」，圖表立即產生。

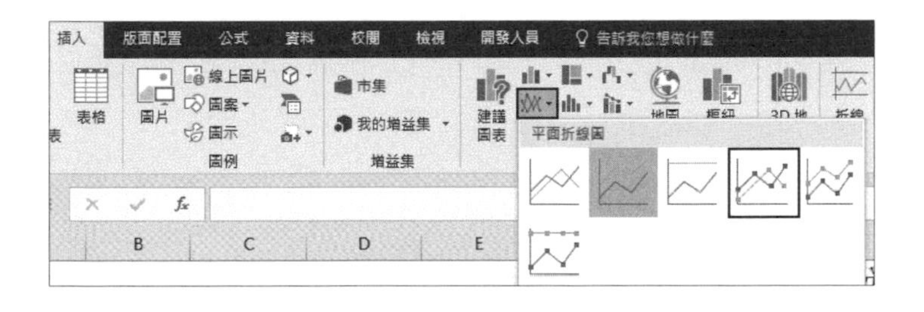

STEP 02 將圖表標題修改為「收入、成本比較分析圖」，結果如右圖所示。

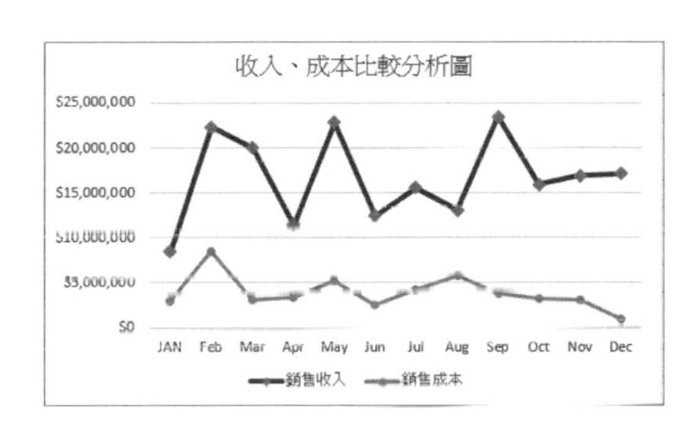

STEP 03 選取儲存格範圍 A8：M8，重複執行前述圖表設定，所得圖表如下圖所示，並將其圖表標題修改為「銷售成本率趨勢圖」。

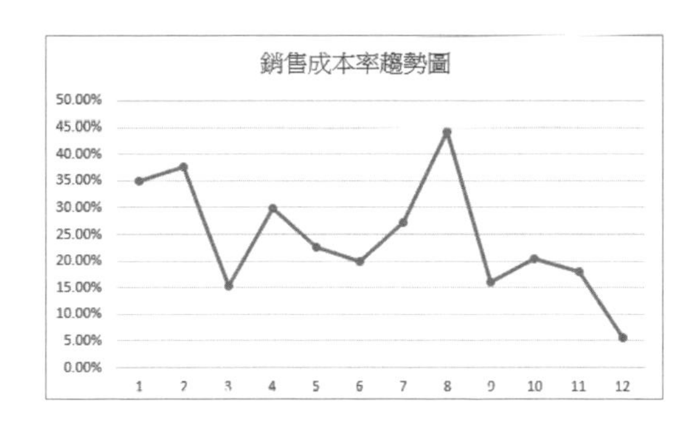

繪製銷售收入、銷售數量分析圖

STEP 01 按下Ctrl鍵，分別選取儲存格範圍 A3：M4、A6：M6，執行「插入功能區→圖表群組」，點選右下角的「察看所有圖表」。在「插入圖表」視窗中，點選「所有圖表」標籤的「組合式」圖表，在右側自訂組合區塊內，將「銷售收入」的圖表類型變更為「折線圖」；將「銷售數量」的圖表勾選「副座標軸」，按下 確定 鈕。

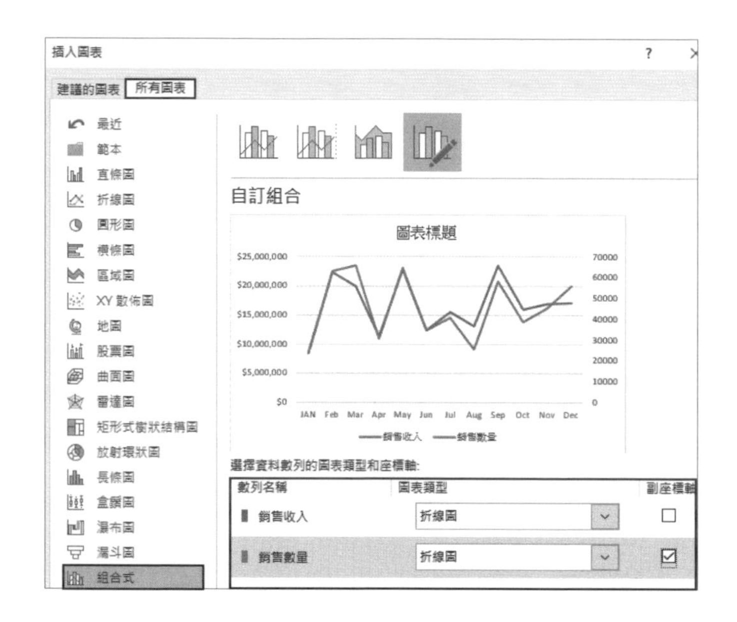

STEP 02 將圖表標題修改為「收入、數量比較分析圖」，結果如下圖所示。

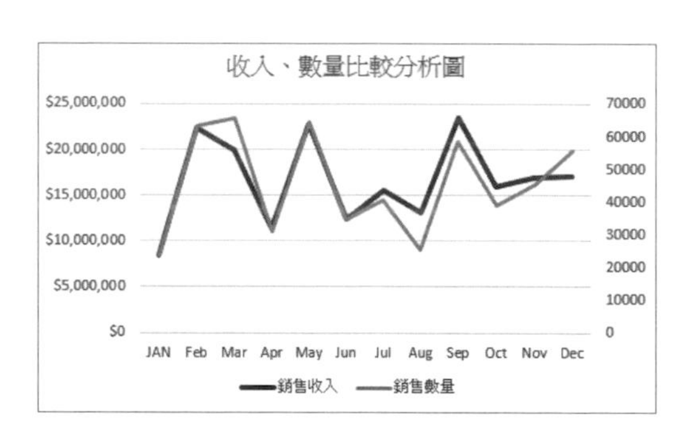

繪製銷售收入、銷售稅金分析圖

STEP 01 按下Ctrl鍵，分別選取儲存格範圍A3：M4、A7：M7，執行「插入功能區→圖表群組」，點選右下角的「察看所有圖表」。在「插入圖表」視窗中，點選「所有圖表」標籤的「組合式」圖表，在右側自訂組合區塊內，將「銷售收入」的圖表類型變更為「含有資料標記的折線圖」；將「銷售數稅金」的圖表的圖表類型變更為「含有資料標記的折線圖」，勾選「副座標軸」，按下 確定 鈕。

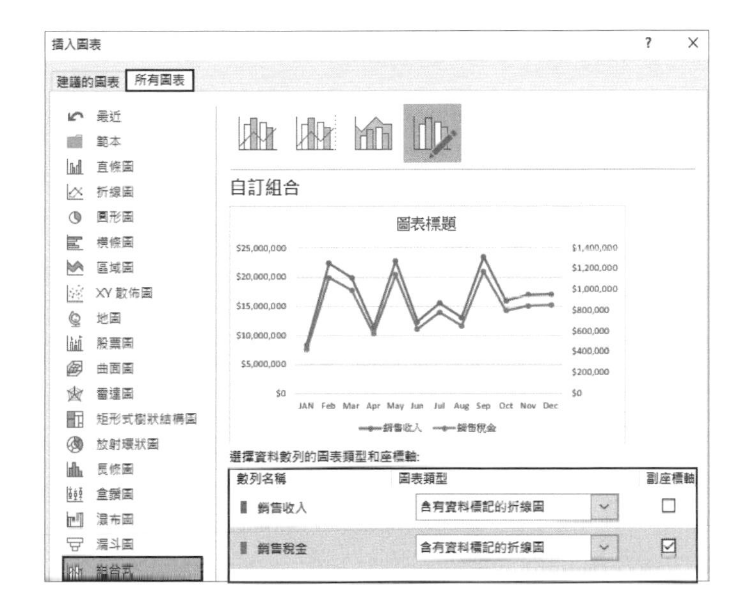

STEP 02 將圖表標題修改為「收入、稅金比較分析圖」，結果如下圖所示。

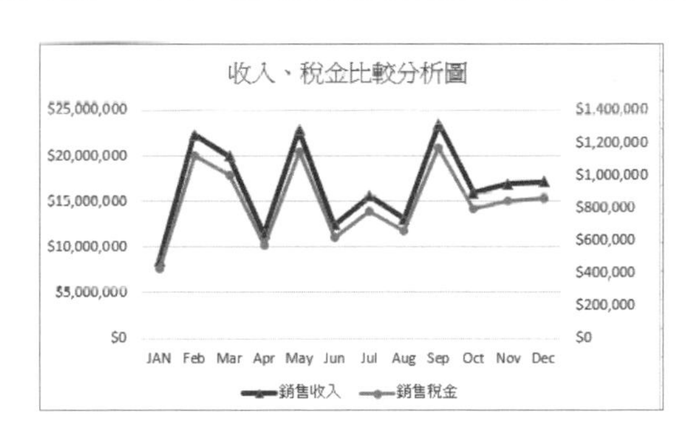

4.3 銷售收入與成本年度對比

企業的經營策略會在不同年度間因應環境的變化而有所調整，而為了瞭解其差異性，有時須將相鄰年度間的數據進行比較分析。

4.3.1 善用連結進行年度彙總

STEP 01 點選「2017 年度分析比較」工作表，先行計算上年度的銷售成本率。選取儲存格 D4，並在其資料編輯列上輸入「=C5/B5」，完成後按下 ✓ 鈕，往下拖曳，自動填滿至儲存格 D8。

相關費用年度對比分析					
產品名稱	上年度			本年度	
	銷售收入	銷售成本	銷售成本率	銷售收入	銷售成本
玫瑰紅棗養生茶	$69,836,980	$26,954,360	38.60%		
塞天洋薰舒眠飲	$87,583,270	$10,083,290	11.51%		
有機水果飲	$7,843,890	$5,286,540	67.40%		
合計	$165,264,140	$42,324,190	25.61%		

STEP 02 建立各產品於今年度的「銷售收入」值。點選儲存格 E5，在其資料編輯列上輸入「= 銷售費用 !O4」。點選儲存格 E6，在其資料編輯列上輸入「= 銷售費用 !O11」。點選儲存格 E7，在其資料編輯列上輸入「= 銷售費用 !O18」，執行後之結果如下圖所示。

相關費用年度對比分析				
產品名稱	上年度			
	銷售收入	銷售成本	銷售成本率	銷售收入
玫瑰紅棗養生茶	$69,836,980	$26,954,360	38.60%	$81,964,053
塞天洋薰舒眠飲	$87,583,270	$10,083,290	11.51%	$110,138,297
有機水果飲	$7,843,890	$5,286,540	67.40%	$7,416,506
合計	$165,264,140	$42,324,190	25.61%	

STEP 03 建立各產品於今年度的「銷售成本」值。點選儲存格 F5，在其資料編輯列上輸入「= 銷售費用 !O5」。點選儲存格 F6，在其資料編輯列上輸入「= 銷售費用 !O12」。點選儲存格 F7，在其資料編輯列上輸入「= 銷售費用 !O19」，執行後之結果如下圖所示。

相關費用年度對比分析					
產品名稱	上年度			本年度	
	銷售收入	銷售成本	銷售成本率	銷售收入	銷售成本
玫瑰紅棗養生茶	$69,836,980	$26,954,360	38.60%	$81,964,053	$33,027,527
塞天洋薰舒眠飲	$87,583,270	$10,083,290	11.51%	$110,138,297	$12,474,668
有機水果飲	$7,843,890	$5,286,540	67.40%	$7,416,506	$940,908
合計	$165,264,140	$42,324,190	25.61%		

STEP 04 分別計算本年度「銷售收入」與「銷售成本」的合計。選取儲存格 E8，執行「公式功能區→函數庫群組→自動加總」，在其下拉式清單中點選，即可在該儲存格的資料標輯列顯示「=SUM(E5:E7)」，按下 Σ 加總(S) 鈕。選取儲存格 F8，執行相同功能，在其編輯列上顯示「=SUM(F5:F7)」，按下 ✓ 鈕。如此，即運算出本年度的銷售收入、成本之合計值。

=SUM(F5:F7)

	C	D	E	F
	相關費用年度對比分析			
	上年度			本年度
入	銷售成本	銷售成本率	銷售收入	銷售成本
980	$26,954,360	38.60%	$81,964,053	$33,027,527
270	$10,083,290	11.51%	$110,138,297	$12,474,668
390	$5,286,540	67.40%	$7,416,506	$940,908
140	$42,324,190	25.61%	$199,518,856	=SUM(F5:F7)

STEP 05 計算本年度之銷售成本率。選取儲存格 G5，並在其資料編輯列上輸入「=F5/E5」，完成後按下 ✓ 鈕，往下拖曳，自動填滿至儲存格 G8。

產品名稱	上年度			本年度		
	銷售收入	銷售成本	銷售成本率	銷售收入	銷售成本	銷售成本率
玫瑰紅棗養生茶	$69,836,980	$26,954,360	38.60%	$81,964,053	$33,027,527	=F5/E5
塞天洋薰舒眠飲	$87,583,270	$10,083,290	11.51%	$110,138,297	$12,474,668	11.33%
有機水果飲	$7,843,890	$5,286,540	67.40%	$7,416,506	$940,908	12.69%
合計	$165,264,140	$42,324,190	25.61%	$199,518,856	$46,443,103	23.28%

4.3.2 使用圖表進行各項別對比

完成各項計算後，接著透過圓形圖分析不同年度間的銷售結構差異。其圖表的製作方式如下所示。

STEP 01 製作上年度各產品的銷售成本比較圖。選取儲存格範圍 A5：B7，執行「插入功能區→圖表群組→插入圓形圖或環形圖」，在其下拉式清單中點選「環圈圖」。

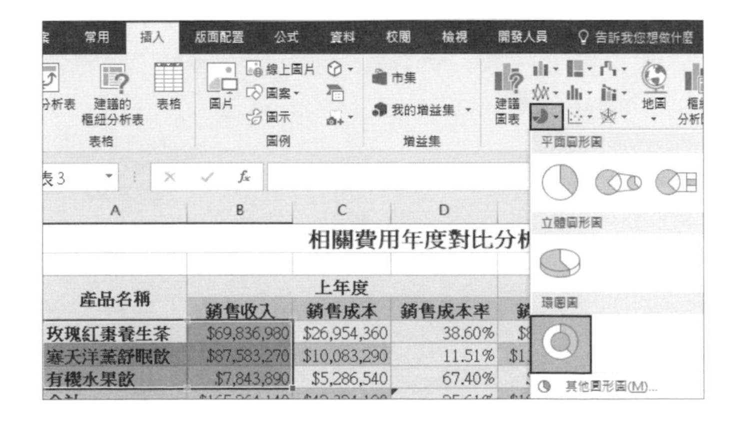

STEP 02 將圖表標題修改為「2016 各產品收入結構分析」，選取圖表右側的＋標籤，在其開啟的清單中勾選「資料標籤」，並取消勾選「圖例」，然後在其子選項中點選「其他選項」，在視窗右側的功能窗格的「標籤選項」內，取消勾選「值」，並增加勾選「類別名稱」及「百分比」。

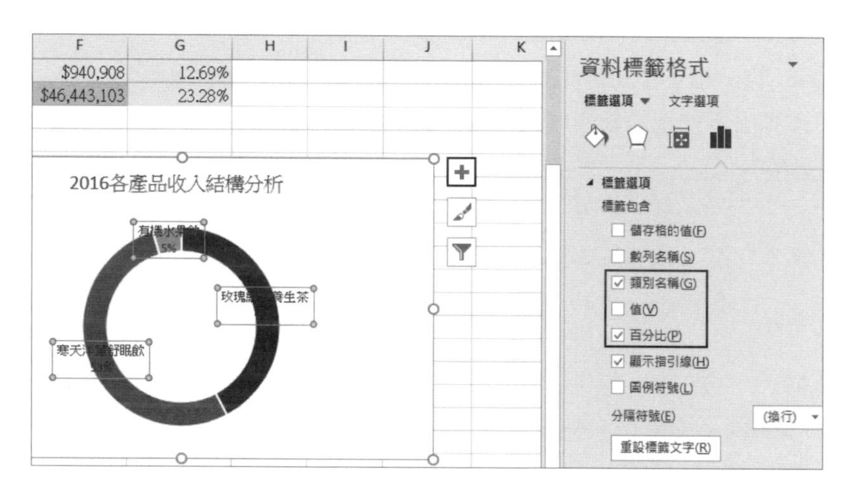

STEP 03 調整數值顯示方式，將其「類別」設定為「百分比」，「小數位數」為「2」，並調整標籤位置，如下圖所示。

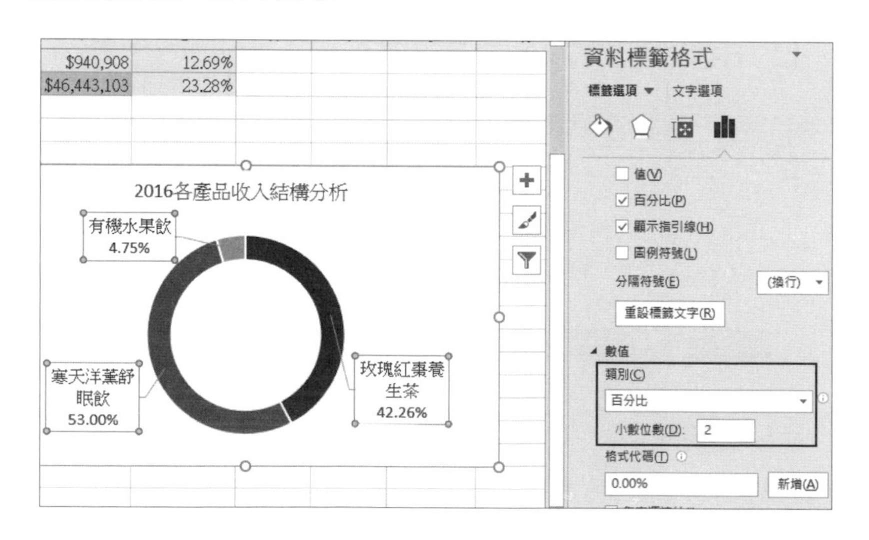

STEP 04 製作今年度各產品的銷售成本比較圖。選取前一步驟完成的圖表，按下 Ctrl 鍵，進行複製拖曳動作，將複製完成的圖表標題修改為「2017 各產品收入結構分析」，結果如下圖所示。

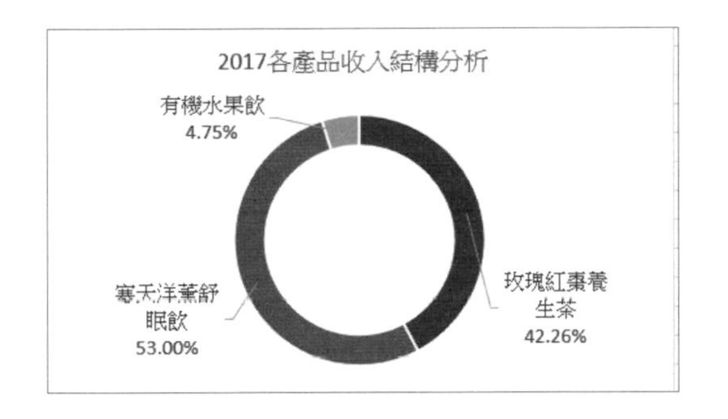

STEP 05 選取圖表，執行「圖表工具→設計功能區→資料群組→選取資料」。在開啟的視窗中，點選「圖例項目（數列）」的 編輯(E) 鈕，於「編輯數列」視窗中，將「數列值」修改為「='2017 年度分析比較'!$E$5:$E$7」，完成後連按兩下 確定 鈕，如下圖所示。

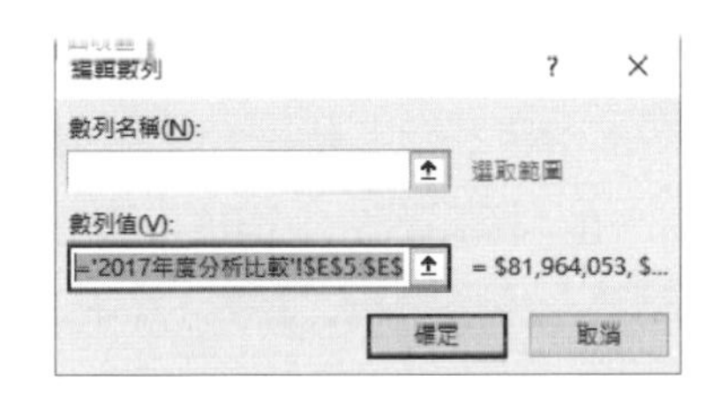

STEP 06 選取圖表，選取圖表右側的 + 標籤，在其開啟的清單的「資料標籤」的子選項中，點選「其他選項」，在視窗右側的功能窗格的「標籤選項」內，取消勾選「值」，並增加勾選「類別名稱」及「百分比」，並調整標籤位置，如下圖所示。

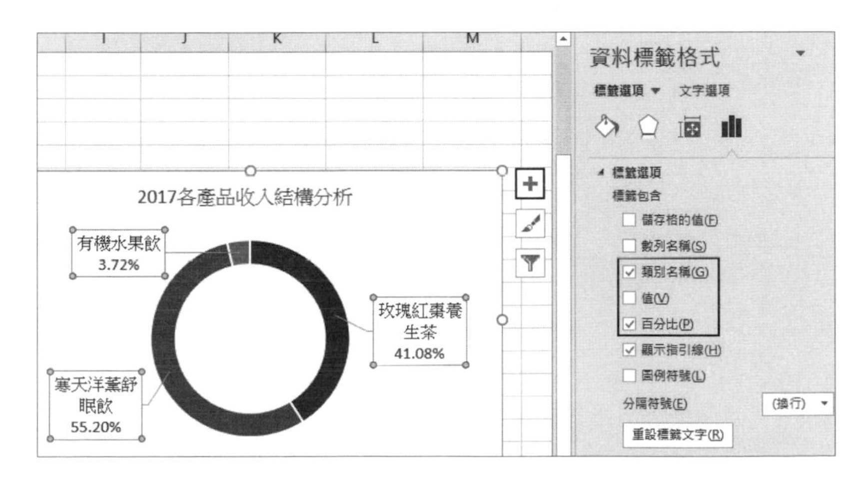

STEP 07 分別選取上述完成圖表，按下滑鼠右鍵，在其快顯功能表中點選「另存為範本」，其檔案名稱分別建立為「2016 分析」及「2017 分析」，如下圖所示。

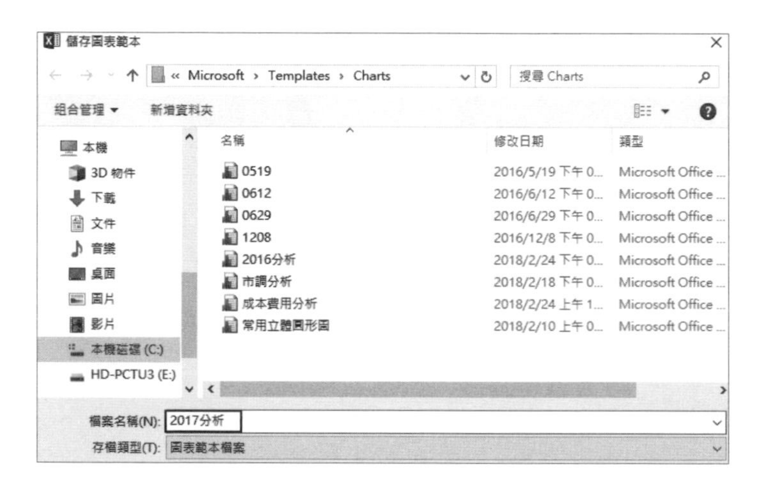

STEP 08 選取儲存格範圍 A5：A7、C5：C7，執行「插入功能區→圖表群組」，點選右下角的「察看所有圖表」。在「插入圖表」視窗中，點選「所有圖表」標籤的「範本」圖表，在右側視窗內點選「2016 分析」範本，按下 確定 鈕。

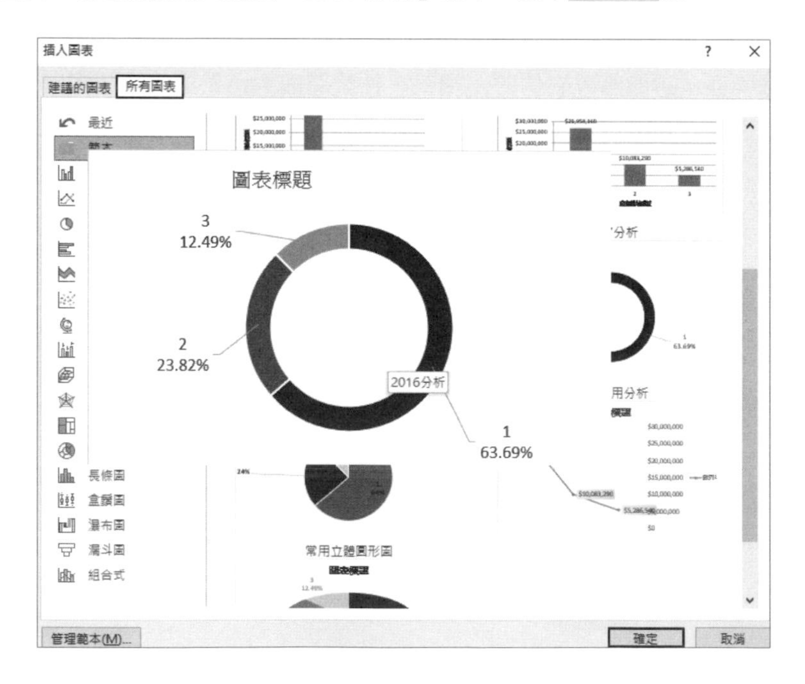

STEP 09 將完成的圖表修改圖表標題為「2016 各產品成本結構分析」，結果如右圖所示。

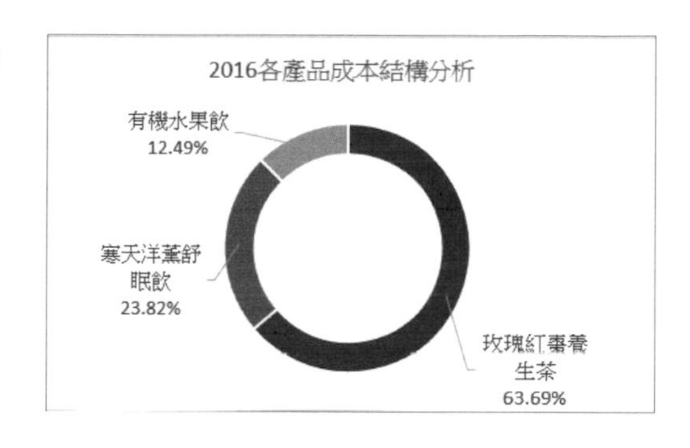

STEP 10 選取儲存格範圍 A5：A7、F5：F7，執行「插入功能區→圖表群組」，點選右下角的「察看所有圖表」。在「插入圖表」視窗中，點選「所有圖表」標籤的「範本」圖表，在右側視窗內點選「2017 分析」範本，按下 確定 鈕。修改圖表標題為「2017 各產品成本結構分析」，結果如右圖所示。

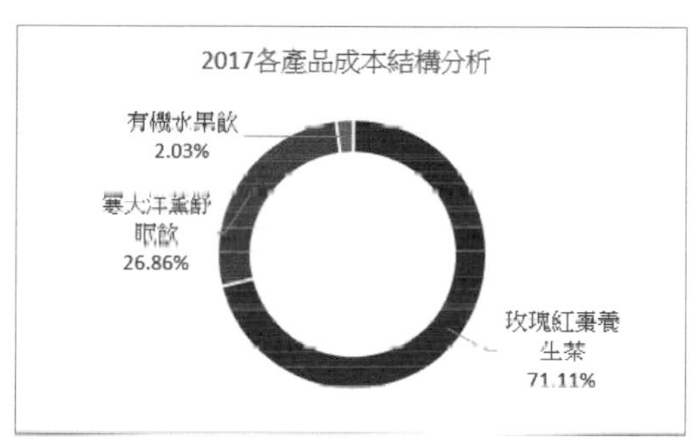

STEP 11 製作不同年度的銷售成本率的比較分析圖。選取儲存格範圍 A5：A7、D5：D7、G5：G7，執行「插入功能區→圖表群組→插入折線圖或區域圖」，在其下拉式清單中點選「含有資料標記的折線圖」。

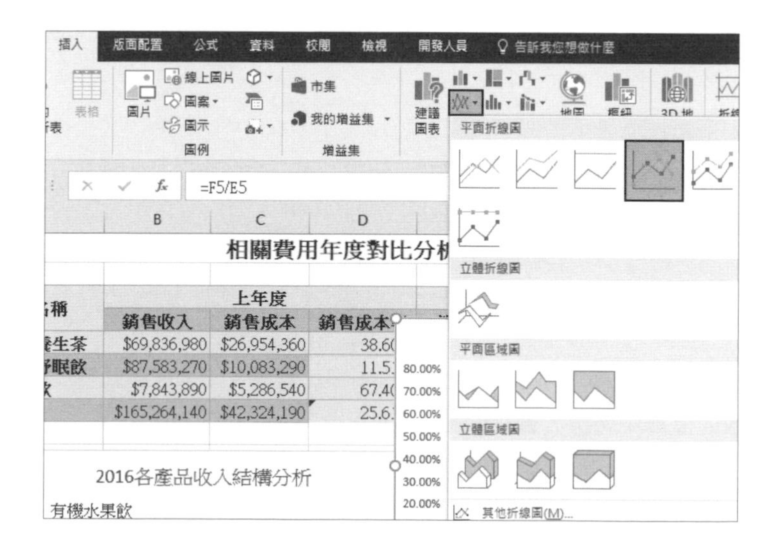

STEP 12 選取圖表，執行「圖表工具→設計功能區→資料群組→選取資料」，在「選取資料來源」視窗中，於「圖例項目（數列）」的欄位內點選「數列 1」，再點選上方的 編輯(E) 鈕，如下圖所示。

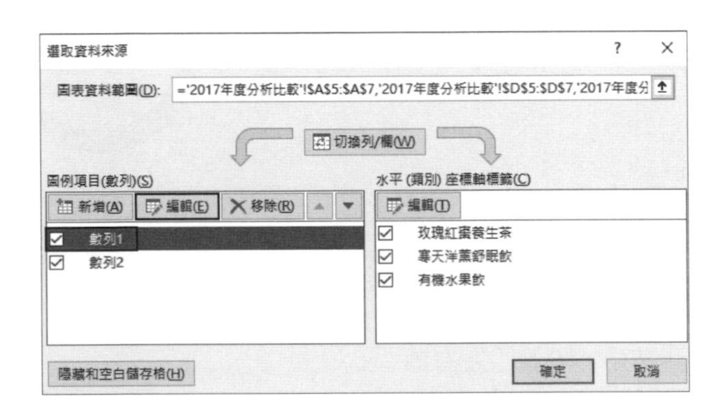

STEP 13 在「編輯數列」視窗中，將「數列名稱」修改為「2016 銷售成本率」，完成後按下 確定 鈕。

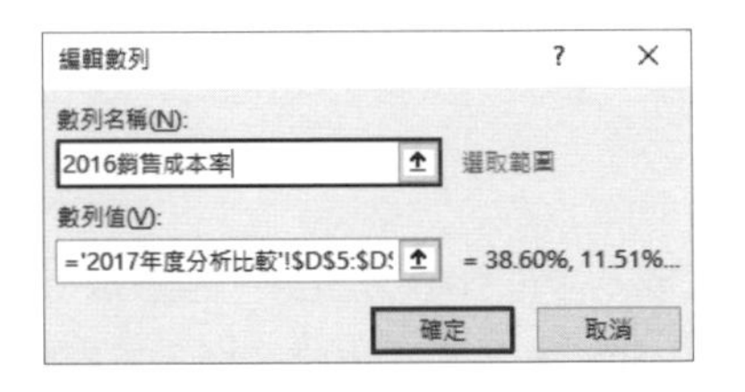

STEP 14 接著，在「圖例項目（數列）」的欄位內點選「數列 2」，點選上方的 編輯(E) 鈕。在「編輯數列」視窗中，將「數列名稱」修改為「2017 銷售成本率」，完成後連按兩下 確定 鈕。

STEP 15 將圖表標題修改為「2016、17 銷售成本率比較圖」。選取圖表右側的 + 標籤，在其開啟的清單中勾選「資料標籤」，如下圖所示。

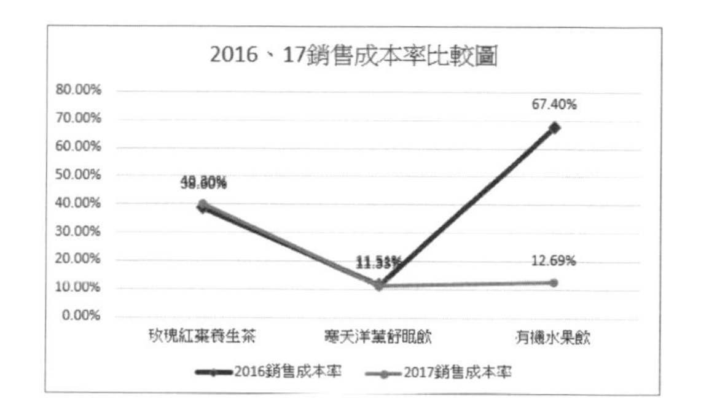

STEP 16 選取垂直座標軸，按下滑鼠右鍵，在其快顯功能表中點選「座標軸格式」。在視窗右側的功能窗格的「座標軸選項」內，將範圍的「最小值」修改為「0.1」，「最大值」修改為「0.7」，並調整圖表標籤位置，如下圖所示。

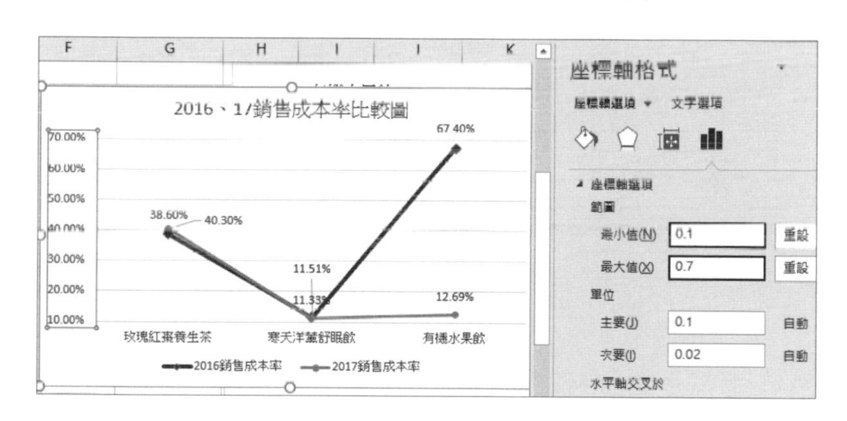

STEP 17 對照到銷售成本率的圖表完成了。可以得知「有機水果飲」產品在兩個年度的成本率差異很大，此時便可去探討製程、原料或是行銷方面的狀況，了解為何會導致如此大的差異性。

產品存貨管理

對於生產製造業而言，其倉儲部門的重要性不可言喻。當銷售商品的相關製程結束後，便會送至倉儲部門等待出貨，身為倉儲管理者若不能妥善管理這些貨品，容易造成出貨時不確定其放置位置或是數量是否足夠，那將會造成業務部門等的困擾。因此，部分倉儲部門的管理者都會自行設計報表，以方便檢視商品的存放處及目前的可出貨量，一旦有低於標準存貨量時，便可立即通報相關部門，來安排進一步之動作。

5.1 建立產品清單

通常在製作產品資料列表時，都依著資料發生的時間先後順序而建立，若事後想依照使用者指定的方式排列時，常會造成某方面的困擾，因此設計者可在平時建立自訂清單，當有特別需求時，便可藉由清單排序，來快速完成此需求。

STEP 01 開啟「範例\CH5\原始檔案\產品明細.xlsx」活頁簿，點選「產品名稱」工作表選取A欄，按下Ctrl＋C鍵執行複製，新增一工作表後，點選該工作表的儲存格A1，並透過Ctrl＋V鍵進行貼上，以將複製後的資料整理為一種產品類名稱只顯示一次。執行「資料功能區→資料工具群組→移除重複項」，在展開的視窗中，勾選「我的資料有標題」，並按下 確定 鈕，結果如下圖所示。

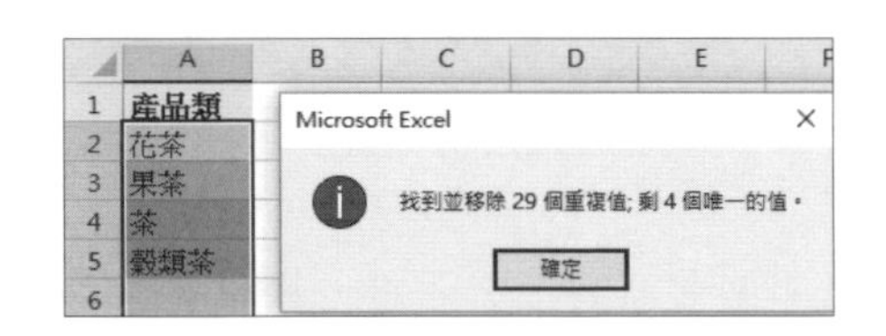

STEP 02 將上述的新工作表命名為「產品類」，執行「檔案→選項」，在展開視窗左側欄位中點選「進階」，並在其右側內容窗格中往下拖曳，尋找「一般」類別裡的「編輯自訂清單」。在「選項」視窗中點選摺疊鈕，選取儲存格範圍A2：A5，並按下 匯入(M) 鈕，如此即可將資料列為清單項目。

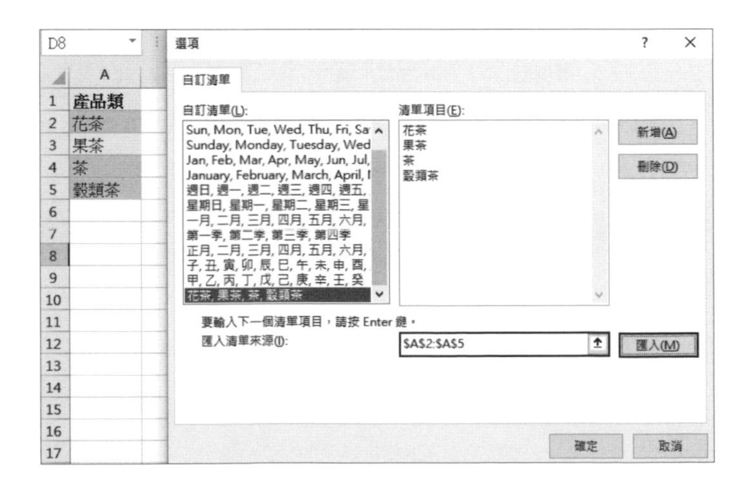

STEP 03 為保護清單內容不被任意修改，故在此張工作表名稱上按下滑鼠右鍵，在其快顯功能表上選取「隱藏」，如此本張工作表即不再顯示。若要在修改工作表中的內容，可任選一張工作表，執行「取消隱藏」即可。

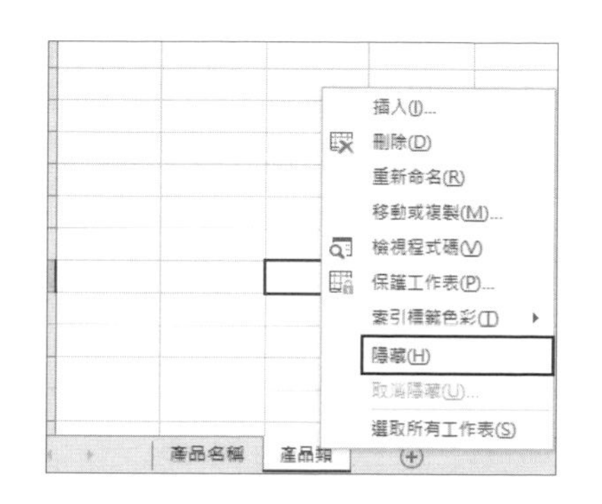

STEP 04 回到「產品名稱」工作表，設定以「產品類」為排列順序。選取儲存格 A2，執行「資料功能區→排列與篩選群組→自訂排序」，在展開的視窗中，將排序方式的欄位設定為「產品類」，在順序的下拉式清單中點選「自訂清單」。在「自訂清單」的視窗內，點選上個步驟中所建立的清單內容，並連按兩下 確定 鈕。

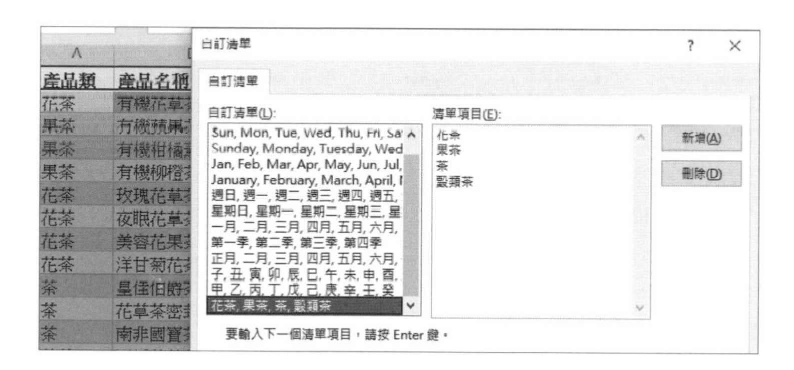

STEP 05 當排序設定完成後，此表格已依產品類的清單內容執行排序設定，如下圖所示。

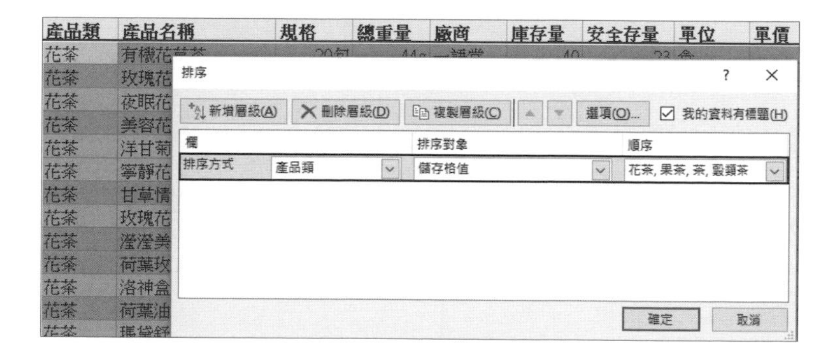

5.1.1 運用 CONCAT 函數做資料整併

在一張資料完成的產品存貨表中，爲了讓貨品分類清楚，以方便日後取用及管理，因此對產品加上編號是必須的動作。例如：在產品編碼的顯示資料爲 TH18-0001-001，在前面第一組的 4 個碼分別代表產品縮寫及年份，中間的 4 個碼表示產品類別，最後一組的 3 個碼則爲產品名稱。這樣的編碼方式將透過 MS Excel 執行。

STEP 01 開啟「範例 \CH5\ 原始檔案 \ 產品編碼 .xlsx」活頁簿，選取 A 欄：D 欄，並按下滑鼠右鍵，在其快顯功能表中點選「插入」。

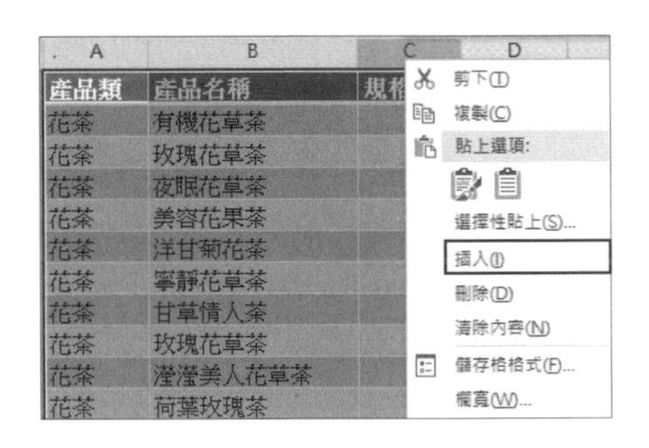

STEP 02 點選新欄位右側的「插入選項」，在清單中點選格式同右，並分別在儲存格 A1 欄位輸入「進貨日期」，儲存格 B1 欄位輸入「類別碼」，儲存格 C1 欄位輸入「產品碼」，儲存格 D1 欄位輸入「產品編碼」，輸入後之結果如下圖所示。

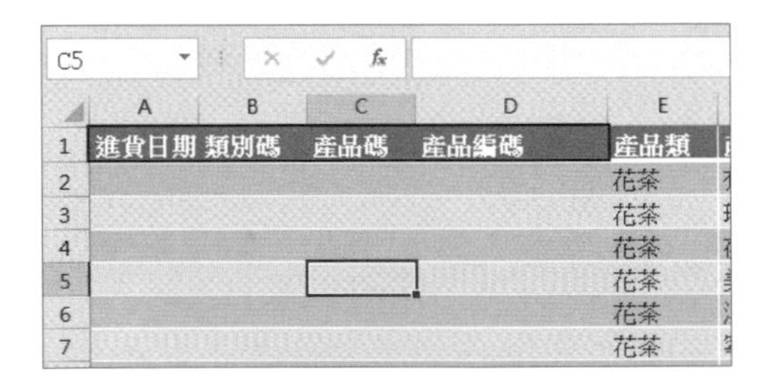

STEP 03 可自行在 A 欄中分別填入不同的進貨日期，請以西元格式的日期為其格式，結果如右圖所示。

	A	B	C	D	E	F
1	進貨日期	類別碼	產品碼	產品編碼	產品類	產品名稱
2	2017/10/11				花茶	有機花草茶
3	2017/10/11				花茶	玫瑰花草茶
4	2017/10/12				花茶	夜眠花草茶
5	2017/10/12				花茶	美容花果茶
6	2017/10/12				花茶	洋甘菊花茶
7	2017/10/15				花茶	寧靜花草茶
8	2017/10/16				花茶	甘草情人茶
9	2017/10/18				花茶	玫瑰花草茶
10	2017/10/18				花茶	瀅瀅美人花草茶

STEP 04 在儲存格 B2 欄位內輸入「1」，點選儲存格 B3，執行「公式功能區→函數庫群組→邏輯」，在展開的下拉式清單中點選 IF 函數。在滑鼠置於名稱方塊的下拉式清單中點選 COUNTIF 函數，如下圖所示。

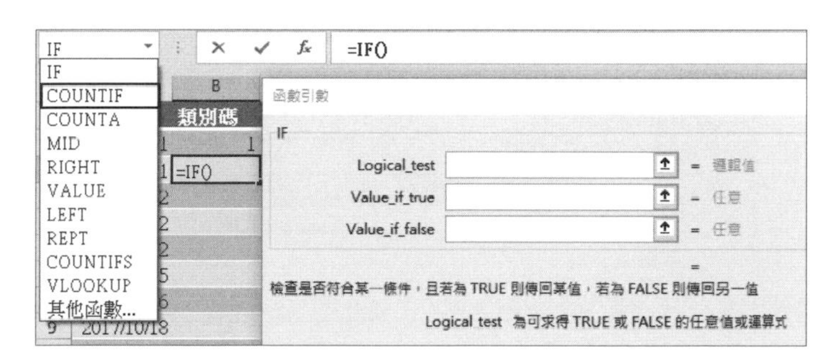

函數小提示 COUNTIF 函數

COUNTIF 函數屬於條件式統計函數，此函數是由 COUNT 及 IF 兩個函數所組合而成，前者指的是計數函數，而後者則是邏輯條件判斷函數，此兩個函數所構成的即是條件式計數函數。

其語法架構為：

COUNTIF(Range, Criteria)

各欄位之說明如下：

- Range：為一個或多個欲被計數的儲存格範圍，其範圍值可為文字、數值等參照值。
- Criteria：為比較條件，條件可以是數值、文字或是表示式。

函數小提示 IF 函數

IF 函數屬於邏輯函數，此函數意指檢查是否符合某一情境，若情境為 TRUE 時傳回某值，若為 FALSE 則傳回另一值。其語法架構為：

IF(Logical_test, Value_if_true, Value_if_false)

各欄位之說明如下：

- Logical_test：為可求得 TRUE 或 FALSE 的任意值或是運算式（公式、函數）。
- Value_if_true：為驗證 Logical_test 等於 TRUE 所傳回的條件值。
- Value_if_false：為驗證 Logical_test 等於 FALSE 所傳回的條件值。

STEP 05 點選 COUNTIF 函數，在「函數引數」視窗的第一個欄位內輸入「$E$2:E3」，第二個欄位內輸入「E3」，按下 確定 鈕。

說明　認識儲存格鎖定

設定函數時，在部分情境下，不能因拖曳搬移而儲存格位置隨之改變或是部分改變，因此須對儲存格設定鎖定，而這樣的鎖定情形有下列三種：

- 絕對位址：指的是欄位及列位均鎖定，因此欄位數及列位數便不會隨著往下拖曳或是往右拖曳而改變，例如：$D$5。
- 混合位址：指的是欄位或列位有鎖定，因此欄位數或列位數便會隨著往下拖曳或是往右拖曳而改變，例如：D$5、$D5。
- 相對位址：指的是欄位及列位均不鎖定，因此欄位數及列位數便會隨著往下拖曳或是往右拖曳而改變，例如：D5。

STEP 06 畫面會顯示如下視窗，這只是 MS Excel 通知函數設定有錯誤產生，先按下 確定 鈕。請至資料編輯列，可檢視到 COUNTIF 函數的外層尚有 IF 函數，之所以會出現錯誤訊息，是因為在 IF 函數的架構下未有完整性，此時只需將資料編輯列內的函數修改為「=IF(COUNTIF($E$2:E3,E3),,)」即可。

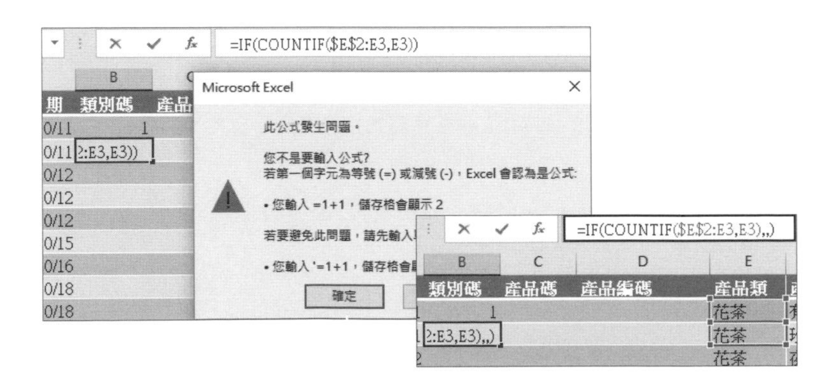

STEP 07 點選資料編輯列的「插入函數」鈕，則 IF 函數的「函數引數」視窗立即開啟，如右圖所示。

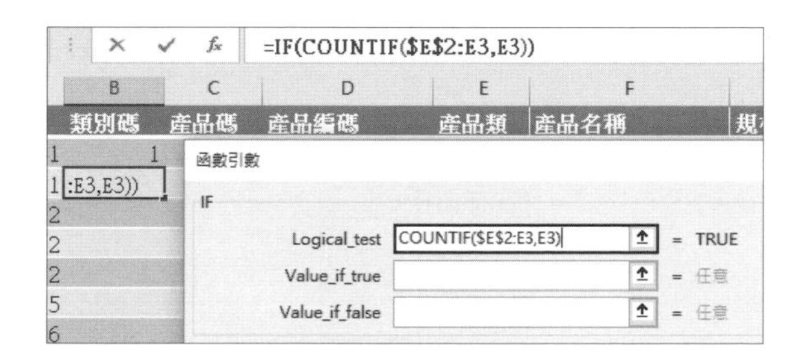

STEP 08 在「函數引數」視窗的第一個欄位內輸入「COUNTIF($E$2:E3,E3)>1」，第二個欄位內輸入「B2」，第三個欄位內輸入「MAX($B$2:B2)+1」，完成後按下 確定 鈕，如下圖所示（在這組巢狀函數使用的函數較複雜，最終透過 IF 函數做判斷，在 Logical_test 欄位所執行的是統計儲存格 $D$2:D3 中的儲存格 D3，而所設定的判斷條件即是儲存格 D3 出現的次數大於 1 的次數，Value_if_true 所代表的是當上述條件被成立時，則是傳回儲存格 B2 中的值，Value_if_false 所代表的是當上述條件不被成立時，則傳回該儲存格所在區域內的最大值並累計加 1，這便是產品類別碼的建立方式）。

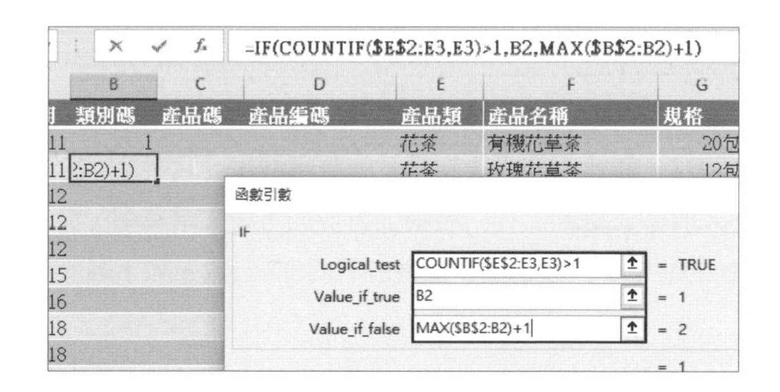

函數小提示　MAX 函數

MAX 函數屬於統計函數，意指在指定的儲存格範圍內傳回最大值，而所接收的資料格式是屬於數字，若資料格式為文字或是邏輯值時將會略過不計。

其語法架構為：

MAX(Number1, Number2, Number3…)

各欄位之說明如下：

- Number1, Number2, Number3…：為 1~255 個引數，其值可以為數值、空白值、邏輯值或是文字等。

STEP 09 選取儲存格 B3，往下拖曳，自動填滿置儲存格 B63，結果如下圖所示。

=IF(COUNTIF($E$2:E59,E59)>1,B58,MAX($B$2:B58)+1)

A	B	C	D	E	F
2018/2/13	5			茶	睡前茶
2018/1/11	5			穀類茶	六種健康茶
2018/1/11	5			花茶	有機花草茶
2018/1/12	5			花茶	洋甘菊花茶
2018/1/12	5			花茶	荷葉玫瑰茶

STEP 10 在儲存格 C2 欄位內輸入「1」，然後點選儲存格 C3，執行「公式功能區→函數庫群組→邏輯」，在展開的下拉式清單中點選 IF 函數，在「函數引數」視窗的第一個欄位內輸入「B3=B2」，第二個欄位內輸入「C2+1」，第三個欄位內輸入「1」，完成後按下 確定 鈕，往下拖曳，自動填滿至儲存格 C63。

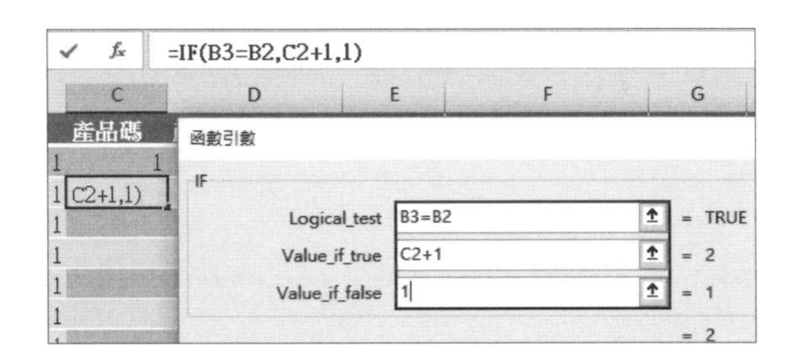

STEP 11 選取儲存格 D2，執行「公式功能區→函數庫群組→文字」，在展開的下拉式清單中，點選 CONCAT 函數。在「名稱」方塊的下拉式清單中，點選「其他函數」，接著在開啟的視窗中，點選文字函數的 RIGHT 函數，如下圖所示。

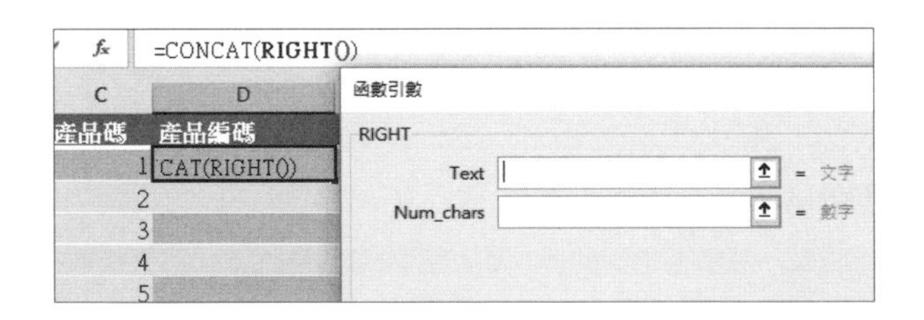

STEP 12 執行相同動作，將插入點置於第一個欄位內，在「名稱」方塊的下拉式清單中，點選「其他函數」。在開啟的視窗中，點選日期及時間函數中的 YEAR 函數，於「函數引數」視窗的欄位內輸入「A2」，完成後按下 確定 鈕，如下圖所示。

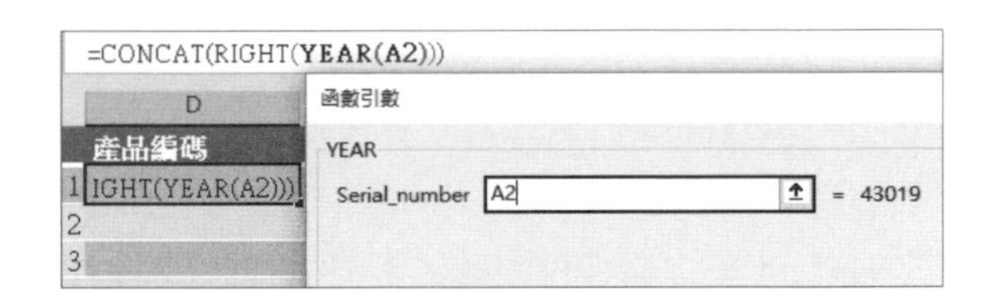

函數小提示 **YEAR 函數**

YEAR 函數是屬於日期和時間函數，意指傳回日期的年份資訊。

其語法架構為：

YEAR(Serial_number)

各欄位之說明如下：

❑ Serial_number：為 MS Excel 所使用的日期和時間碼的數字。

STEP 13 將插入點置於資料編輯列上的 RIGHT 函數名稱，點選左側的「插入函數」鈕，在「函數引數」視窗的第一個欄位內輸入「B3=B2」，第二個欄位內輸入「2」，完成後按下 確定 鈕（這裡透過 RIGHT 函數取得年份資訊的後 2 個字元，也就是在產品編碼完成後，存貨管理或是業務、行政等相關人員，只要看到編碼，便能清楚知道該產品於哪年度進貨）。

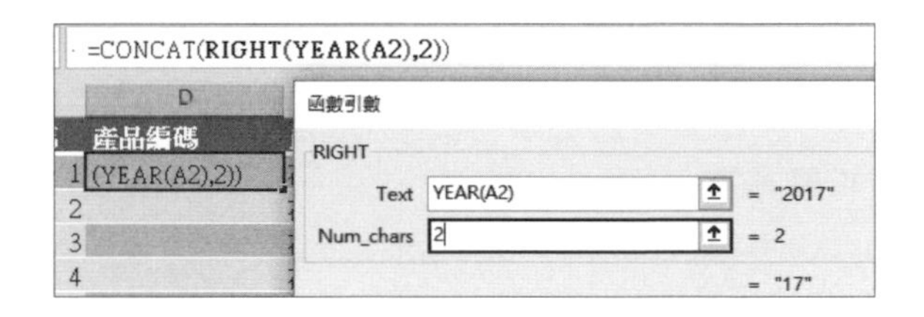

函數小提示 **RIGHT 函數**

RIGHT 函數屬於文字函數，意指從文字串的最後一個字元傳回指定長度的所有字元。

其語法架構為：

RIGHT(Text, Num_chars)

各欄位之說明如下：

❑ Text：為所要抽取字元的文字串來源。

❑ Num_chars：指定要抽取的字元數。

STEP 14 在產品編碼的前 2 碼為產品的英文代碼，因此先修改資料編輯列上的函數使其成為「=CONCAT(,RIGHT(YEAR(A2),2))」。接著，將插入點置於資料編輯列上的 CONCAT 函數名稱，點選左側的「插入函數」鈕，在「函數引數」視窗的第一個欄位內輸入「"TH"」，第二個欄位內輸入「RIGHT(YEAR(A2),2)」，第三個欄位內輸入「"-"」，第四個欄位內輸入「"000"」，第五個欄位內輸入「B2」，第六個欄位內輸入「"-"」，第七個欄位內輸入「"00"」，第八個欄位內輸入「C2」，完成後按下 確定 鈕，並往下拖曳，自動填滿至儲存格 D63。。

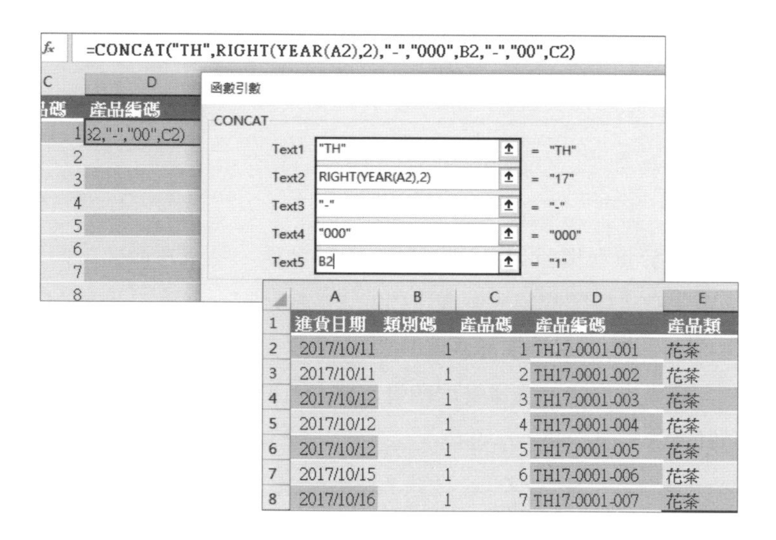

函數小提示 CONCAT 函數

CONCAT 函數屬於文字函數，意指將文字字串的清單或是範圍串接，進而為一長字串。

其語法架構為：

CONCAT(Text1, Text2, Text3⋯.)

各欄位之説明如下：

❑ Text1, Text2, Text3⋯.：為 1~254 個要連結成單一文字字串的字串或是精靈，而這裡的文字串串值可以是文字、數字或是符號等。

STEP 15 選取 B 欄及 C 欄，按下滑鼠右鍵，在其快顯功能表中點選「隱藏」。選取 J 欄及 K 欄，執行「常用功能區→數值群組」，在其右下角點選「數字格式」，於「儲存格格式」視窗的「保護」標籤中，取消勾選「鎖定」，按下 確定 鈕。

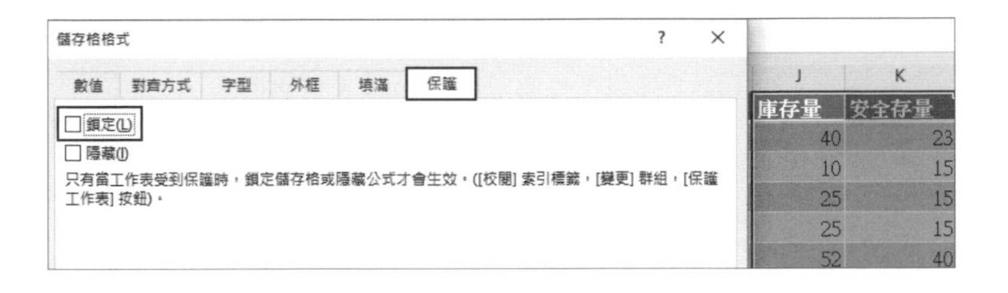

STEP 16 接著執行「校閱功能區→保護群組→保護工作表」，在「保護工作表」視窗中輸入密碼「123456」，按下 確定 鈕。

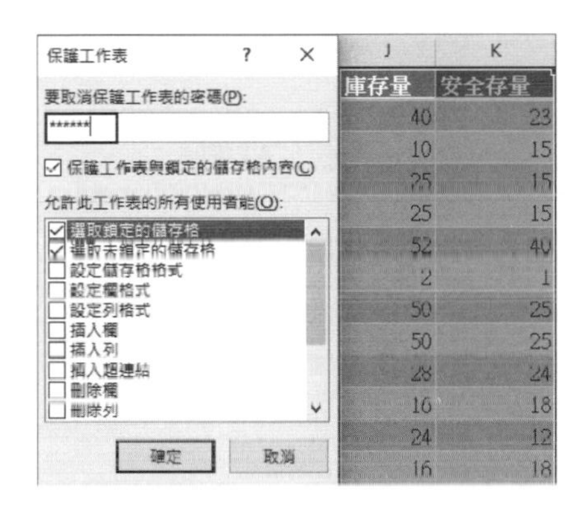

STEP 17 執行上述動作後，會顯示「確認密碼」視窗，需再輸入密碼做確認，故在欄位中再次輸入「123456」，按下 確定 鈕（透過保護工作表功能，這張工作表僅 J 欄及 K 欄可以進行儲存格編輯，而它的欄位均已被保護，只能檢視而無法修改當中的內容）。

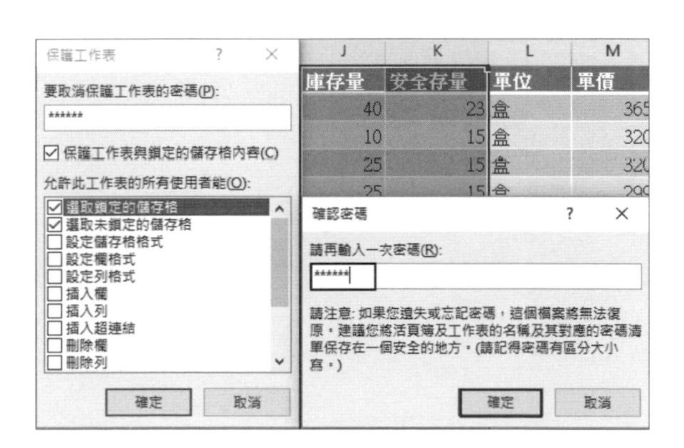

STEP 18 若日後產品存量表中的其他內容須做修改，執行「校閱功能區→保護群組→取消保護工作表」，在「取消保護工作表」視窗內輸入密碼即可。

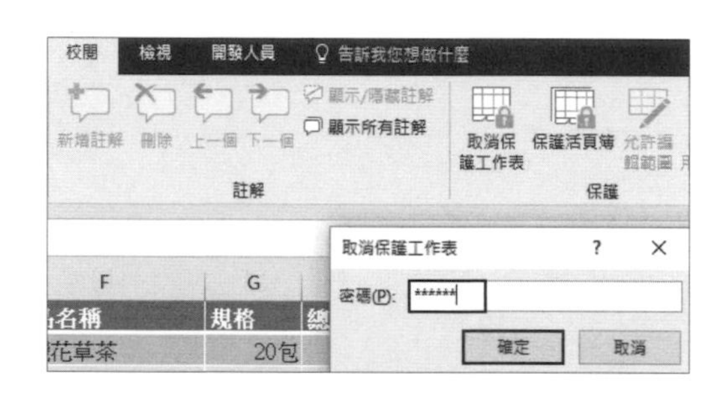

5.1.2 運用格式化規則進行分類

在進行產品存貨管理時，很重要的一環是對數量的管控，也就是說當倉庫內實際數量低於安全存量時，身為倉儲人員即要立即通知相關單位進行數量的新增，但在企業中的產品繁多，如何有效率且在不需變更現有設備下進行此設定，是個必須解決的問題。若能善用 MS Excel 中的格式化條件設定，便可輕易解決此方面的困擾。

存量設定警示

STEP 01 選取儲存格範圍 J2:J63，執行「常用功能區→樣式群組→設定格式化條件→醒目提示儲存格規則」，在出現的下拉式清單有多種規則條件，此處選擇「小於」。

STEP 02 在「小於」視窗左邊的欄位內輸入「=$K$2」，在右邊的格式設定欄位中點選「自訂格式」。

STEP 03 在「儲存格格式」視窗中，點選「字型」標籤，設定「字型樣式」為「粗體」，「底線」為「單線」，「色彩」為「橙色、輔色 2、較深 25%」。

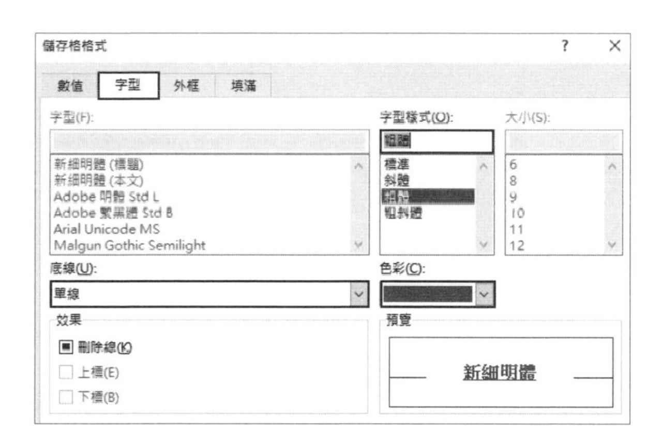

STEP 04 點選「填滿」標籤，設定「背景色彩」為「綠色、輔色 6、較淺 40%」，「圖樣樣式」為「6.25% 灰色」，連按兩下 確定 鈕。

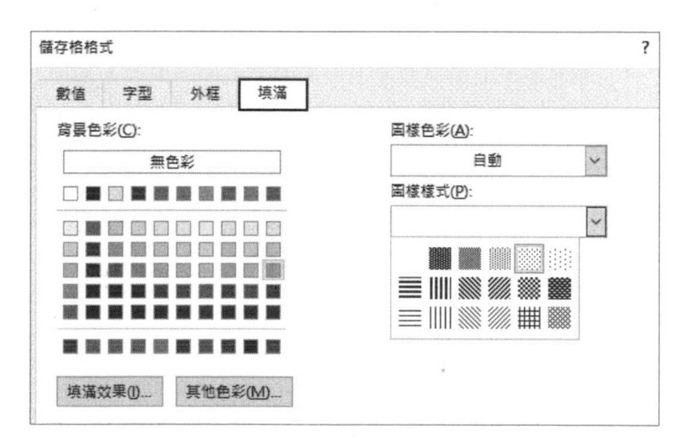

STEP 05 完成後的結果如下圖所示，但會發現有部分儲存格的規則似乎不符合實際上的需求，因此需要做進一步的編輯調整。

G	H	I	J	K	L	M
格	總重量	廠商	庫存量	安全存量	單位	單價
20包	44g	一語堂	40	23	盒	365
12包	40g	采茶文化	10	15	盒	320
12包	40g	采茶文化	25	15	盒	320
12包	50g	采茶文化	25	15	盒	299
20包	30g	德佳	52	40	盒	399
	60g	松美國際	2	1	袋	880
	60g	松美國際	50	25	袋	578

說明　安全存量

在產品鏈中，不論是在哪個階段，安全存量都是存量管制的一個很重要的部分，以供應鏈的角度討論，若為維持產品供應鏈不中斷，其例行作業是將各種產品控制適當的庫存，並使該庫存成本維持在最低的管控範圍內。而安全存量的數量除了依各產品的供給需求度不同外，另外在淡旺季仍需做不同程度的調整。

STEP 06 選取J欄，執行「常用功能區→樣式群組→設定格式化條件」，在其下拉式清單中點選「管理規則」，將「設定格式化的條件規則管理員」視窗內的「顯示格式化規則」欄位調整為「這個工作表」。

STEP 07 接著點選 編輯規則(E)... 鈕，將原先的格式化條件 =「$K$2」變更為「=$K2」，連按兩下 確定 鈕。

STEP 08 編輯後之結果如下圖所示，可發現在前述步驟中所產生的不符合條件設定的格式已消失。現存的結果為當庫存量小於安全存量時，儲存格的格式及字型便以不同的格式顯示，藉以提醒存貨管理者。

G	H	I	J	K	L	M
規格	總重量	廠商	庫存量	安全存量	單位	單價
20包	44g	一語堂	40	23	盒	365
12包	40g	采茶文化	10	15	盒	320
12包	40g	采茶文化	25	15	盒	320
12包	50g	采茶文化	25	15	盒	299
20包	30g	德佳	52	40	盒	399
	60g	松美國際	2	1	袋	880
	60g	松美國際	50	25	袋	578
50包	100g	川雲	50	25	袋	500
50包	100g	川雲	28	24	袋	500
	23g	恩寶	16	18	盒	400
18包	100g	恩寶	24	12	盒	299

前面的設定雖已能符合存貨管理者的需求，但還是有所不足，因爲目前的提示只是在有狀況的儲存格內，在時間緊迫下，若要檢視整列資訊似乎不夠顯著，因此在整張工作表上，再增加格式化條件設定，使其用列數呈現。

整列設定警示

STEP 01 選取儲存格範圍 A2:M63，執行「常用功能區→樣式群組→設定格式化條件」，在其下拉式清單中點選「新增規則」，在「新增格式化規則」視窗中，其規則類型有六類，在此的設定是透過公式執行，使其符合條件時，該列即顯示區域色彩，故選擇「使用公式來決定要格式化那些儲存格」。

STEP 02 設定不論任何產品，只要其庫存量小於或等於10時，便會在該列顯示區域色彩。在設定公式的欄位內輸入「=$J2<=10」，並按下 格式(F)... 鈕，設定符合條件的列數字型色彩及儲存格顏色。

STEP 03 點選「字型」標籤，設定「字型樣式」為「粗斜體」，「色彩」為「紅色」。

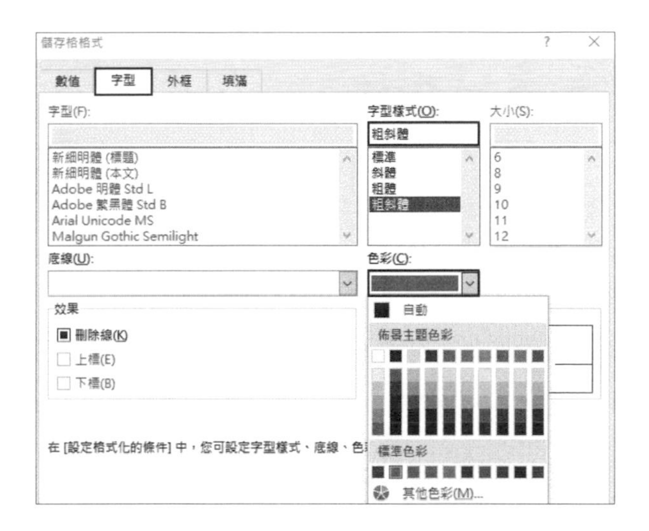

STEP 04 點選「填滿」標籤，設定「背景色彩」為「金色、輔色4、較淺40%」，「圖樣色彩」為「綠色、輔色6、較淺40%」，「圖樣樣式」為「細線、反對角線、條紋」，連按兩下 確定 鈕。

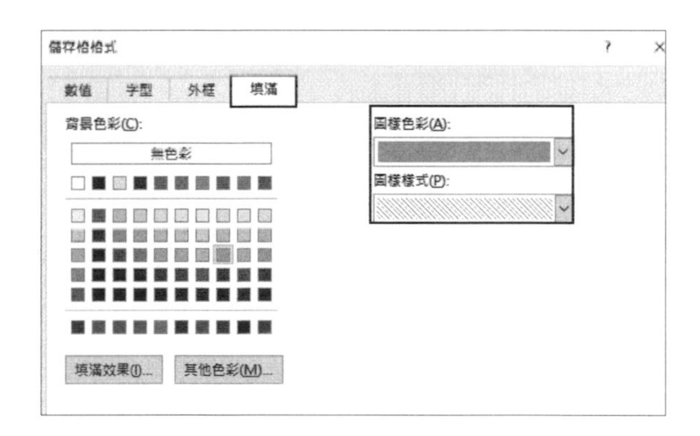

STEP 05 執行後之結果，如下圖所示。

E	F	G	H	I	J
產品類	產品名稱	規格	總重量	廠商	庫存量
花茶	有機花草茶	20包	44g	一語堂	40
花茶	*玫瑰花草茶*	*12包*	*40g*	*采茶文化*	*10*
花茶	夜眠花草茶	12包	40g	采茶文化	25
花茶	美容花果茶	12包	50g	采茶文化	25
花茶	洋甘菊花茶	20包	30g	德佳	52
花茶	*寧靜花草茶*		*60g*	*松美國際*	*2*

5.2 庫存產品查詢

在企業內，因其產品會持續不段的推陳出新，雖然有產品存貨明細資料的存在，卻並非是在有效率的系統下，因此若臨時要從中搜尋特定產品的存貨資料，勢必得費一些時間。在辦公室軟體中 MS Excel 是個被頻繁使用的試算表軟體，可透過 Excel 設計自動查詢模型，讓使用者只需透過部分條件，即可快速找到符合該條件的相關資訊。接著就介紹該模型的製作方式。

5.2.1 產品存貨模型製作

在製作該模型時，可先將產品類及產品名稱透過進階篩選功能，將其重複資料移除，以作爲之後下拉式清單的資料來源。

篩選不重複紀錄

STEP 01 開啟「範例\CH5\原始檔案\產品查詢.xlsx」活頁簿，新增一工作表，並將其命名為「產品清單」。選取儲存格 B2，執行「資料功能區→排序與篩選群組→進階」，開啟「進階篩選」視窗，如右圖所示。

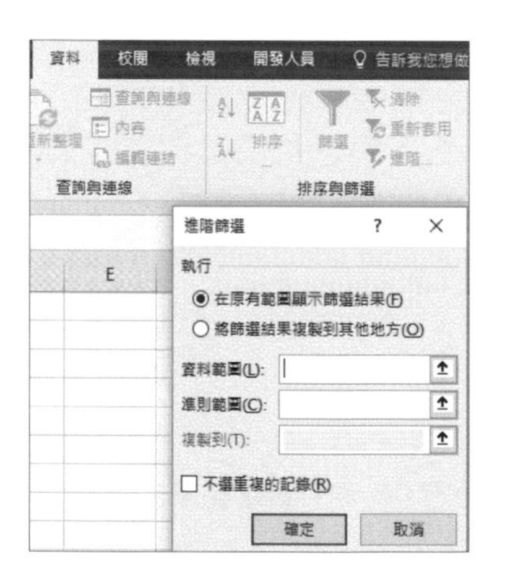

STEP 02 篩選後的結果要置放於此張工作表。勾選「將篩選結果複製到其他地方」，「資料範圍」設定為「產品名稱!$E$1:$E$63」，「複製到」設定為「產品清單!$B$2」，並勾選「不選重複的紀錄」，按下 確定 鈕。

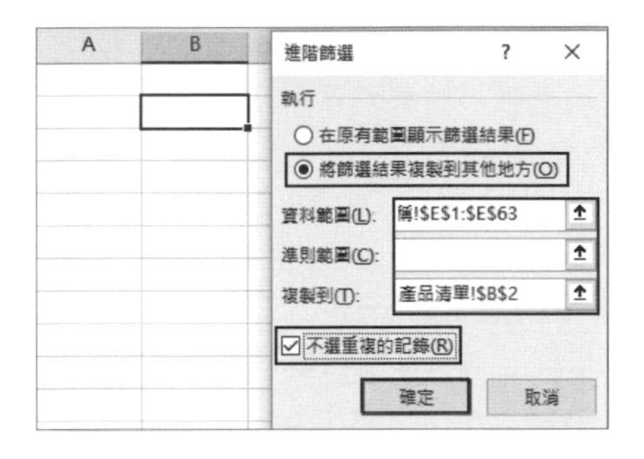

STEP 03 將「產品類」欄位設定進階篩選後，顯示出的結果為產品類各名稱只顯示一次，結果如下圖所示。

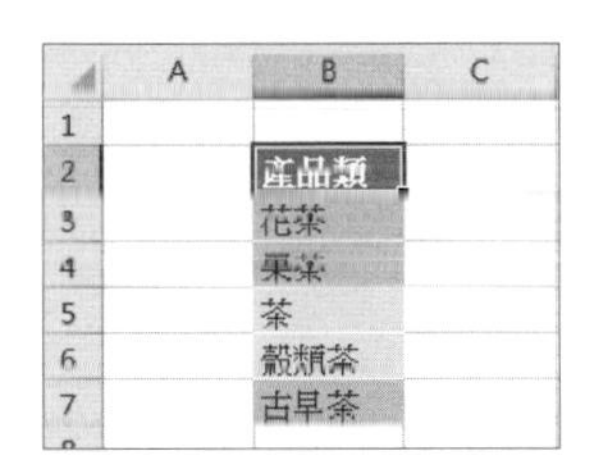

STEP 04 選取儲存格 D2，重複前述進階篩選動作，但將「資料範圍」設定為「產品名稱 !$F$1:$F$63」，按下 確定 鈕，結果如下圖所示。

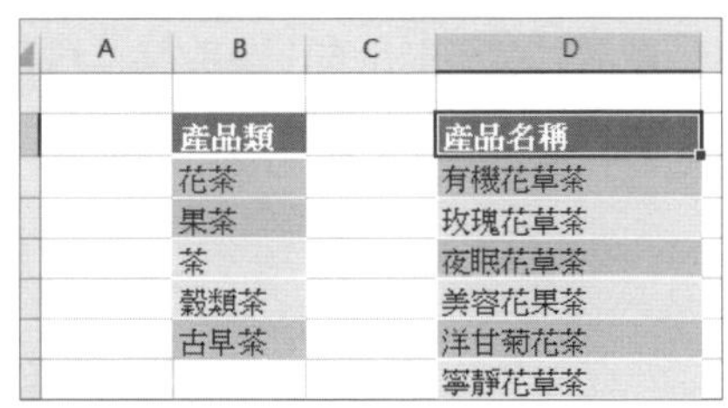

建立產品類與名稱之關聯性

選擇任何產品類別後，即會自動對應其所應有的產品名稱，可透過使用定義、建立名稱，並結合資料驗證設定即可。

STEP 01 在「產品清單」工作表上，選取儲存格範圍 B3：B7，執行「公式功能區→已定義之名稱群組→定義名稱→定義名稱」。在「新名稱」視窗的「名稱」欄位內，輸入「產品類」，按下 確定 鈕。

STEP 02 選取儲存格範圍 D3：D33，執行「公式功能區→已定義之名稱群組→定義名稱→定義名稱」。在「新名稱」視窗的「名稱」欄位內，輸入「產品名稱」，按下 確定 鈕。

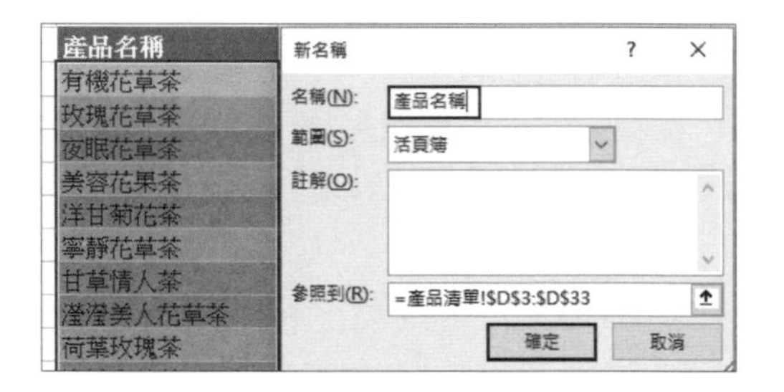

STEP 03 在「產品名稱」工作表，選取儲存格範圍 E1：F63，按下 Ctrl + C 鍵執行複製，然後移到「產品清單」工作表，選取儲存格 F1，按下 Ctrl + V 鍵執行貼上。

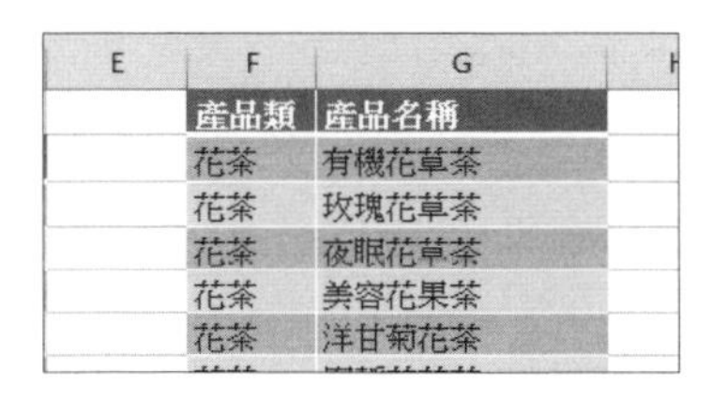

STEP 04 選取儲存格範圍 E1：G63，執行「資料功能區→資料工具群組→移除重複項」。在「移除重複項」視窗中按下 確定 鈕。

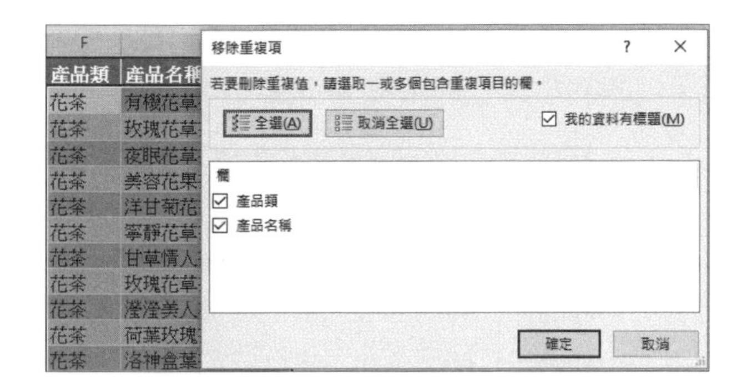

STEP 05 經過移除設定，其結果如下圖所示。

STEP 06 選取儲存格範圍 B3：B7，按下 Ctrl + C 鍵執行複製。選取儲存格 J1，執行「常用功能區→剪貼簿群組→貼上→選擇性貼上」，在其清單中點選「轉置」。

STEP 07 將 G 欄的內容參照 F 欄，分別搬移至 J：N 欄，結果如下圖所示。

J	K	L	M	N
花茶	果茶	茶	穀類茶	古早茶
有機花草茶	有機蘋果茶	皇佳伯爵茶	深焙黑豆茶	玫瑰紅棗茶
玫瑰花草茶	有機柑橘薰衣草茶	花草茶密封包	多穀紅藜茶	桂花枸杞水
夜眠花草茶	有機柳橙茶	南非國寶茶	六種健康茶	紅豆紫米水
美容花果茶	檸香薑茶	樟樹紅茶		
洋甘菊花茶	紅顏氣氣茶	香蕉岩鹽紅茶		
寧靜花草茶		伯爵紅茶		
甘草情人茶		睡前茶		
瀅瀅美人花草茶				
荷葉玫瑰茶				
洛神盒葉茶				
荷葉油切茶				
瑪黛舒暢茶				
杭菊茶				

STEP 08 選取儲存格範圍 J1：N14，執行「公式功能區→已定義之名稱群組→從選取範圍建立」，在「以選取範圍建立名稱」視窗中勾選「頂端列」，按下 確定 鈕。

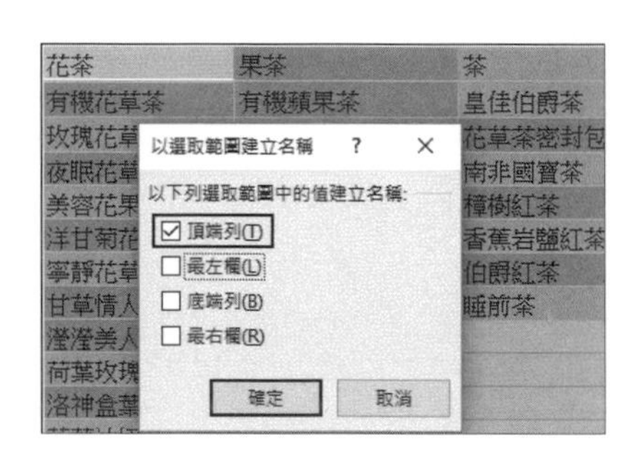

STEP 09 因範圍 F：G 欄不再需要被使用，選取 F：G 欄，按下滑鼠右鍵，在快顯功能表中點選「刪除」。

建立產品之下拉式清單

透過清單的建立，不論是選擇產品類別或是產品名稱都能更快速，且能避免非必要的錯誤產生。

STEP 01 新增一工作表，並將其命名為「產品查詢」，並輸入如下圖所示之文字。

B	C	D	E	F	G	H
產品類						
產品名稱						
		廠商	庫存量	安全存量	單位	單價

STEP 02 選取儲存格 C1，執行「資料功能區→資料工具群組→資料驗證→資料驗證」，在「資料驗證」視窗中點選「設定」標籤，於「儲存格內允許」欄位的下拉式清單中選取「清單」，「來源」欄位內輸入「=產品類」，按下 確定 鈕。

STEP 03 選取儲存格 C2，執行上述相同功能設定，「來源」欄位內輸入「=INDIRECT($C$1)」，按下 確定 鈕。

函數小提示 INDIRECT 函數

INDIRECT 函數屬於查詢與參照函數，意指一文字串所指定的參照位址。

其語法架構為：

INDIRECT(Ref_text, A1)

各欄位之說明如下：

- Ref_text：為單一儲存格的參照位址，可以是一個名稱或是一個文字串。
- A1：為一個邏輯值，指定 Ref_text 的儲存格參照是以何種方式表示。

STEP 04 完成後，儲存格 C2 的清單內容將會隨著儲存格 C1 的儲存格值而決定，結果如下圖所示。

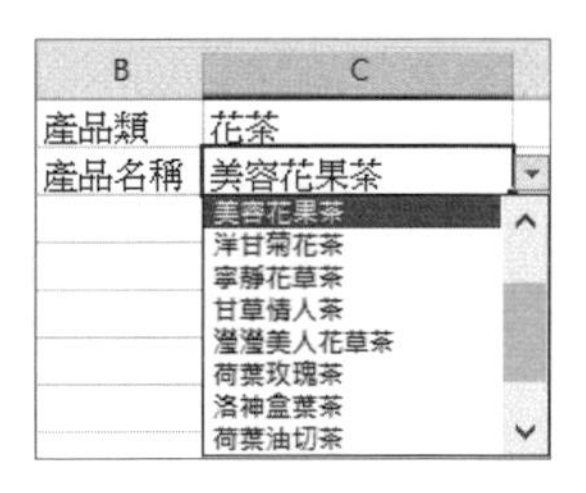

5.2.2 使用 VLOOKUP 函數查詢庫存明細

作爲一個產品存貨查詢模型，當關鍵條件透過清單方式建立後，接著便是利用查詢參照函數作爲橋梁，將符合條件設定的紀錄列出。

STEP 01 點選「產品名稱」工作表，選取儲存格範圍 F2：M63，執行「公式功能區→已定義之名稱群組→定義名稱→定義名稱」，在「新名稱」視窗的「名稱」欄位內，輸入「存貨資料」，按下 確定 鈕。

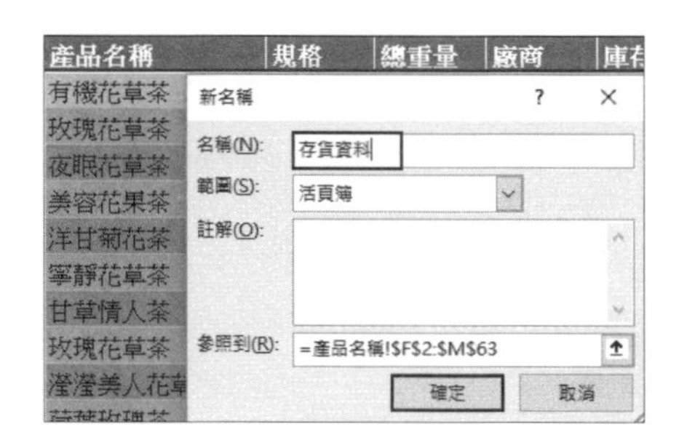

STEP 02 點選「產品查詢」工作表，選取儲存格 D4，執行「公式功能區→函數庫群組→查閱與參照」。在其下拉式清單中選取 VLOOKUP 函數，於「函數引數」視窗中，依序輸入該有的資訊。在第一個欄位內輸入為「$C$2」，在第二個欄位內輸入為「存貨資料」，在第三個欄位內輸入為「4」，而在第四個欄位內輸入為「FALSE」，輸入完成後，按下 確定 鈕。

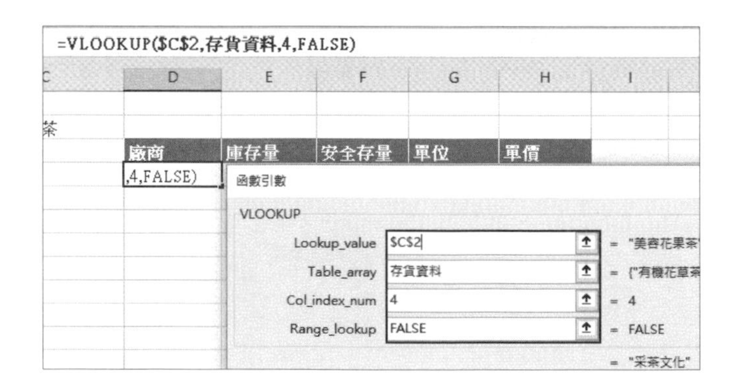

函數小提示 VLOOKUP 函數

VLOOKUP 函數屬於查詢參照函數中最常被使用的函數，其意義指透過查詢的值，在相對的查詢範圍內尋找符合該查詢值的相關訊息。

其語法架構為：

VLOOKUP(Lookup_value , Table_array , Col_index_num , Range_lookup)

各欄位之說明如下：

- Lookup_value：為一個搜尋值，可以是數值、參照位址或是文字串。
- Table_array：是要在其中搜尋資料的文字、數值或是邏輯值的表格，亦可為儲存格範圍的參照位址或是範圍名稱。
- Col_index_num：是個數值，代表所要傳回的值位於 Table_array 中的第幾個欄位。
- Range_lookup：為邏輯值，填入 FALSE 為精確搜尋，填入 TRUE 或省略不填為近似搜尋。

STEP 03 接著，要對資料編輯列上做一些修正，在上述函數完成後雖會有查詢結果顯示，但必須考慮到有可能儲存格 C2 是空值，因此將插入點置於資料編輯列內，並修改為「=IF($C$2="","",VLOOKUP($C$2, 存貨資料 ,4,FALSE))」，按下 ✓ 鈕。

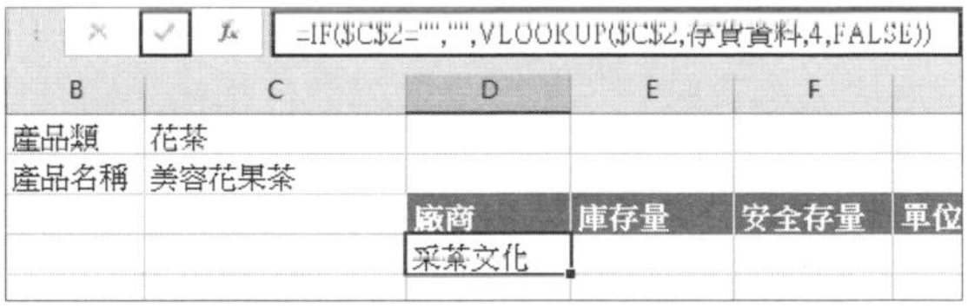

=IF($C$2="","",VLOOKUP($C$2,存貨資料,4,FALSE))

B	C	D	E	F	
產品類	花茶				
產品名稱	美容花果茶				
		廠商	庫存量	安全存量	單位
		采茶文化			

STEP 04 選取儲存格 D4，往右拖曳自動填滿，此時雖會顯示結果，但卻不是正確的，如下圖所示。

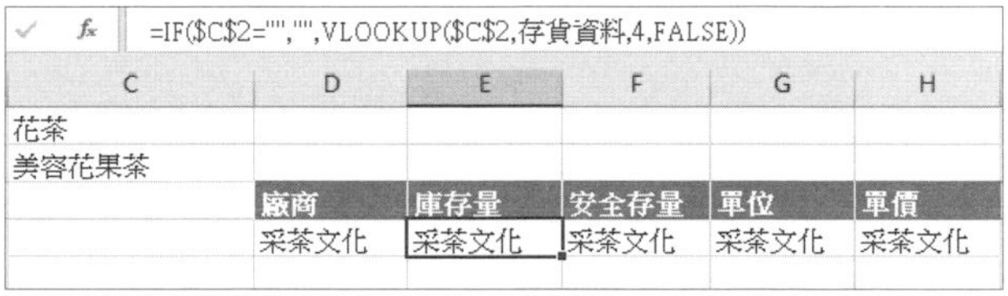

=IF($C$2="","",VLOOKUP($C$2,存貨資料,4,FALSE))

C	D	E	F	G	H
花茶					
美容花果茶					
	廠商	庫存量	安全存量	單位	單價
	采茶文化	采茶文化	采茶文化	采茶文化	采茶文化

STEP 05 分別點選儲存格 E4、F4、G4、H4，在資料編輯列上分別將其修改為「=IF($C$2="","",VLOOKUP($C$2, 存貨資料 ,5,FALSE))」、「=IF($C$2="","",VLOOKUP($C$2, 存貨資料 ,6,FALSE))」、「=IF($C$2="","",VLOOKUP($C$2, 存

貨資料,7,FALSE)」、「=IF($C$2="","",VLOOKUP($C$2,存貨資料,8,FALSE))」，執行後之結果如下圖所示。

=IF($C$2="","",VLOOKUP($C$2,存貨資料,8,FALSE))

C	D	E	F	G	H
花茶					
美容花果茶					
	廠商	庫存量	安全存量	單位	單價
	采茶文化	25	15	盒	299

STEP 06 完成後，若要清除選單內容，可按下Ctrl鍵，選取儲存格C1、C2。按下滑鼠右鍵，在其快顯功能表中選擇「清除內容」，如此清單既有內容已被刪除。

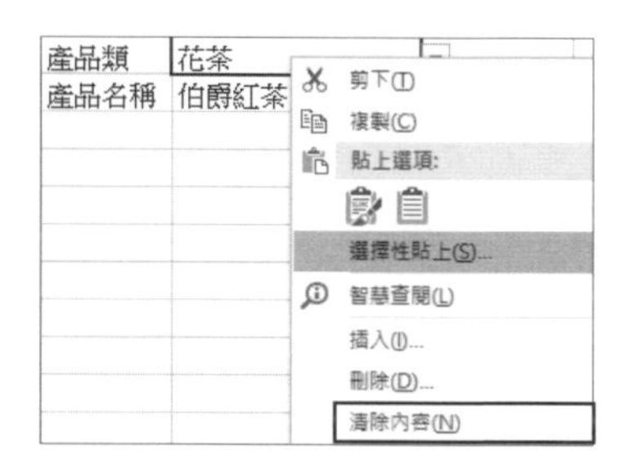

STEP 07 為防止多人使用此張存貨模型，故可在關鍵儲存格插入備註作為提醒。選取儲存格C1，輸入備註文字，如下圖所示。在儲存格C2亦可執行相同功能設定。

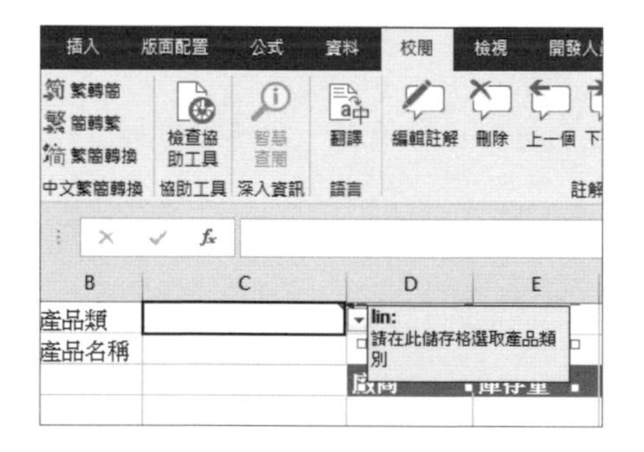

STEP 08 當在工作表中，建立多個註解且需要顯示，可執行「校閱功能區→註解群組→顯示所有註解」，這時便可方便檢視，若想同時隱藏多個註解方塊時，點選「顯示 / 隱藏註解」即可。

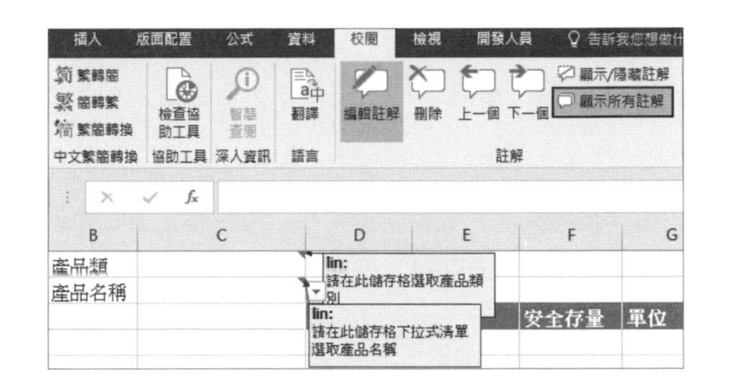

5.2.3 利用樞紐分析表進行各類別統計

「樞紐分析」屬於多維向的資料分析法，對於經常需要對大量資料進行資訊整理分析的使用者而言，是非常方便的功能。透過不同的欄位及功能設定，可以提供給不同需求對象或是單位最適合的報表，對於需在有限時間下卻須整理出資訊完整的工作者而言，可在極短的時間下，透過樞紐分析本身的版面配置，設計出符合當下需求的結果報表。於此，將針對產品存貨上容易製作的報表做說明。

STEP 01 開啟「範例\CH5\原始檔案\產品分析 .xlsx」活頁簿，點選「銷售紀錄」工作表，執行「插入功能區→表格→樞紐分析表」，在「建立樞紐分析表」視窗中，設定資料來源表格為「銷售紀錄 !$A$1:$H$311」，樞紐分析表放置的位置為「新工作表」，按下 確定 鈕。

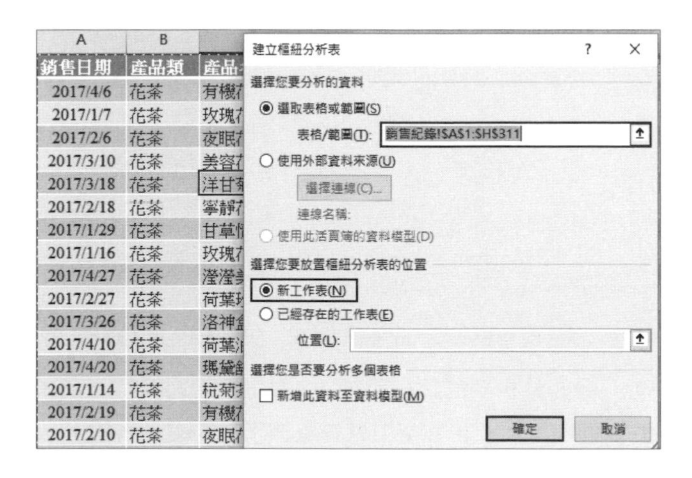

STEP 02 在「欄位」清單中分別勾選「銷售日期」、「產品類」及「銷售數量」，預設情況下，「銷售日期」及「產品名稱」欄位均會自動置入於列欄位下，結果如下圖所示。

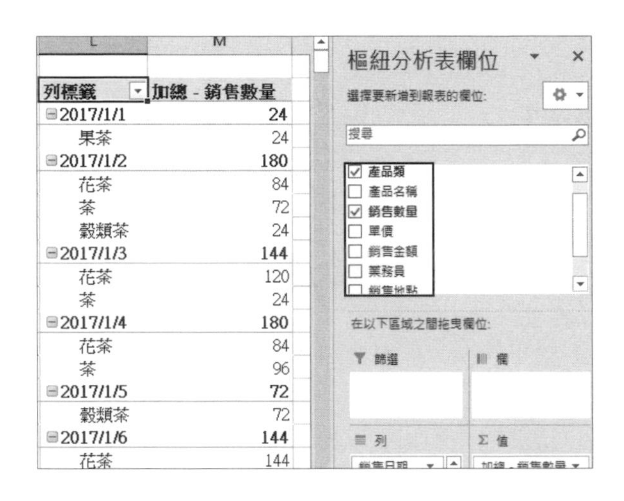

列標籤	加總 - 銷售數量
⊟2017/1/1	24
果茶	24
⊟2017/1/2	180
花茶	84
茶	72
穀類茶	24
⊟2017/1/3	144
花茶	120
茶	24
⊟2017/1/4	180
花茶	84
茶	96
⊟2017/1/5	72
穀類茶	72
⊟2017/1/6	144
花茶	144

STEP 03 將滑鼠移到「產品類」上，將其搬移到欄位內，這時可發現在樞紐分析表內的儲存格有許多空值，代表在該品項與日期的交錯部分並無銷售數量被發生。

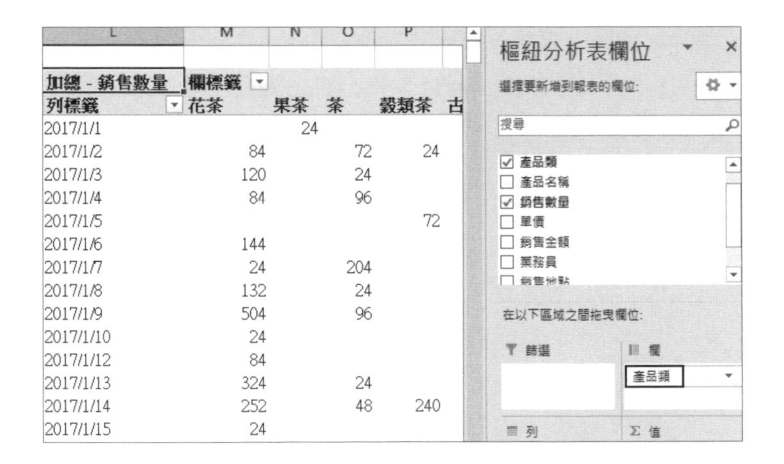

加總 - 銷售數量	欄標籤				
列標籤	花茶	果茶	茶	穀類茶	古
2017/1/1		24			
2017/1/2	84		72	24	
2017/1/3	120		24		
2017/1/4	84		96		
2017/1/5				72	
2017/1/6	144				
2017/1/7	24		204		
2017/1/8	132		24		
2017/1/9	504		96		
2017/1/10	24				
2017/1/12	84				
2017/1/13	324		24		
2017/1/14	252		48	240	
2017/1/15	24				

STEP 04 在報表中，若無銷售量的部分亦會有「0」值，執行「樞紐分析表工具→插入功能區→分析→樞紐分析表群組→選項」，點選「樞紐分析表選項」視窗的「版面配置與格式」標籤，在「若為空白儲存格顯示」的欄位內輸入「0」，並將此張樞紐分析表命名為「產品類分析」，其結果如下圖所示。

加總 - 銷售數量	欄標籤					
列標籤	花茶	果茶	茶	穀類茶	古早茶	總計
2017/1/1	0	24	0	0	0	24
2017/1/2	84	0	72	24	0	180
2017/1/3	120	0	24	0	0	144
2017/1/4	84	0	96	0	0	180
2017/1/5	0	0	0	72	0	72
2017/1/6	144	0	0	0	0	144
2017/1/7	24	0	204	0	12	240
2017/1/8	132	0	24	0	24	180
2017/1/9	504	0	96	0	0	600
2017/1/10	24	0	0	0	0	24
2017/1/12	84	0	0	0	0	84

STEP 05 在樞紐分析表上，若想以「月」為檢視單位，可將滑鼠移到日期欄位上，按下滑鼠右鍵，在其快顯功能表中點選「組成群組」。

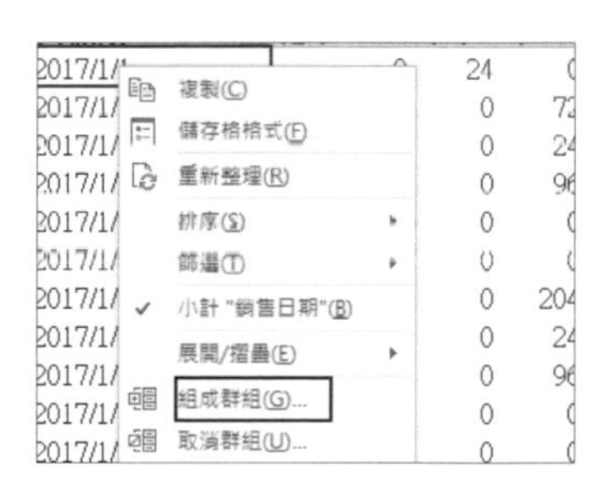

STEP 06 在「群組」視窗中，其間距值單位有「月」、「季」、「年」等，在此張報表上欲呈現每月的銷售數量，點選「月」單位，按下 確定 鈕，結果如下圖所示。

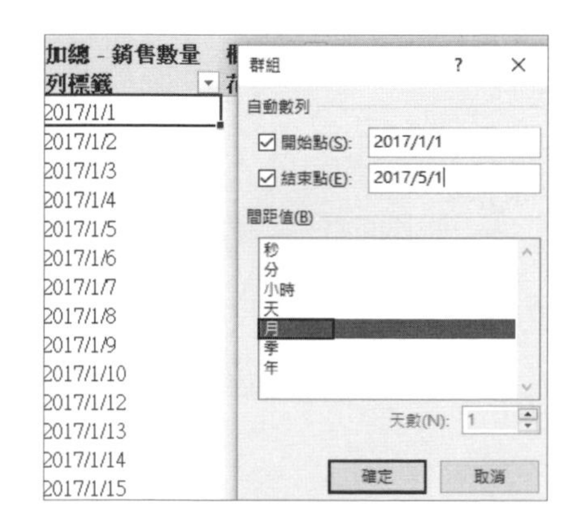

加總 - 銷售數量	欄標籤			
列標籤	花茶	果茶	茶	穀類茶
1月	2772	720	1740	684
2月	2904	744	1044	156
3月	3660	1176	1224	528
4月	2700	1776	888	360
總計	12036	4416	4896	1728

STEP 07 執行「樞紐分析表工具→插入功能區→分析→篩選群組→插入交叉分析篩選器」，在顯示的視窗內勾選「業務員」、「銷售地點」，按下 確定 鈕。

加總 - 銷售數量	欄標籤			
列標籤	花茶	果茶	茶	穀類茶
1月	2772	720	1740	684
2月	2904	744	1044	156
3月	3660	1176	1224	528
4月	2700	1776	888	360
總計	12036	4416	4896	1728

插入交叉分析篩選器 ? ×
銷售日期
產品類
產品名稱
銷售數量
單價
銷售金額
業務員
銷售地點

STEP 08 在「銷售地點」的篩選器面板中勾選「台南」，在「業務員」的篩選器面板中勾選「林淑卿」，此時樞紐分析表上顯示了符合此兩個篩選條件的樞紐分析報表。

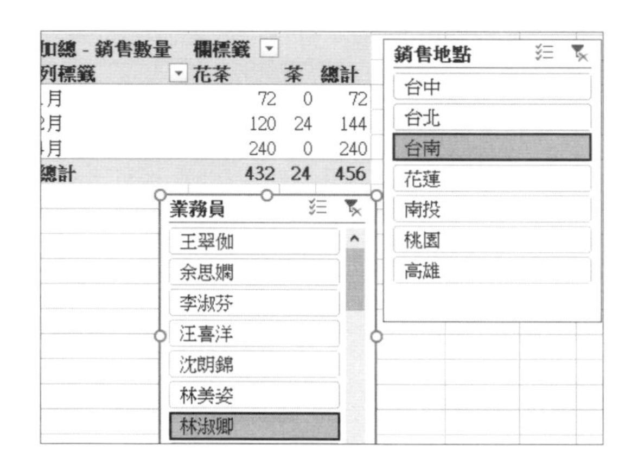

STEP 09 將「銷售地點」的篩選器面板變更勾選為「台中」、「台北」、「桃園」，如此便可顯示業務員為「林淑卿」且在台灣北部每個月的銷售數量。這對檢視個人業績的部分，是個非常有效率的快速報表。

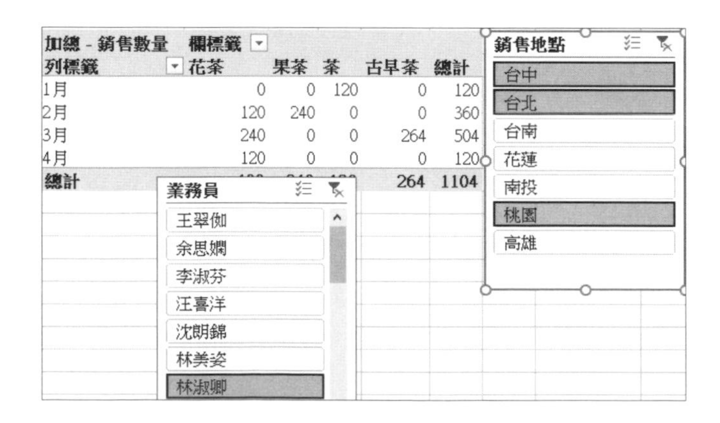

STEP 10 回到「銷售紀錄」工作表，再次執行插入樞紐分析表功能。將新產生的樞紐分析工作表命名為「業務員分析」，將「業務員」欄位置放於「列」欄位，將「產品類」欄位置放於「欄」欄位，將「銷售金額」欄位置放於「值」欄位。

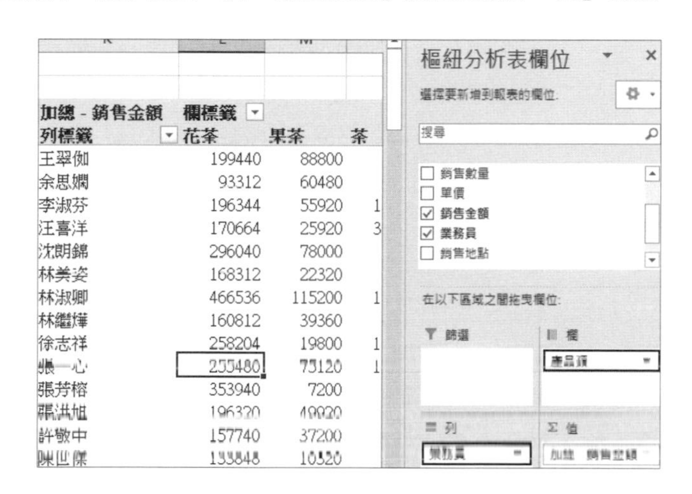

STEP 11 勾選「銷售地點」，並拖曳至「篩選」欄位，可透過此檢視不同銷售地點的銷售狀況。

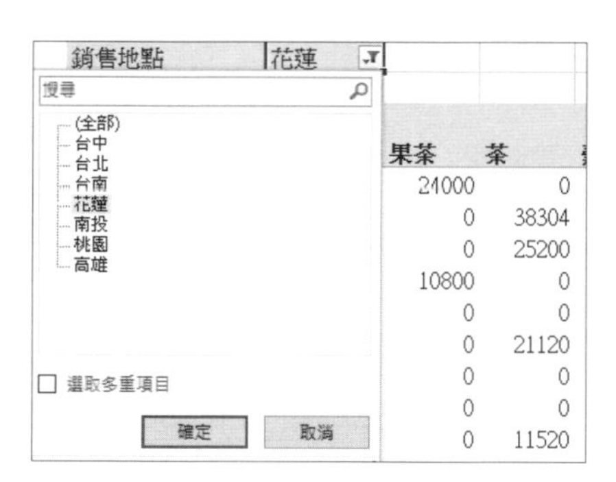

STEP 12 點選「銷售金額」欄位，並拖曳至「值」欄位，點選「銷售金額」欄位的下拉式清單鈕，選擇「值欄位設定」。

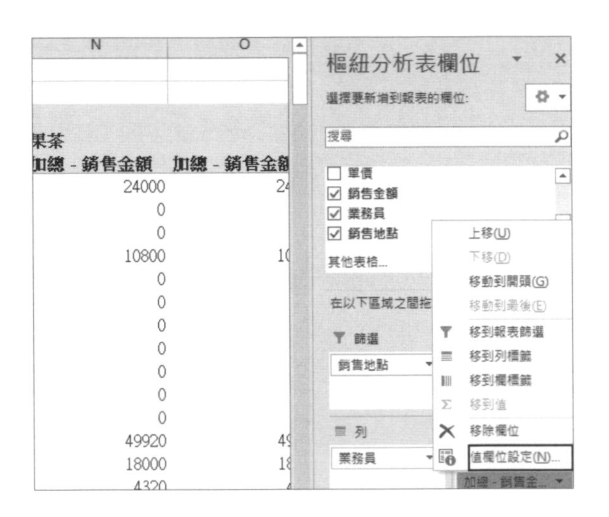

STEP 13 在「值欄位設定」視窗中，點選「值的顯示方式」標籤，將顯示方式變更為「總計百分比」，按下 確定 鈕，結果如下圖所示。

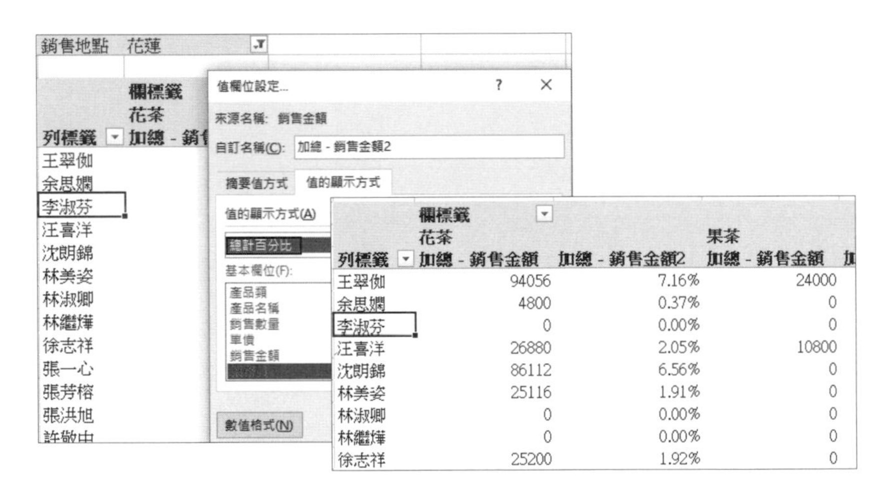

STEP 14 將「加總 - 銷售金額」欄位修改為「總額」，然後將「加總 - 銷售金額2」欄位修改為「%」，並調整各欄欄寬，結果如下圖所示。

	欄標籤					
	花茶		果茶		茶	
列標籤	總額	%	總額	%	總額	%
王翠伽	94056	7.16%	24000	1.83%	0	0.00%
余思嫻	4800	0.37%	0	0.00%	38304	2.92%
李淑芬	0	0.00%	0	0.00%	25200	1.92%
汪喜洋	26880	2.05%	10800	0.82%	0	0.00%
沈朗錦	86112	6.56%	0	0.00%	0	0.00%
林美姿	25116	1.91%	0	0.00%	21120	1.61%
林淑卿	0	0.00%	0	0.00%	0	0.00%
林繼燁	0	0.00%	0	0.00%	0	0.00%

5.2.4 利用圖表呈現各類別實際狀況

雖說樞紐分析表的存在對產品管理者已經有極大的協助，若是以圖表輔助說明，將是對報表有更大的加分作用。

STEP 01 點選「銷售紀錄」工作表，執行「插入功能區→圖表群組→樞紐分析圖」，在「建立樞紐分析表」視窗中，點選「樞紐分析表與樞紐分析圖」，並按下 確定 鈕。

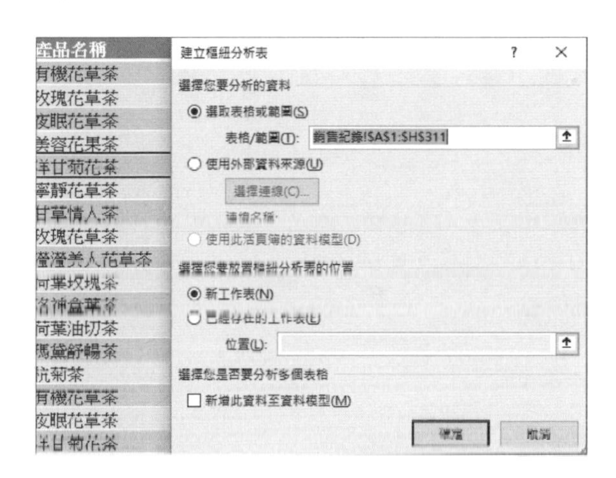

STEP 02 在「清單」欄位內勾選「銷售金額」及「銷售地點」欄位，即可在工作表產生樞紐分析圖及所對應的樞紐分析表。

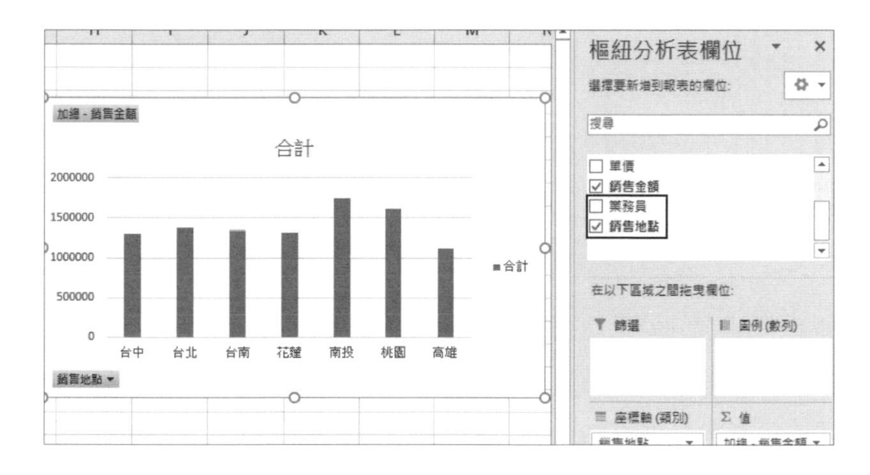

STEP 03 點選樞紐分析圖表右側的＋標籤，在其開啟的清單中取消勾選「圖例」，並勾選「資料標籤」，如下圖所示。

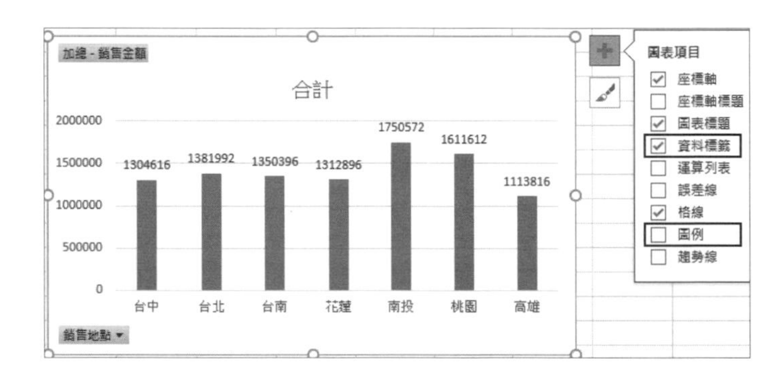

STEP 04 在「欄位」清單中新增「產品類」欄位，並拖曳至「銷售地點」欄位上方，如此在圖表上便會呈現不同的茶品類在不同地點的銷售狀況，這樣的圖表對於行銷面提供了很好的訊息。

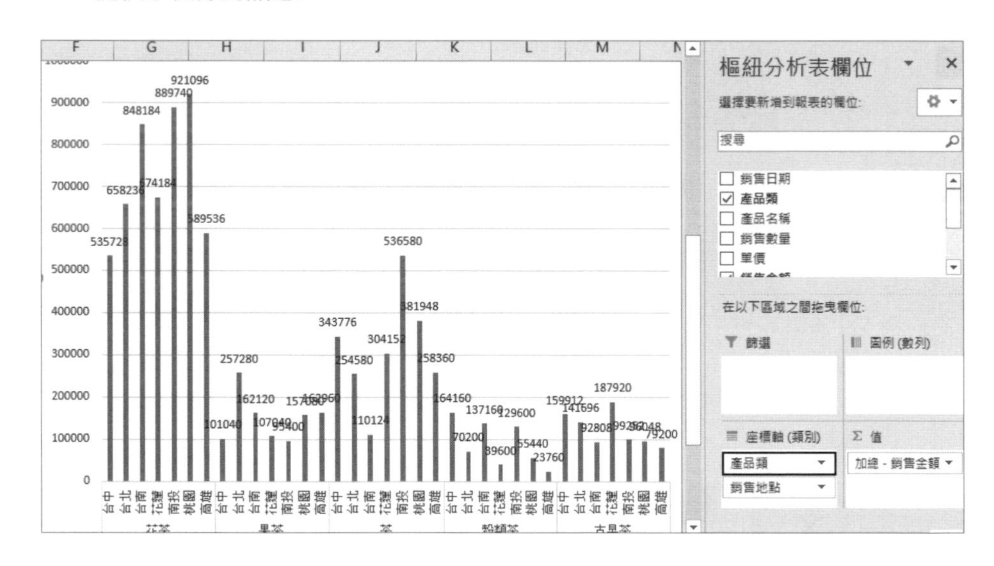

要對應到不同部門或是不同需求條件的圖表檢視，使用者只需調整欄位名稱或是其所對應的配置，樞紐分析圖或表格即會立即調整，所以目前樞紐分析功能在業界被使用的機率也就越來越頻繁。

5.2.5 使用 SUMPRODUCT 函數計算進貨資金

當存量不足時，便需在恰當時機將產品不足量補足，對於管理人員可以先將其需花費的金額核算，以便企業的金流可以順暢。

STEP 01 開啟「範例\CH5\原始檔案\產品採購.xlsx」活頁簿，點選「採購統計」工作表，選取儲存格 F5，執行「公式功能區→函數庫群組→邏輯」。在下拉式清單中點選 IF 函數，於「函數引數」視窗的第一個欄位內填入「D5-C5<E5」，第二個欄位內填入「E5-D5+C5」，第三個欄位內填入「""」，按下 確定 鈕。

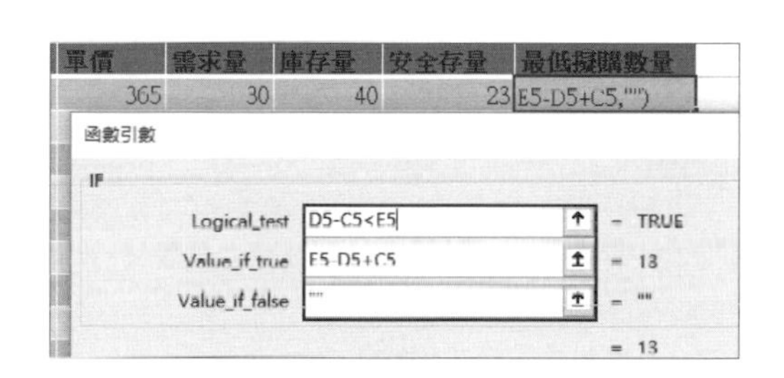

說明　最低擬購數量

為了保證安全存量的最低採購數量，對存貨管理者而言，以最小的產品儲備量來達到最佳的供應狀態，避免產品囤積及短缺，保障商品供應的正常運作。

STEP 02 完成後，往下拖曳填滿至儲存格 F35，結果如下圖所示。

產品名稱	單價	需求量	庫存量	安全存量	最低擬購數量
有機花草茶	365	30	40	23	13
玫瑰花草茶	320	30	10	15	35
夜眠花草茶	320	20	25	15	10
美容花果茶	299	10	25	15	
洋甘菊花茶	399	32	52	40	20

STEP 03 選取儲存格 H37，執行「公式功能區→函數庫群組→數學與三角函數」，在下拉式清單中點選 SUMPRODUCT 函數，於「函數引數」視窗的第一個欄位內填入「B5:B35」，第二個欄位內填入「F5:F35」，按下 確定 鈕。

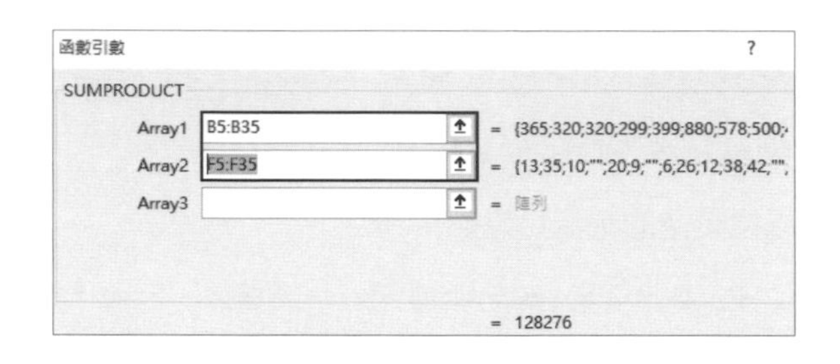

STEP 04 選取儲存格 H37，執行「常用功能區→數值群組」，在其右下角點開「數字格式」，於「儲存格格式」視窗的「數值」標籤的「類別」選單點選「自訂」，在「類型」欄位中填入「[DBNum2][$-zh-TW]G/ 通用格式 " 元整 "」，按下 確定 鈕。

STEP 05 執行完上述步驟之結果，如下圖所示。

量	最低擬購數量		
23	13		
15	35		
18	38		
18	42		
100			
23	22		
23	6		
50	5		
18	5		
18	18		
		擬購產品金額總計	壹拾貳萬捌仟貳佰柒拾陸元整

如此，整張報表已趨近於完整，且可交付給相關單位進行申請款項之流程。

新產品問卷調查

對生產製造的企業而言，適時推出新產品，不僅對組織有另一波較大利潤收入之外，以消費者的角度而言，該項產品帶來新鮮感，讓消費者有被重視的感受。但對於一個產品的推出，不論從成本考量、口味、外觀等是否符合組織內年度新產品規劃、消費者需求，甚至於市場的接收度，都是不能貿然進行，以免因不符合需求而被市場淘汰，這對於組織及企業而言，所造成的人力、時間、金錢等都是極大的損失。因此，當企業要進行新產品研發及推出時，都須進行市場調查，透過調查所得結果，找出新產品與消費者、市場的共通性，就此訂定新產品的行銷策略，如此才是最有利的新產品開發方式。

6.1 問卷設計及製作

一般而言，問卷調查的設計製作通常會與新產品有密切相關，而在進行問卷的設計過程中，依詢問的方式不同，大致上可以區分為開放性問題及封閉性問題等兩類。所謂的「開放性問題」，通常指的是不替受訪者提供具體回答選項的問題，因此問答性的問題較多。而「封閉性問題」又可稱為「選擇題」，意指受訪者可從問卷題目中所提供的一個或多個具體答案中做選擇，這兩種方式各有其優缺點，甚至在某些產品問卷中皆將這兩種方式置於其內。

身為一個問卷設計者，在執行設計問卷前，將該問卷設計流程繪製出來，並在其中標註符合該問卷之重點提醒，如此在製作問卷時可以更為明確執行，而問卷的架構流程可參考如下圖：

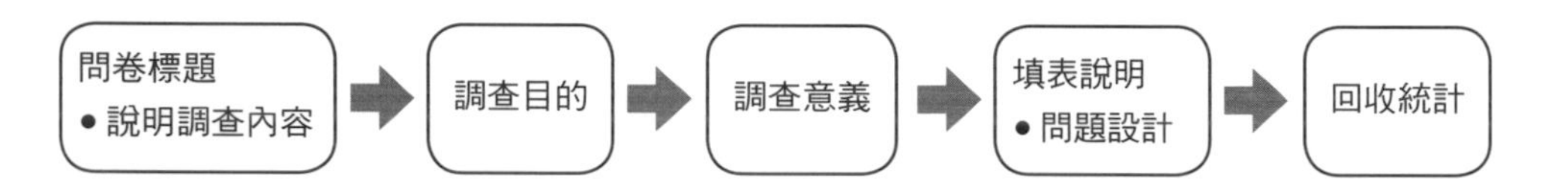

問卷本身的結構包含「問題」及「選項」兩個部分，在「問題」部分建議簡短，以找出該問題之重點為主，「選項」的部分則是要讓填寫者快速理解其意。目前製作問卷的軟體及方式有許多種，較常見的有Google雲端文件所製作的問卷，但在部分組織機關內，鑑於資訊安全之故，不盡然能使用廣義雲端所發展之問卷套件，故筆者將要介紹的是利用MS Excel的控制項功能來設計。

此範例是針對企業欲開發養生茶系列所做的系列相關調查。因此，問卷上的題目可先行設計目標族群，或是針對市場上既有的養生茶品系列的飲用後觀感，來作為未來商品開發的依據重點。

STEP 01 開啟「範例\CH6\原始檔案\新產品問卷.xlsx」活頁簿，點選「問卷調查」工作表，在該工作表內分別輸入問卷問題，結果如下圖所示。

	A	B	C	D
12	1.您的年齡是？			
13				
14	2.您的月收入是？			
15				
16	3.您平時會選擇養生食品嗎？			
17				
18	4.請問您對養生茶能接受的價格是？			
19				
20	5.請問您選擇養生茶的依據是？			

STEP 02 為了之後製作控制項的方便性，因此選取第 10~35 列，執行「常用功能區→儲存格群組→格式」，在其下拉式清單中點選「列高」，在「設定列高」視窗內輸入列高值「24」，按下 確定 鈕。

STEP 03 在選擇繪製控制項之前，需將該功能區顯示。執行「檔案→選項→自訂功能區」，在「Excel 選項」視窗的「自訂功能區」欄位內勾選「開發人員」，按下 確定 鈕。

STEP 04 開始逐一製作問卷主題之各項功能鈕。點選儲存格 A13，執行「開發人員功能區→控制項群組→插入」，在展開的下拉式清單中，點選「表單控制項→⊙選項按鈕」。

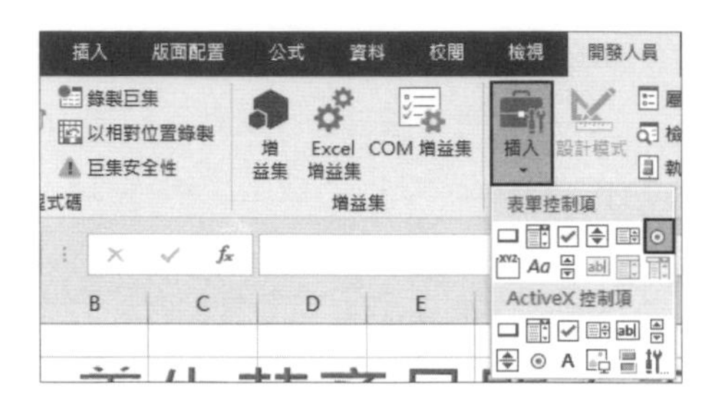

STEP 05 點選上述步驟的⊙選項按鈕，當滑鼠指標變為十字游標，在第一個問題下方按下滑鼠左鍵，繪製第一個選項。繪製完成後，按下滑鼠右鍵，在其快顯功能表中點選「編輯文字」，輸入選項文字為「25-30 歲」，結果如下圖所示。

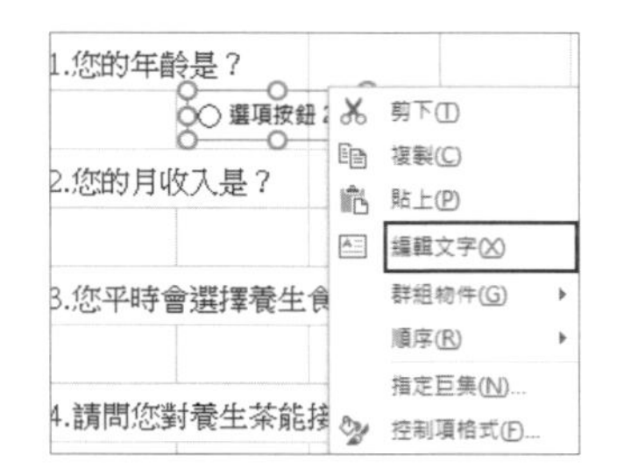

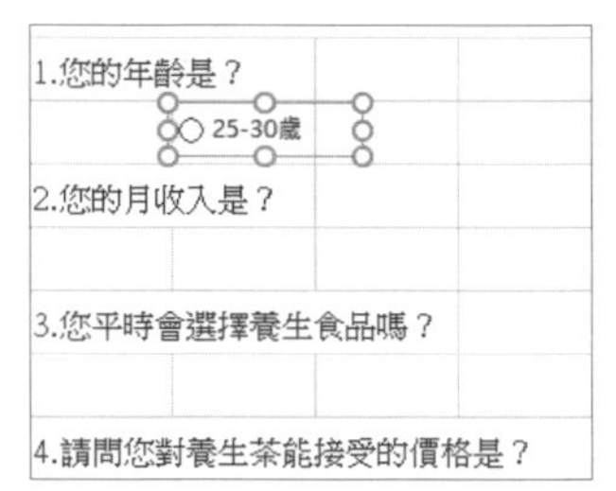

STEP 06 選取該選項按鈕，執行「開發人員功能區→控制項群組→屬性」，在「控制項格式」視窗內點選「色彩和線條」標籤，接著在「色彩」欄位中選擇「黃色」，將「透明度」設定為「25%」，線條的「色彩」設定為「亮綠色」，線條的「粗細」調整為「1pt」。設定完成後，按下 確定 鈕。

STEP 07 選取設定後的選項按鈕，並執行複製。按住Ctrl + Shift鍵來拖曳該按鈕，再複製出三個選項按鈕，結果如下圖所示。

	A	B	C	D	E	F	G	H
1								
2–4		養生茶產品問卷調查						
12	1.您的年齡是？							
13		25-30歲		25-30歲		25-30歲		
14	2.您的月收入是？							

STEP 08 將三個複製所得的選項按鈕，分別重新命名為「31-36 歲」、「37-42 歲」及「42 歲以上」，結果如下圖所示。

STEP 09 為第二個問題製作資料選項來源。新增工作表並將其命名為「控制項內容」，在C 欄中依序輸入月收入下拉式清單的可選擇資料，如下圖所示。

	A	B	C	D
1			月收入	
2			$22,000以下	
3			$22,001~$30,000	
4			$30,001~$40,000	
5			$40,001~$50,000	
6			$50,001~$60,000	
7			$60,000以上	
8				

STEP 10 回到「問卷調查」工作表，在控制項群組的下拉式清單中，點選「表單控制項→下拉式方塊」，當滑鼠指標變為十字游標，在第二個問題下方按下滑鼠左鍵，繪製下拉式方塊。繪製完成後，按下滑鼠右鍵，在其快顯功能表中點選「控制項格式」。

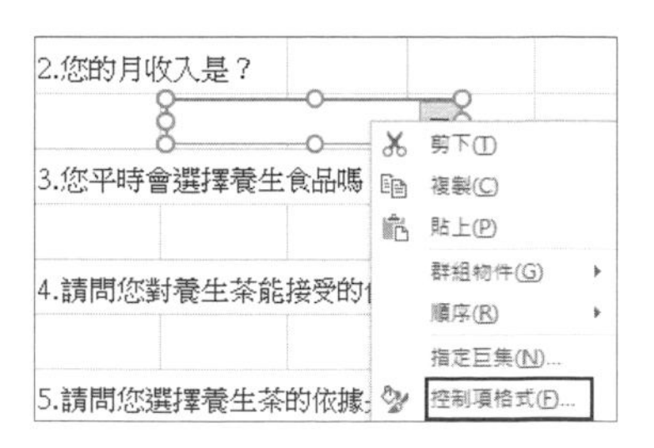

STEP 11 在「控制項格式」視窗中，點選「控制」標籤，在「輸入範圍」欄位內透過摺疊鈕，將其範圍設定為「控制項內容!$C$2:$C$7」，並設定「顯示行數」為「8」，完成後按下 確定 鈕。

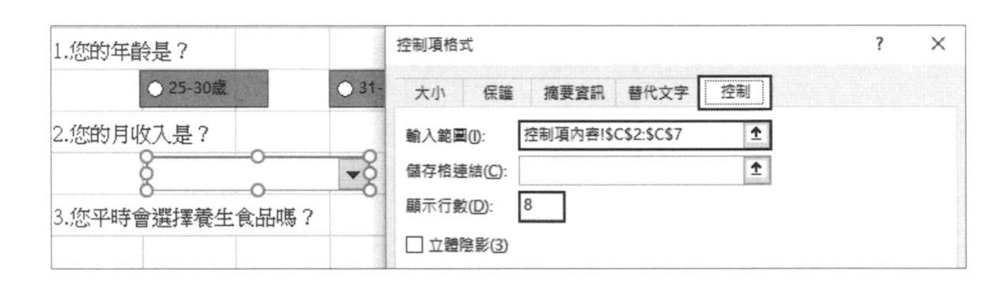

STEP 12 檢查上述步驟所完成的下拉式方塊是否可操作，點選下拉式方塊。

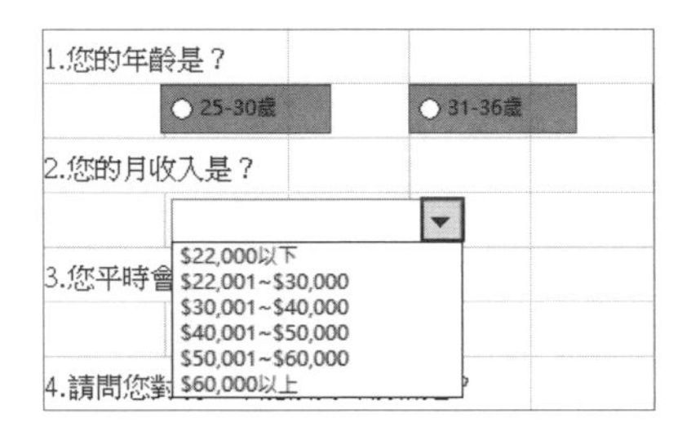

STEP 13 製作其他的控制項按鈕。其他控制項按鈕的新增方式及設定，均與前述操作步驟相同，使用者可直接複製，並修改為所需選項內容即可。當所有的控制項設定完成後，結果如下圖所示。

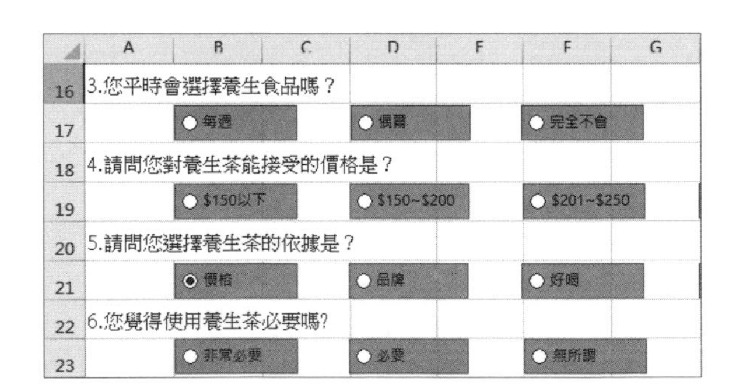

STEP 14 設計問卷的主體。選取儲存格範圍 A1：K37，執行「常用功能區→字型群組」，在「框線」下拉式清單中點選「粗外框線」，如下圖所示。

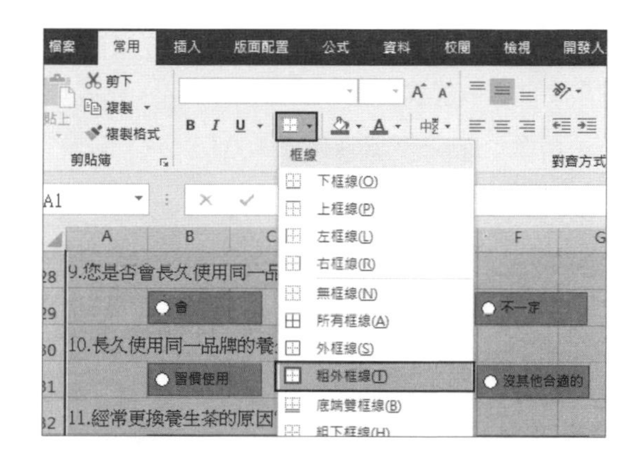

STEP 15 既然是問卷，須把工作表上多餘的列與欄隱藏。選取第 38 列，按 Ctrl + Shift + ↓ 鍵，直接選取工作表的最後一列，按下滑鼠右鍵，在其快顯功能表中點選「隱藏」，如下圖所示，從第 38 列之後的列數已不復見。

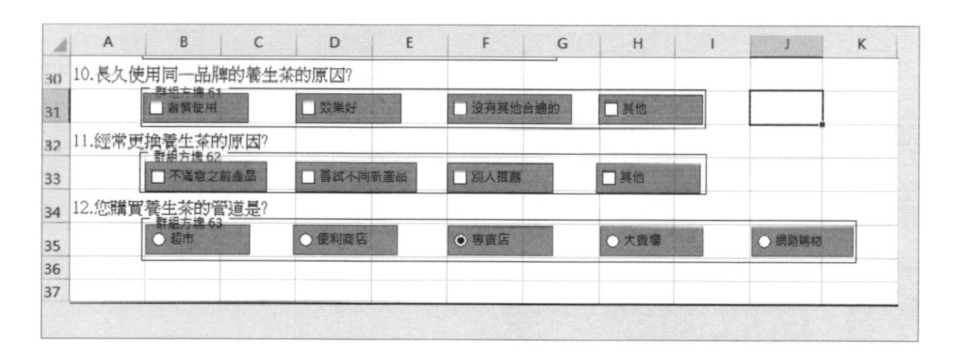

STEP 16 選取第 L 欄，按 Ctrl + Shift + → 鍵，直接選取工作表的最後一欄，按下滑鼠右鍵，在其快顯功能表中點選「隱藏」。而表單畫面若不顯示表格格線，執行「檢視功能區→顯示群組」，取消勾選「格線」，如下圖所示。

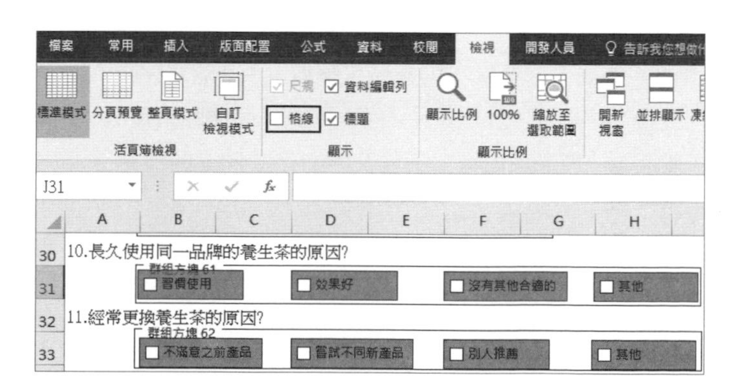

STEP 17 回到「控制項內容」工作表，為各問題的選項建立資訊。選取儲存格範圍 A1：M7，執行「常用功能區→樣式群組→儲存格樣式」，點選「佈景主題儲存格樣式」為「淺綠 40% - 輔色 6」。選取儲存格範圍 A1：M1，點選「資料與模型」為「備註」，設計後的結果如下圖所示。

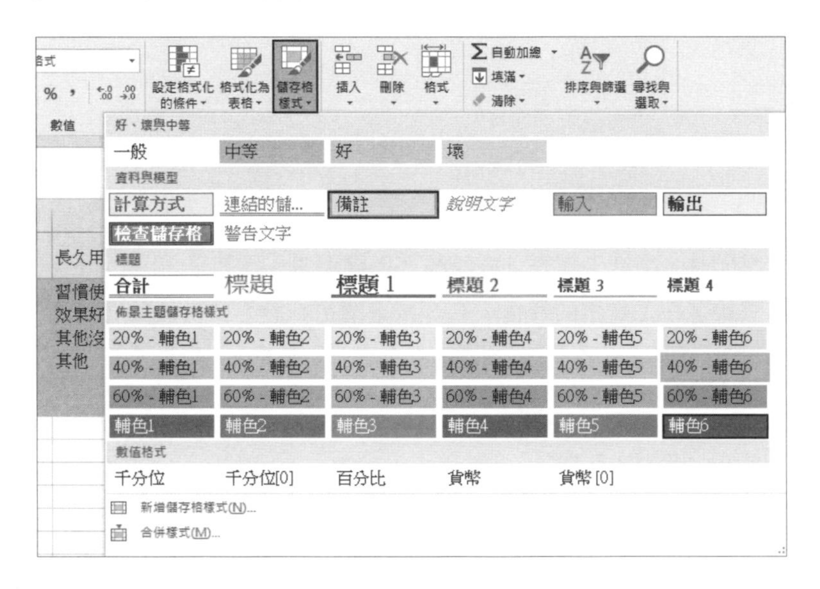

6.2 接收問卷結果

設計後的問卷，須將每個問題的答案與上節所建立的問卷結果相對應，因此需再建立問卷結果接收表，如此當受訪者選填完問卷題目後，其答案的結果才會顯示在所連結的位址。

STEP 01 新增工作表，並將其命名為「問卷結果接收」。選取儲存格 A1，在資料編輯列上輸入「= 控制項內容 !B1」，按下 ✓ 鈕。回到「問卷結果接收」工作表，可檢視儲存格 A1 顯示為「控制項內容」工作表的儲存格 B12 的值。

IF | =控制項內容!B1

	A	B	C	D	
1	代碼	年齡	月收入	平時會做養生食品	對養
2	1	25-30歲	$22,000以下	每天	$150
3	2	31-36歲	$22,001~$30,000	偶爾	$150
4	3	37-42歲	$30,001~$40,000	完全不會	$201
5	4	42歲以上	$40,001~$50,000		$251

A1 | =控制項內容!B1

	A	B	C	D	E
1	年齡				
2					
3					
4					
5					

STEP 02 選取儲存格範圍 A1：L1，執行「常用功能區→編輯群組→填滿」，在其下拉式清單中點選「向右填滿」。為保持表格的美觀，可執行「常用功能區→儲存格群組→格式」，在其下拉式清單中點選「自動調整欄寬」，再執行「常用功能區→樣式群組→儲存格樣式」，點選「資料與模型」為「備註」。

STEP 03 透過上述步驟，「問卷結果接收」工作表已設定完成，之後問卷填寫結果將置入到此張工作表內。

	A	B	C	D	E	F
1	年齡	月收入	平時會做養生食品	對養生茶接受價格	選擇養生茶依據	使用養生茶是否必要
2						
3						
4						
5						

6.2.1 自動接收問卷結果

雖已建立問卷結果送出後所置入的工作表，但其對應連結的部分尚未設定，為確保每個問題所選擇之選項能準確送至精準的位置上，「問卷調查」與「問卷結果接收」等兩張工作表間的連結設定就非常重要。

STEP 01 開啟「問卷調查」工作表，在問卷中的每個問題均為獨立題目，問卷設計者應考量該題內的選項答案不論有幾組，當執行結果送出時，都送至相同的題目下，因此須把同一題目內的數個選項按鈕設定為同一群組。執行「開發人員功能區→控制項群組→插入」，在展開的下拉式清單中，點選「表單控制項→群組方塊(表單控制項)」。

STEP 02 繪製「群組方塊(表單控制項)」，當滑鼠指標變為十字游標，在第一個問題下方按下滑鼠左鍵，繪製並同時須覆蓋4個選項按鈕，結果如下圖所示。

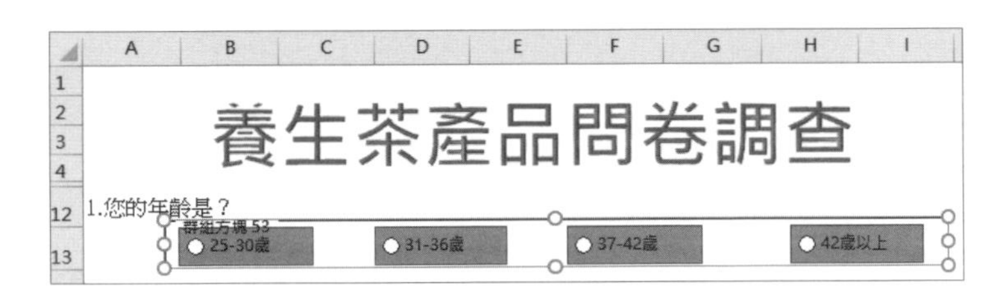

STEP 03 用相同的方法，為問卷的其他問題增加群組方塊。完成後的結果，如下圖所示。

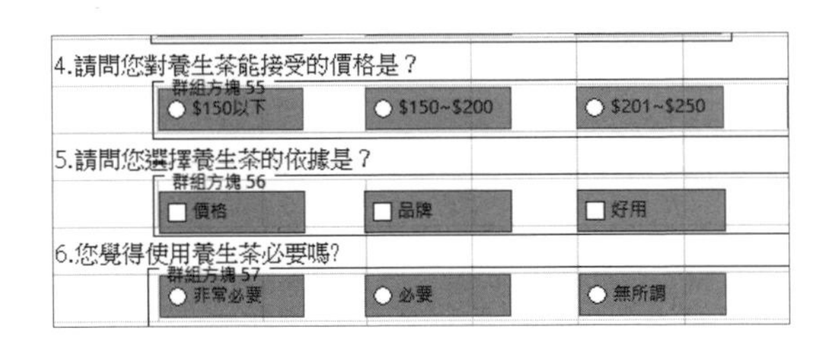

STEP 04 選取第一個問題的第一個選項按鈕，按下滑鼠右鍵，在其快顯功能表中點選「控制項格式」。在「物件格式」視窗中，點選「控制」標籤，接著在值的部分點選「不核取」，「儲存格連結」透過摺疊鈕設定為「問卷結果接收!$A$2」，完成後按下 確定 鈕。

STEP 05 第一個問題的第二個選項、第三個選項及第四個選項，屬於同一個群組，且此類型控制項為單選項，故其操作方式均與第一個選項按鈕的方式相同，「儲存格連結」皆設定為「問卷結果接收 !$A$2」。

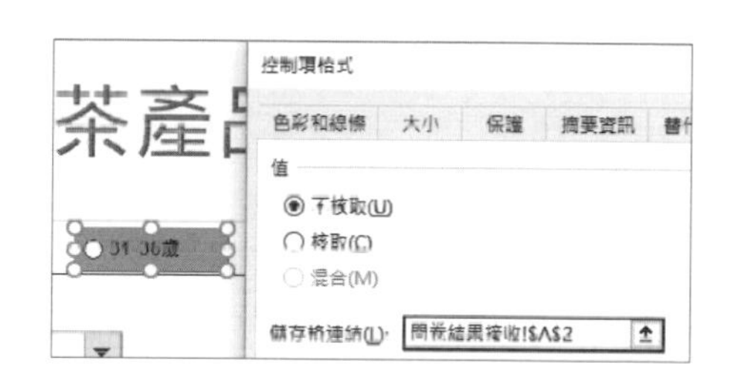

STEP 06 選取第二個問題下拉式方塊，按下滑鼠右鍵，在其快顯功能表中點選「控制項格式」。在「控制項格式」視窗中，點選「控制」標籤，「儲存格連結」透過摺疊鈕設定為「問卷結果接收 !$B$2」，完成後按下 確定 鈕。

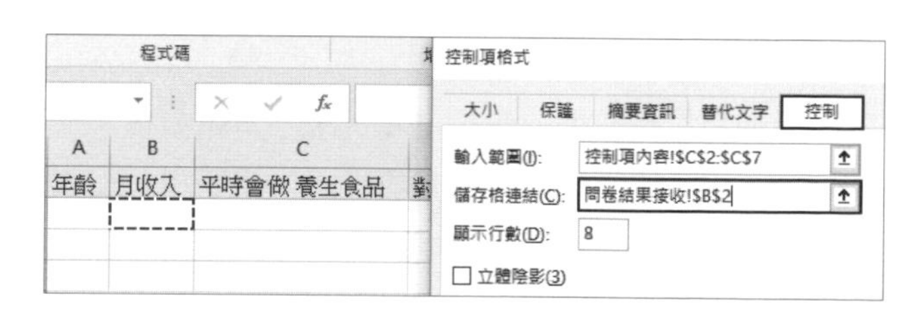

STEP 07 開啟「問卷結果接收」工作表，選取欄 F：H，在欄位 F 上按下滑鼠右鍵，在其快顯功能表中點選「插入」，即可在 E 欄右側插入三個欄位（在第五個問題部分採用的控制項為核取方塊，而核取方塊預設均為多選擇，因此為了讓同一個題目的多個答案均能被接收到，故依據選項值而設定欄位）。

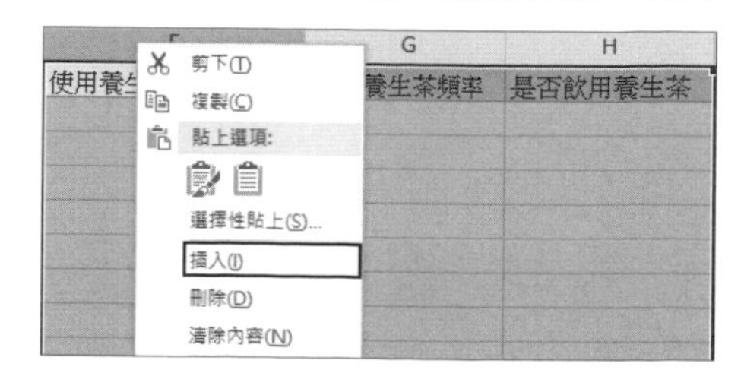

STEP 08 選取儲存格範圍 E1：H1，執行「常用功能區→對齊方式群組→跨欄置中」，並選取欄 E：H，執行「常用功能區→儲存格群組→格式」。在其下拉式清單中，設定欄寬為「6」。完成其操作後，將第 10 個及第 11 個問題的接收區域也執行相同的格式設定。

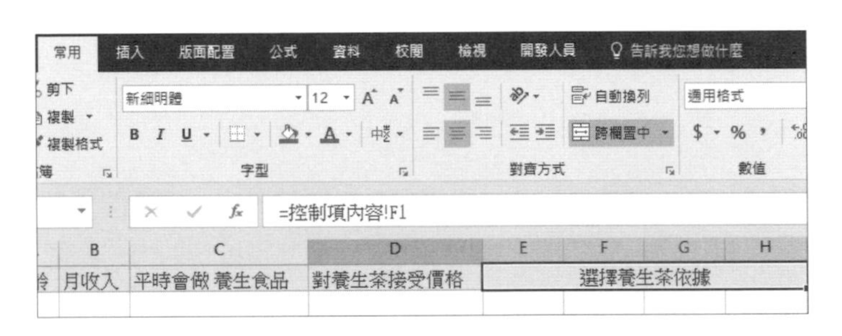

STEP 09 選取第五個問題的第一個核取方塊控制項，按下滑鼠右鍵，在其快顯功能表中點選「控制項格式」。在「物件格式」視窗中，點選「控制」標籤，在值的部分點選「不核取」，「儲存格連結」透過摺疊鈕設定為「問卷結果接收 !$E$2」，完成後按下 確定 鈕。

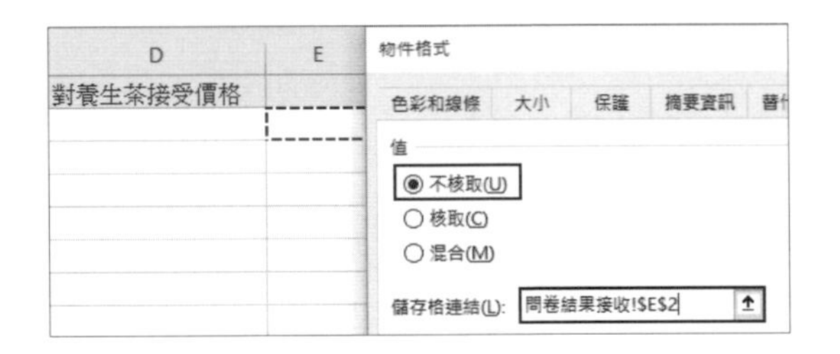

STEP 10 選取第五個問題的第二個核取方快控制項，按下滑鼠右鍵，在其快顯功能表中點選「控制項格式」。在開啟的「控制項格式」視窗中，點選「控制」標籤，在值的部分點選「不核取」，「儲存格連結」透過摺疊鈕設定為「問卷結果接收 !$F$2」，完成後按下 確定 鈕。

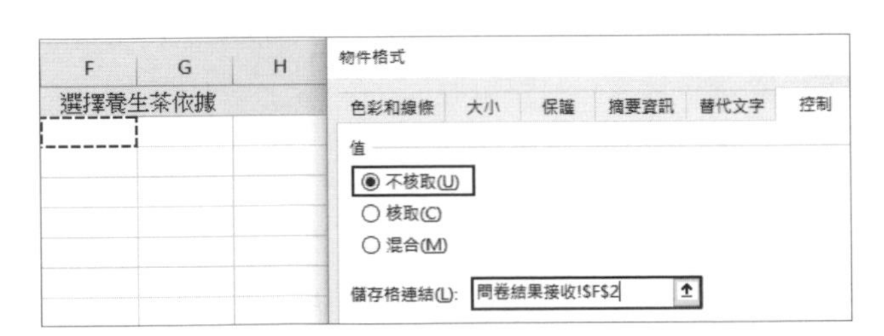

STEP 11 回到「問卷調查」工作表，透過相同的方式為其他問題的答案設定連結儲存格，當題目內容的選擇為選項按鈕時，只需設定一個連結儲存格；若題目內容的選擇為核取方塊時，則需為每個核取方塊設定連結儲存格。設定完畢後，可自行測試問卷成果。

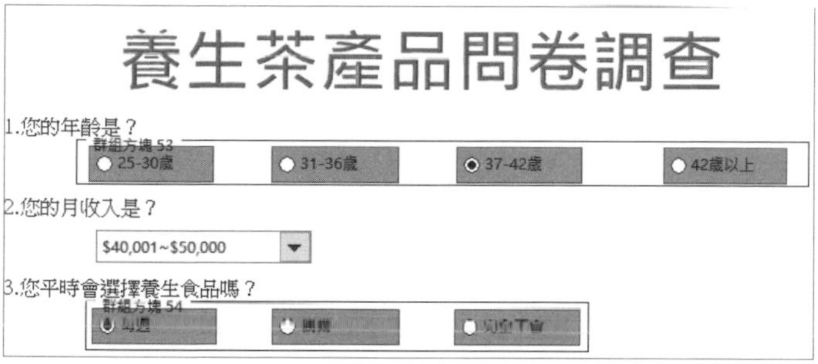

養生茶產品問卷調查

1.您的年齡是？

群組方塊 53

○ 25-30歲　○ 31-36歲　◉ 37-42歲　○ 42歲以上

2.您的月收入是？

$40,001~$50,000

3.您平時會選擇養生食品嗎？

群組方塊 54

STEP 12 問卷填寫完畢後，點選「問卷結果接收」工作表，可以檢視所填寫之問卷結果，以傳送至此張工作表的對應儲存格內，結果如下圖所示。

A	B	C	D	E	F	G
年齡	月收入	平時會選擇 養生食品	對養生茶接受價格		選擇養生茶依據	
3	4	1	2		TRUE	

STEP 13 可發送問卷，藉以蒐集問卷結果。將受訪的結果整理，如下圖所示。

	D	E	F	G	H	I	J
1	對養生茶接受價格		選擇養生茶依據			使用養生茶是否必要	使用養生茶頻率
2	2		TRUE			2	2
3	4		TRUE	TRUE		2	2
4	3		TRUE	TRUE		1	1
5	2		TRUE			2	2
6	3		TRUE			1	1
7	2	TRUE				2	1
8	3	TRUE	TRUE			1	2
9	2	TRUE	TRUE		TRUE	2	4

6.2.2 利用巢狀函數進行資料解碼

當問卷回收後，其所得的結果只是顯示受訪者對該問題點選了第幾個選項，但這些號碼並不能立即表達所要的文字釋義，因此仍需再透過函數組合，將問卷結果之代表碼轉換爲文字。

STEP 01 開啟「控制項內容」工作表，選取儲存格範圍 A2：M7，執行「公式功能區→已定義之名稱群組→定義名稱」，在視窗內點選「名稱」欄位，輸入「問卷轉換」，按下 確定 鈕。

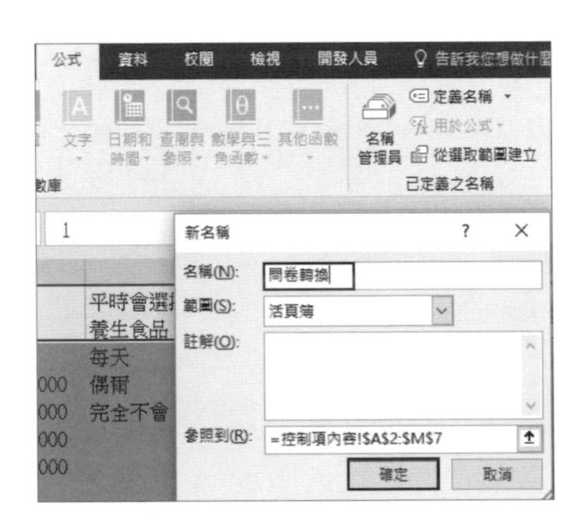

STEP 02 新增工作表，並將其命名為「問卷結果轉換」，複製「問卷結果接收」工作表的標題列，並美化該標題列，成果如下圖所示。

	A	B	C	D	E	F	G	H
1	年齡	月收入	平時會選擇養生食品	對養生茶接受價格	選擇養生茶依據			
2								
3								
4								

STEP 03 傳回第一位受訪者的年齡資訊。選取儲存格 A2，資料編輯列上輸入「=IF(問卷結果接收!A2="","",VLOOKUP(問卷結果接收!A2,控制項內容!$A$2:$M$7,2,FALSE))」，輸入完成後按下 ✓ 鈕，往下拖曳填滿至儲存格 A52。

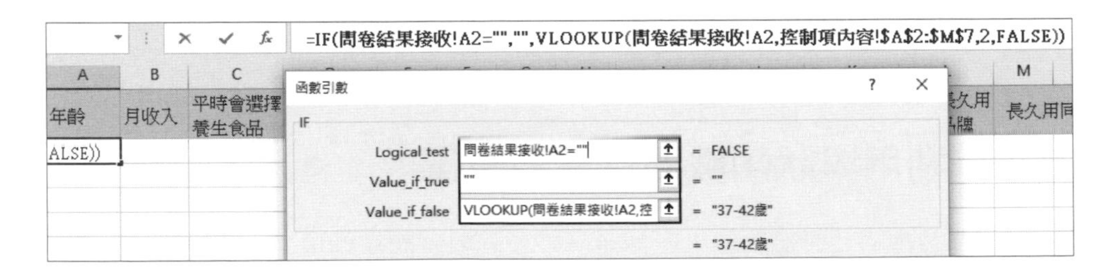

STEP 04 傳回第一位受訪者的月收入資訊。選取儲存格 B2，在資料編輯列上輸入「=IF(問卷結果接收!B2="","",VLOOKUP(問卷結果接收!B2,問卷轉換,3,FALSE))」，輸

入完成後按下 ✓ 鈕，往下拖曳填滿至儲存格 B52。請透過相同的作法，繼續傳回問卷其他選項按鈕問題的結果。

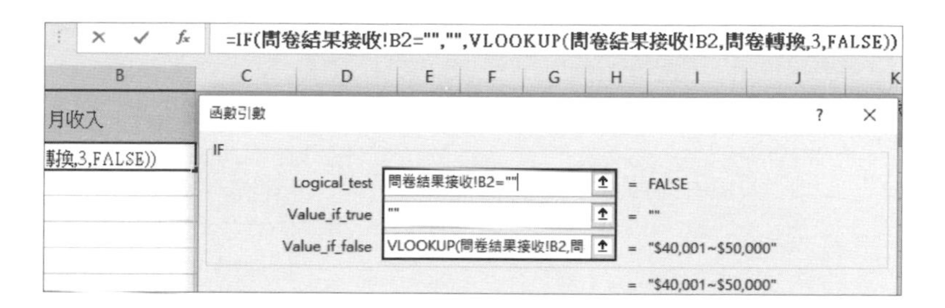

函數小提示 VLOOKUP 函數

VLOOKUP 函數屬於查詢參照函數中最常被使用的函數，其意指透過查詢的值，在相對的查詢範圍內尋找符合該查詢值的相關訊息。

其語法架構為：

VLOOKUP(Lookup_value , Table_array , Col_index_num , Range_lookup)

各欄位之說明如下：

- ❑ Lookup_value：為一個搜尋值，可以是數值、參照位址或是文字串。
- ❑ Table_array：是要在其中搜尋資料的文字、數值或是邏輯值的表格，亦可為儲存格範圍的參照位址或是範圍名稱。
- ❑ Col_index_num：是個數值，代表所要傳回的值是位於 Table_array 中的第幾個欄位。
- ❑ Range_lookup：為邏輯值，填入 FALSE 為精確搜尋，填入 TRUE 或省略不填為近似搜尋。

STEP 05 請繼續用相同的作法，傳回問卷其他選項按鈕問題的結果，完成後如下圖所示。

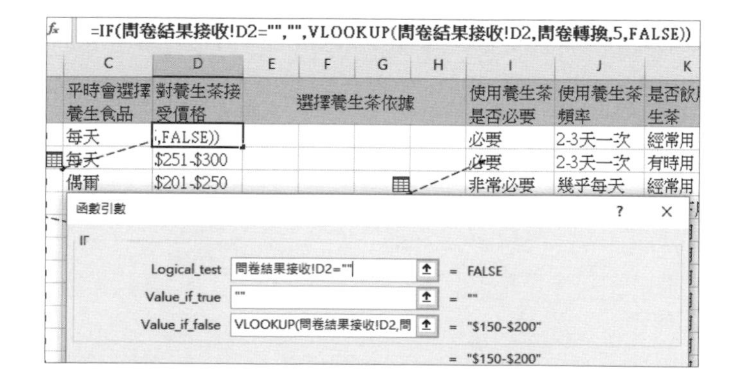

STEP 06 接著設定核取方塊所傳回的結果，其設定方式與選項按鈕是有差異的。選取儲存格 E2，選擇 IF 函數，並在資料編輯列上輸入「=IF(問卷結果接收 !E2="","","價格")」，輸入完成後按下 確定 鈕，往下拖曳填滿至儲存格 E52。

=IF(問卷結果接收!E2="","","價格")

C	D	E	F	G	H	I	J
平時會選擇養生食品	對養生茶接受價格	選擇養生茶依據				使用養生茶是否必要	使用養生
每天	$150-$200	價格")				必要	2-3天一次

函數引數

IF

Logical_test 問卷結果接收!E2="" = TRUE

Value_if_true "" = ""

Value_if_false "價格" = "價格"

= ""

STEP 07 選取儲存格 F2，選擇 IF 函數，並在資料編輯列上輸入「=IF(問卷結果接收 !F2="","", 控制項內容 !$F$3)」，輸入完成後，按下 確定 鈕，往下拖曳填滿至儲存格 F52。

=IF(問卷結果接收!F2="","",控制項內容!$F$3)

C	D	E	F	G	H	I	J	
平時會選擇養生食品	對養生茶接受價格	選擇養生茶依據				使用養生茶是否必要	使用養生茶頻率	是否生茶
每天	$150-$200		$F$3)			必要	2-3天一次	經常

函數引數

IF

Logical_test 問卷結果接收!F2="" = FALSE

Value_if_true "" = ""

Value_if_false 控制項內容!$F$3 = "品牌"

= "品牌"

STEP 08 依照前述的方式，將其他核取方塊的結果傳回其對應的儲存格位址，完成後之結果如下圖所示。

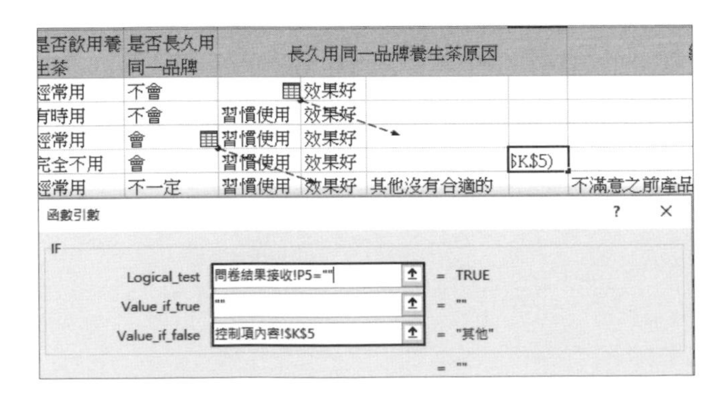

6.3 統計調查結果

做問卷調查的目的是爲了分析研究結果，從調查結果中可以了解消費者的需求、對現有產品的評價、產品的銷售頻率等，這些都是幫助企業在進行新產品開發時能快速找到切入市場的最佳時機點。

6.3.1 利用條件計數函數做資料分析

STEP 01 新增工作表，並將其命名為「價格分析」，在儲存格 B2 輸入「價格範圍」，選取「問卷結果轉換」工作表，並選取儲存格範圍 D2：D52，按下 Ctrl + C 鍵執行複製，回到「價格分析」工作表之儲存格 B3 執行「選擇性貼上」，在該下拉式清單點選「貼上值」。執行「資料功能區→資料工具群組→移除重複項」，在「移除重複項」視窗按下 確定 鈕，即可將重複值部分自動移除。

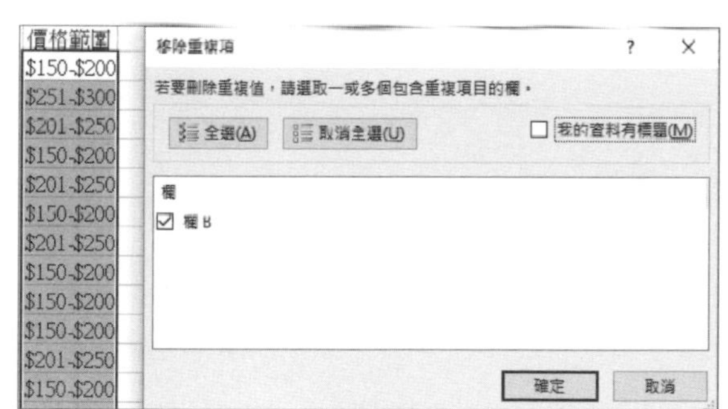

STEP 02 製作養生茶接受價格次數表，製作結果如下圖所示。

	A	B	C	D	E
1	養生茶接受價格次數表				
2	組別	價格範圍	次數	累計次數	所佔%
3	1	$150-$200			
4	2	$251-$300			
5	3	$201-$250			
6	4	$150以下			
7	合計				

STEP 03 選取儲存格 C3，執行「公式功能區→函數庫群組→其他函數」。在其下拉式函數選單中，點選 COUNTIF 函數，在「函數引數」視窗進行設定，第一個欄位內輸入「問卷結果轉換!$D$2:$D$52」，第二個欄位內輸入「B3」，按下 確定 鈕，往下拖曳填滿至儲存格 C6，如此便可計算各個價格區段的受訪者人次。

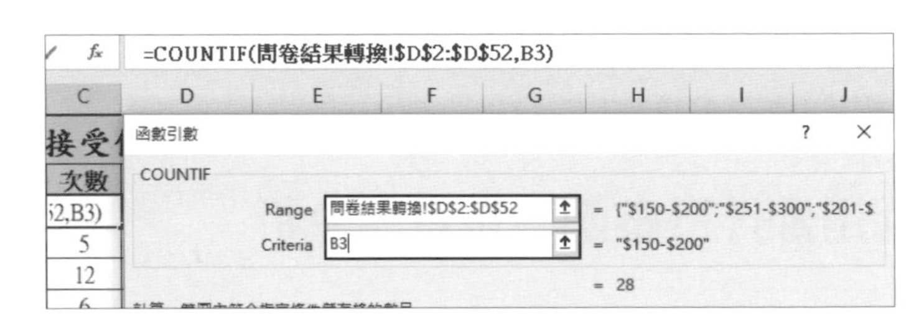

> **函數小提示　COUNTIF 函數**
>
> COUNTIF 函數屬於統計函數中的單條件計數統計。
>
> 其語法架構為：
>
> COUNTIF(Range , Criteria)
>
> 各欄位之說明如下：
>
> ❑ Range：為計算符合條件的儲存格範圍。
>
> ❑ Criteria：為比較條件，條件可以是數字、表示式或是文字。

STEP 04 當要計算累計次數時，計算第一個價格範圍級距「$150-$200」的累計次數，即為原來的受訪者人次，因此在儲存格 D3 輸入「=C3」，顯示結果如下圖所示。

D3　=C3

	A	B	C	D	E
1	養生茶接受價格次數表				
2	組別	價格範圍	次數	累計次數	所佔%
3	1	$150-$200	28	28	
4	2	$251-$300	5		
5	3	$201-$250	12		
6	4	$150以下	6		

STEP 05 接著要計算其他級距的累計次數。點選儲存格 D4，在資料編輯列上輸入「=D3+C4」，完成後按下 ✓ 鈕，往下拖曳填滿至儲存格 D6。

COUNTIF =D3+C4

	A	B	C	D	E
1	養生茶接受價格次數表				
2	組別	價格範圍	次數	累計次數	所佔%
3	1	$150-$200	28	28	
4	2	$251-$300	5	=D3+C4	
5	3	$201-$250	12		
6	4	$150以下	6		

STEP 06 要計算「所佔 %」的值，須將各級距的次數加總。點選儲存格 C7，執行「公式功能區→函數庫群組→自動加總」，在其下拉式清單中選擇 Σ 加總(S)，完成後按下 ✓ 鈕。

自動加總　最近用過的函數　財務　邏輯　文字　日期和時間　查閱與參照　數學與三角函數
函數庫

NTIF =SUM(C3:C6)

A	B	C	D	E
養生茶接受價格次數表				
組別	價格範圍	次數	累計次數	所佔%
1	$150-$200	28	28	
2	$251-$300	5	33	
3	$201-$250	12	45	
4	$150以下	6	51	
合計	=SUM(C3:C6)			

STEP 07 計算各級距的所佔 %。點選儲存格 E3，在資料編輯列上輸入「=C3/$C$7」，完成後按下 ✓ 鈕，往下拖曳填滿至儲存格 E6。

COUNTIF =C3/$C$7

	A	B	C	D	E
1	養生茶接受價格次數表				
2	組別	價格範圍	次數	累計次數	所佔%
3	1	$150-$200	28	28	=C3/$C$7
4	2	$251-$300	5	33	
5	3	$201-$250	12	45	
6	4	$150以下	6	51	
7	合計		51		

STEP 08 選取儲存格範圍 E3：E6，執行「常用功能區→數值群組」。在其右下角點開「數字格式」，於「儲存格格式」視窗的「數值」標籤的「類別」選單中點選「百分比」，設定「小數位數」為「2」，按下 確定 鈕。

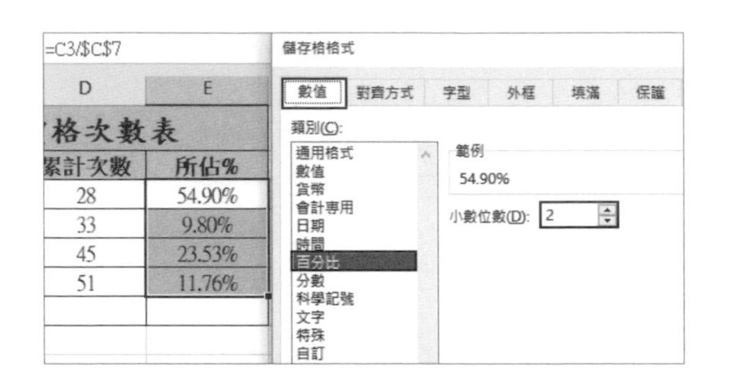

STEP 09 選取儲存格範圍 C3：C6，在選取範圍右下角的快速功能鍵中，點選「設定格式→資料橫條」，在範圍內的各個儲存格即會顯示橫條圖，問卷蒐集者可透過此圖表即時了解價格不同級距間的次數值差異。

養生茶接受價格次數表				
組別	價格範圍	次數	累計次數	所佔%
1	$150-$200	28	28	54.90%
2	$251-$300	5	33	9.80%
3	$201-$250	12	45	23.53%
4	$150以下	6	51	11.76%
合計		51		

設定格式(F)　圖表(C)　總計(O)　表格(T)　走勢圖(S)

資料橫條　色階　圖示集　大於　前 10%　清除格式

設定格式化的條件會運用規則來醒目提示令人感興趣的資料。

6.3.2 用 REPT 函數製作價位圖形分析

當產品在研發過程中，不僅要考慮市場上同類產品的多寡，價格方面也是須被注意的要點，當價格不合理時，除了對企業的利潤造成負擔及損失外，亦可能在市場上曲高和寡，最終導致該產品無疾而終。本小節將介紹透過 REPT 函數分析產品定價。

STEP 01 上一小節的結果亦可使用不同的圖表方式，來顯示其次數值差異，右圖是參考建立接受價格次數圖的表格。

I	J	K	L	M
養生茶接受價格次數圖				
$150-$200				
$251-$300				
$201-$250				
$150以下				

STEP 02 在上一小節的表格中，各級距上要顯示次數圖形。選取儲存格 J3，執行「公式功能區→函數庫群組→文字」，在其下拉式函數選單中點選 REPT 函數，在「函數引數」視窗進行設定，將第一欄的值輸入「""」，在第二個欄位內輸入「C3」，按下 確定 鈕。

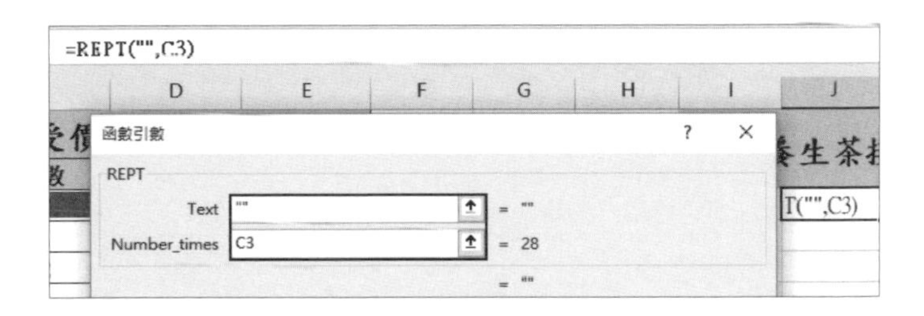

函數小提示 REPT 函數

REPT 函數屬於文字函數，依指定字串重複數次。其語法架構為：

REPT(Text , Number_times)

各欄位之說明如下：

- Text：為所要重複顯示的文字資料。
- Number_times：為數值，用以指定所要重複的次數。

STEP 03 要置入的次數圖形是使用符號。選取儲存格 J3，執行「插入功能區→符號群組→符號」，在「符號」視窗點選「符號」標籤，選取「〡」符號，按下 插入(I) 鈕。

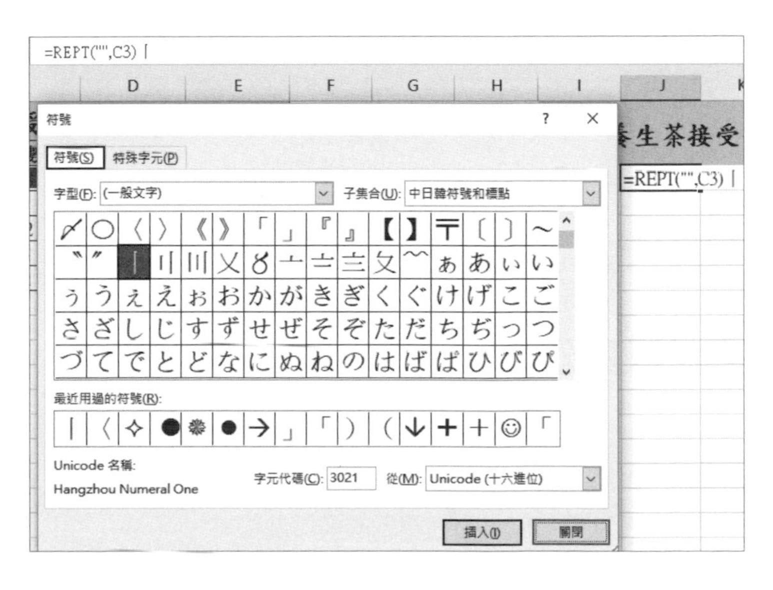

STEP 04 編輯 REPT 函數。在儲存格 J3 的資料編輯列上，將上述步驟完成的內容「=REPT("",C3)｜」改為「=REPT("｜",C3)」，修改後之結果如下圖所示，代表用「｜」符號重複顯示儲存格 C3 中的次數。

I	J	K	L	M
養生茶接受價格次數圖				
$150-$200	=REPT("｜",C3)			
$251-$300				
$201-$250				
$150以下				

STEP 05 上述步驟完成後，即可在該價格級距上，以線條方式顯示其次數。

養生茶接受價格次數圖	
$150-$200	｜｜｜｜｜｜｜｜｜｜｜｜｜｜｜｜｜｜｜｜｜｜｜｜｜｜｜｜
$251-$300	
$201-$250	
$150以下	

STEP 06 選取儲存格 J3，往下拖曳填滿至儲存格 J6，執行「常用功能區→字型群組」，設定為「粗體」、「紅色」。從下圖中，可發現在此次受訪的 51 份問卷中，其接受價格大致上是落在「$150-$200」之間。因為是新產品問卷調查，故可再多蒐集數份的問卷，運用本小節所教的函數執行分析，企業便可將此數值作為定價的主要依據。

養生茶接受價格次數圖	
$150-$200	｜｜｜｜｜｜｜｜｜｜｜｜｜｜｜｜｜｜｜｜｜｜｜｜｜｜｜｜
$251-$300	｜｜｜｜｜
$201-$250	｜｜｜｜｜｜｜｜｜｜｜｜
$150以下	｜｜｜｜｜｜

6.3.3 透過圖表分析受訪者條件

製作圖表時，除了使用上述介紹的方法之外，亦可製作受訪者收入與購買頻率的關係性，有這樣的分析結果，企業在進行新產品定位時便可更明確，貼近消費者的需求，且對新產品的行銷策略能引起消費者的購買慾望。

STEP 01 新增工作表，將其命名為「收入分析」，選取「問卷結果轉換」工作表，並選取儲存格範圍 B2：B52，按下 Ctrl + C 鍵執行複製，回到「收入分析」工作表之儲存格 B3，執行「選擇性貼上」，在該下拉式清單中點選「貼上值」。執行「資料功能區→資料工具群組→移除重複項」，在「移除重複項」視窗除了勾選「月收入」外，其他欄位均取消勾選，按下 確定 鈕，即可將重複值部分自動移除。

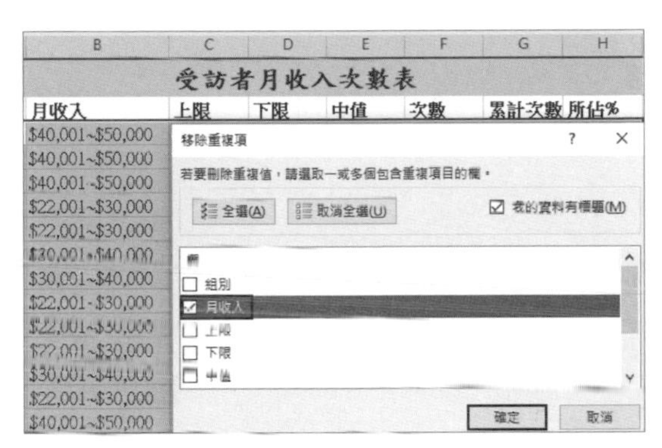

STEP 02 計算月收入分組的上限。選取儲存格 C3，執行「公式功能區→函數庫群組→文字」，在其下拉式函數選單中點選 RIGHT 函數，於「函數引數」視窗進行設定，第一個欄位內輸入「B3」，第二個欄位內輸入「6」，按下 確定 鈕，往下拖曳填滿至儲存格 C5。

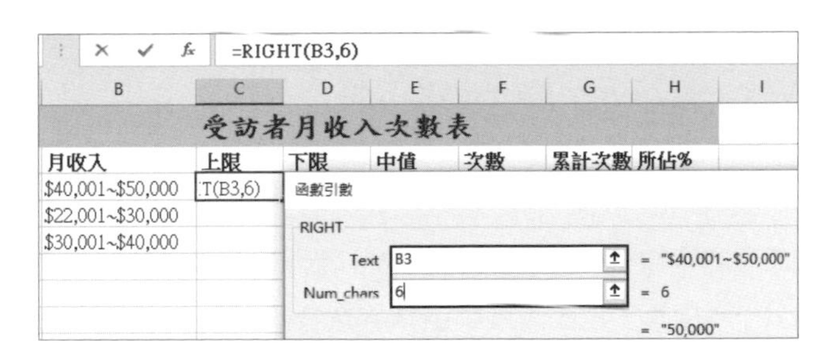

函數小提示 **RIGHT 函數**

RIGHT 函數屬於文字函數，其意指從文字串中的最後一個字元傳回固定字元長度的函數。

其語法架構為：

RIGHT(Text , Num_chars)

各欄位之說明如下：

- Text：為所要抽選之字元的文字串。
- Num_chars：為數值，為要抽選的字元數。

STEP 03 計算月收入分組的下限。選取儲存格 D3，執行「公式功能區→函數庫群組→文字」，在其下拉式函數選單中點選 MID 函數，於「函數引數」視窗進行設定，第一個欄位內輸入「B3」，第二個欄位內輸入「2」，第三個欄位內輸入「6」，按下 確定 鈕，往下拖曳填滿至儲存格 D5。

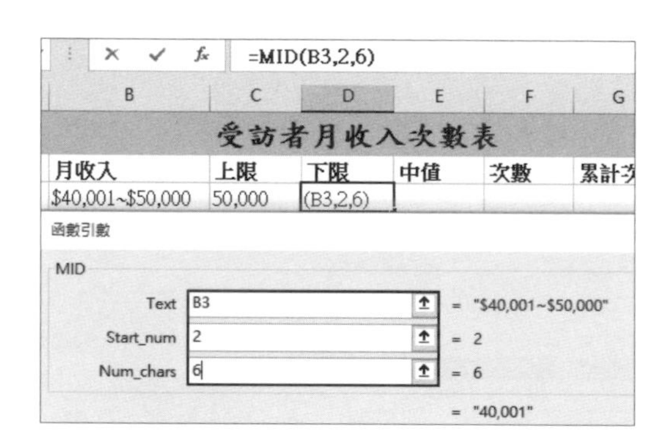

函數小提示 MID 函數

MID 函數屬於文字函數，其意指從文字串中的某個起始位置傳回固定字元長度的函數。

其語法架構為：

LEFT(Text , Star_num , Num_chars)

各欄位之說明如下：

- ❑ Text：為所要抽選之字元的文字串。
- ❑ Star_num：為要抽取第一個字元在文字串中的位置。
- ❑ Num_chars：為數值，為要抽選的字元數。

STEP 04 計算各級距間的平均值。選取儲存格 E3，執行「公式功能區→函數庫群組→其他函數→統計」。在其下拉式清單中選擇 AVERAGE 函數，於「函數引數」視窗進行設定，第一個欄位內輸入「VALUE(C3)」，第二個欄位內輸入「VALUE(D3)」，按下 確定 鈕，往下拖曳填滿至儲存格 E5。

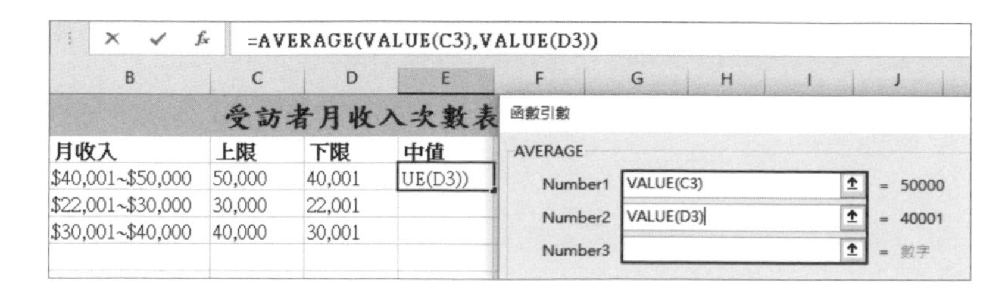

> **函數小提示　VALUE 函數**
>
> VALUE 函數屬於文字函數，其意指將文字資料轉而為數字資料。
>
> 其語法架構為：
>
> VALUE(Text)
>
> 各欄位之說明如下：
>
> ❑ Text：為要轉換的文字資料，其值可為文字、表示式。

STEP 05 選取儲存格範圍 E3：E5，執行「常用功能區→數值群組」，在其右下角點開「數字格式」，於「儲存格格式」視窗的「數值」標籤的「類別」選單中點選「貨幣」，設定「小數位數」為「1」、「符號」為「$」，按下 確定 鈕。

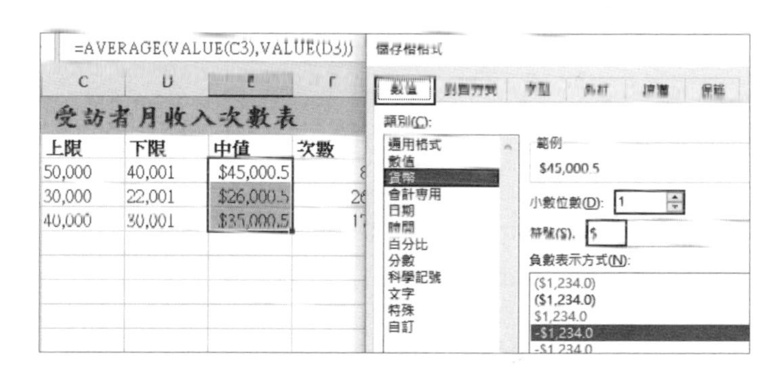

STEP 06 計算各收入級距次數。選取儲存格 F3，執行「公式功能區→函數庫群組→其他函數」。在其下拉式函數選單中點選 COUNTIF 函數，於「函數引數」視窗進行設定，第一個欄位內輸入「問卷結果轉換!$B$2:$B$52」，第二個欄位內輸入「B3」，按下 確定 鈕，往下拖曳填滿至儲存格 F5，如此便可計算每個月收入區段的受訪者人次。

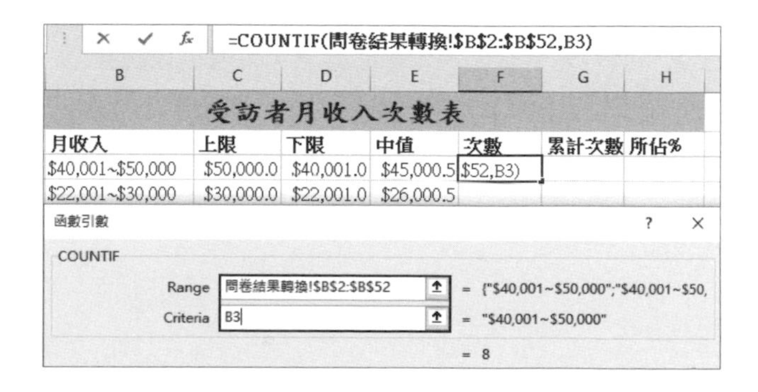

STEP 07 計算累計次數時，第一個月收入級距為「$40,001~$50,000」的累計次數即為其原來的受訪者人次，因此在儲存格 G3 輸入「=F3」。接著，要計算其他級距的累計次數，點選儲存格 G4，在資料編輯列上輸入「=G3+F4」，完成後按下 ✓ 鈕，往下拖曳填滿至儲存格 G5。

=G3+F4

受訪者月收入次數表

月收入	上限	下限	中值	次數	累計次數	所佔%
$40,001~$50,000	$50,000.0	$40,001.0	$45,000.5	8	8	
$22,001~$30,000	$30,000.0	$22,001.0	$26,000.5	26	=G3+F4	
$30,001~$40,000	$40,000.0	$30,001.0	$35,000.5	17		

STEP 08 計算各級距的所佔%。點選儲存格H3，在資料編輯列上輸入「=F3/SUM($F$3:$F$5)」，完成後按下 ✓ 鈕，往下拖曳填滿至儲存格 H5。執行「常用功能區→數值群組」，在其右下角點開「數字格式」，於「儲存格格式」視窗的「數值」標籤的「類別」選單中點選「百分比」，設定「小數位數」為「2」，按下 確定 鈕。

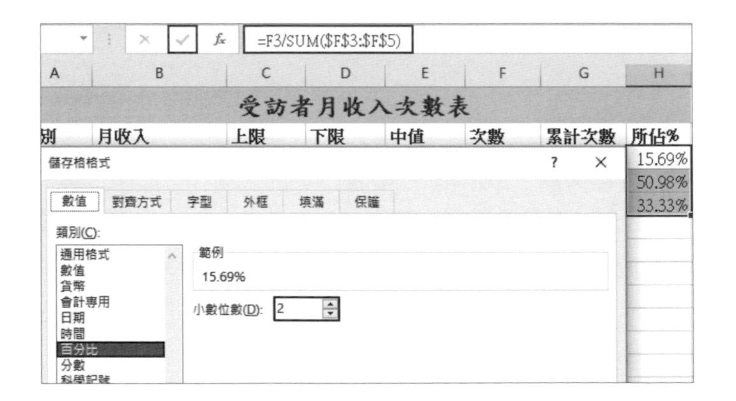

STEP 09 做市場分析報告時，若有圖表加以輔助的話，不僅更具說服力，且更能加深聽眾的印象。按下 Ctrl 鍵，選取儲存格範圍 C3：C5、F3：F5，執行「插入功能區→圖表群組」，點選「直條圖」的下拉式清單，於其中點選「平面直條圖」，圖表立即產生。

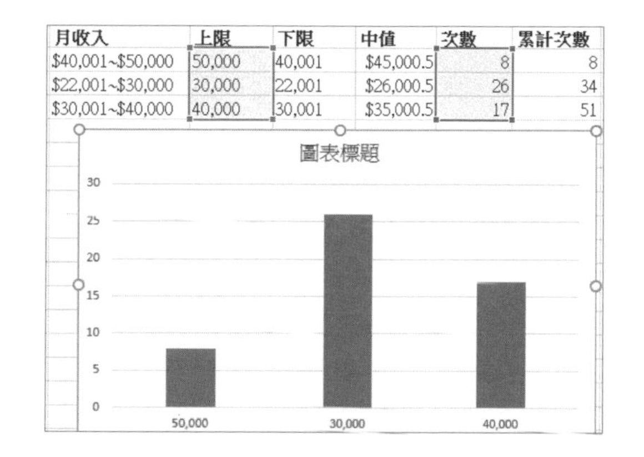

月收入	上限	下限	中值	次數	累計次數
$40,001~$50,000	50,000	40,001	$45,000.5	8	8
$22,001~$30,000	30,000	22,001	$26,000.5	26	34
$30,001~$40,000	40,000	30,001	$35,000.5	17	51

STEP 10 接著，對圖表的縱軸及橫軸加上標題，執行「圖表工具→設計功能區→圖表版面配置群組→快速版面配置」。在開啟的下拉式清單中，點選「版面配置 7」，接著分別輸入橫軸座標軸標題及縱軸座標軸標題。

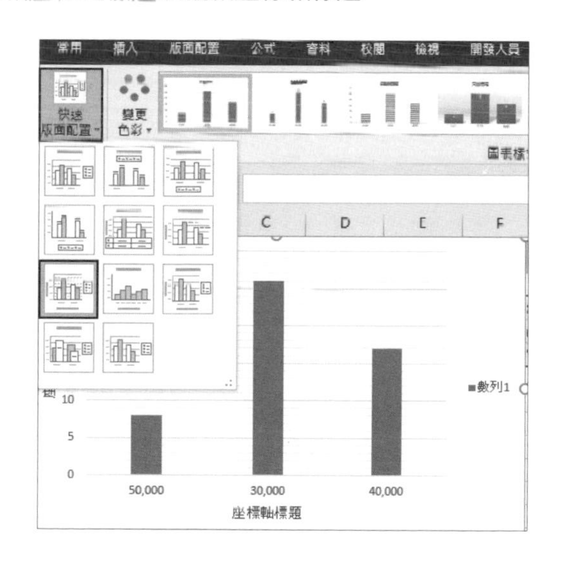

STEP 11 選取圖表右側的 + 標籤，在開啟的清單中取消勾選「圖例」及「格線」，如下圖所示。

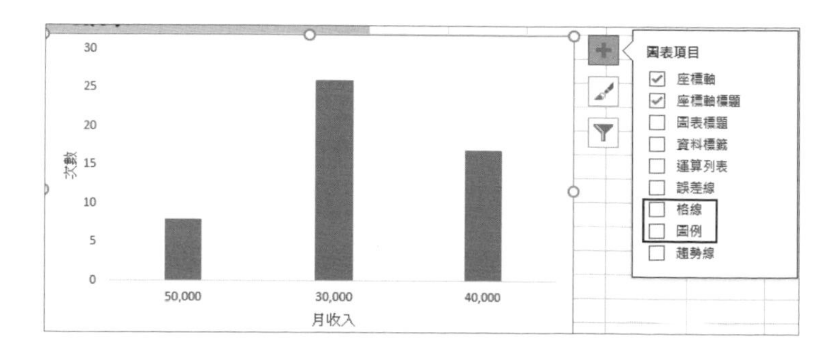

STEP 12 選取各類別之直條圖，按下滑鼠右鍵，在快顯功能表中點選「資料數列格式」，在視窗右側的功能窗格中，將「類別間距」更改為「0%」，如下圖所示。

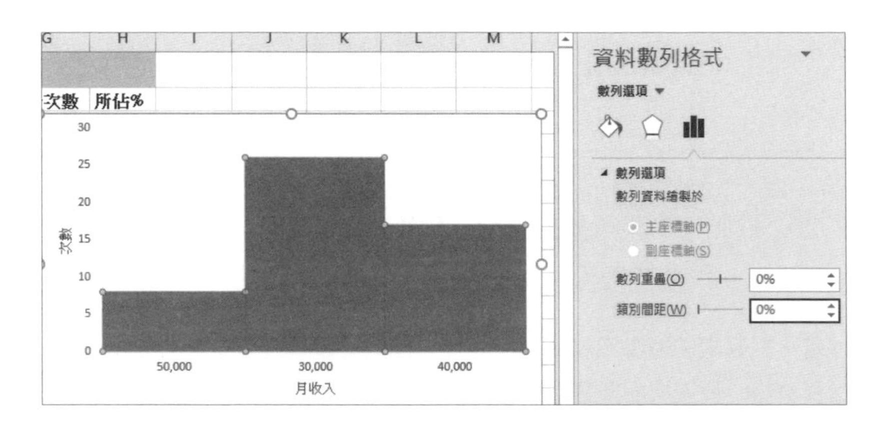

STEP 13 圖表上的三個類別圖表顏色均相同，在辨識上不易，故個別選取其直條圖，執行「圖表工具→格式功能區→圖案樣式群組→圖案填滿」，在開啟的色彩下拉式清單中點選色彩，讓三個類別都有代表色。

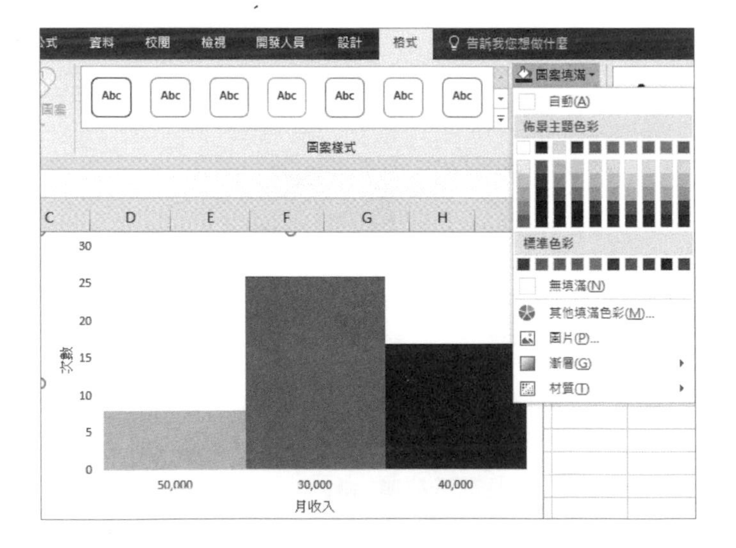

STEP 14 為了讓數據的呈現能更加明顯，選取第3列，按下滑鼠右鍵，在快顯功能表中點選「插入」。接著選取圖表，執行「圖表工具→設計功能區→資料群組→選取資料」，在「選取資料來源」視窗中，將原有的圖表資料範圍「=收入分析!$C$4:$C$6, 收入分析!$F$4:$F$6」修改為「=收入分析!$C$3:$C$7, 收入分析!$F$3:$F$7」，按下 確定 鈕。

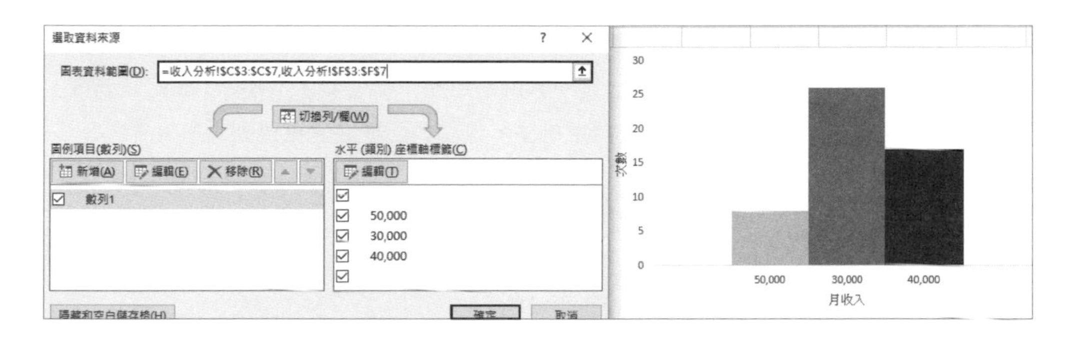

STEP 15 點選橫向座標軸，按下滑鼠右鍵，在快顯功能表中點選「座標軸格式」。在視窗右側的功能窗格中點選「刻度」，將「刻度」的「主要類型」變更為「內側」、「標籤位置」變更為「無」。

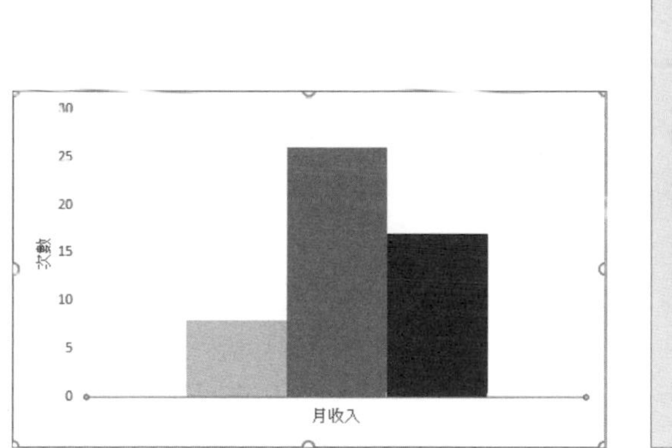

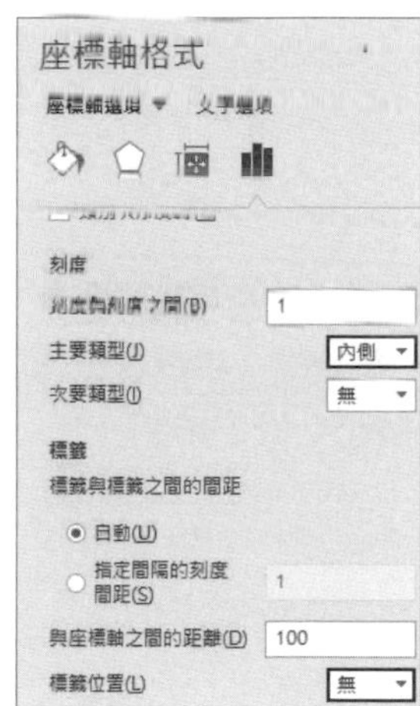

STEP 16 在座標軸格式的功能窗格中點選「線條」，將「寬度」變更為「4pt」。

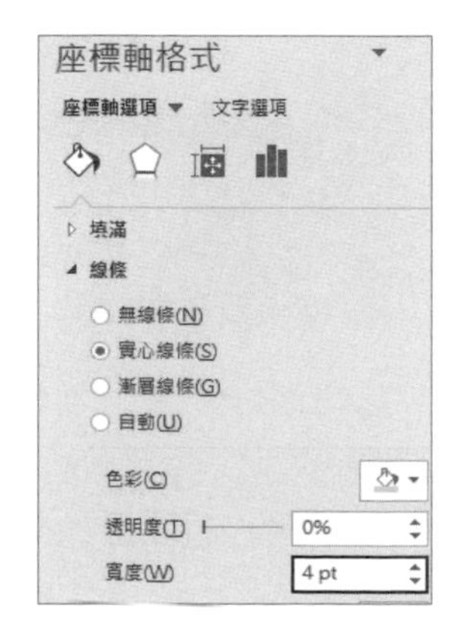

STEP 17 接著要在橫軸上製作月收入的級距別。為了避免圖表不易製作，選取儲存格範圍 B4：H6，執行「資料功能區→排序與篩選群組→從 A 到 Z 排序」，設定完成後，即可發現月收入的欄位值已成遞增排序，且圖表已隨之變更排列順序。

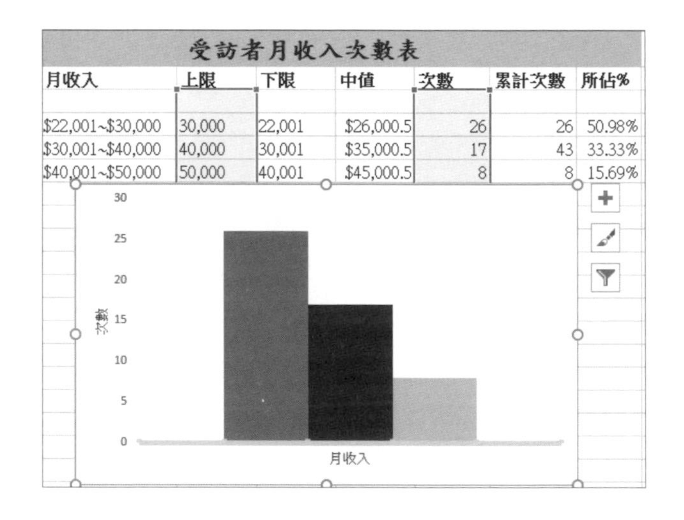

受訪者月收入次數表

月收入	上限	下限	中值	次數	累計次數	所佔%
$22,001~$30,000	30,000	22,001	$26,000.5	26	26	50.98%
$30,001~$40,000	40,000	30,001	$35,000.5	17	43	33.33%
$40,001~$50,000	50,000	40,001	$45,000.5	8	8	15.69%

STEP 18 設定橫軸的各組限。執行「插入功能區→文字群組→文字方塊」，在其下拉式清單中點選「繪製水平文字方塊」，按下滑鼠左鍵，繪製第一個文字方塊，並於其內輸入「20,000」。

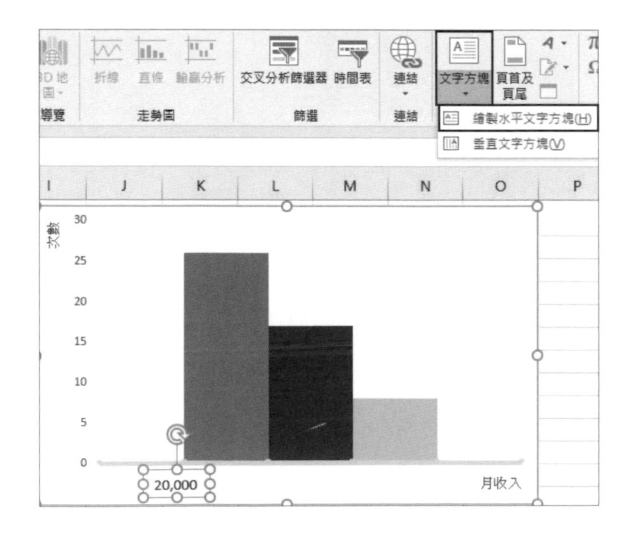

STEP 19 選取第一個完成的文字方塊，按下Ctrl鍵拖曳複製出其他三個文字方塊，並分別將內容更改為「30,000」、「40,000」及「50,000」。按住Shift鍵，選取四個文字方塊，執行「繪圖工具→格式功能區→排列群組→對齊」，在其下拉式清單中分別點選「垂直置中」及「水平均分」，調整其橫向分佈位置。

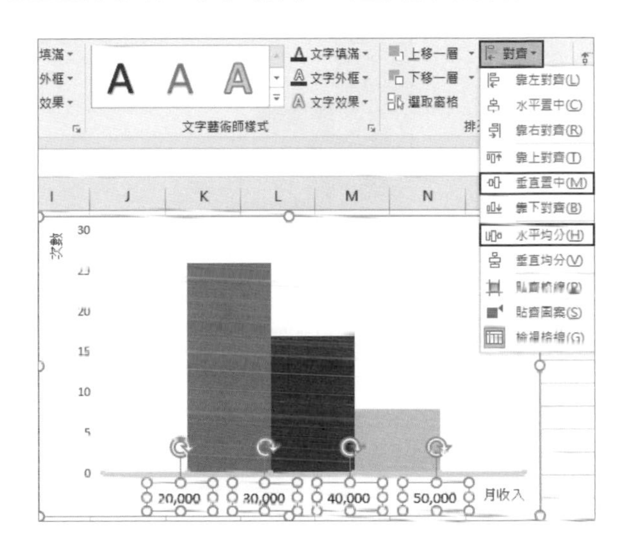

STEP 20 選取圖表右側的+標籤，在其開啟的清單中勾選「資料標籤」，如此每個直條圖上可清楚顯示其所代表的數值意義。

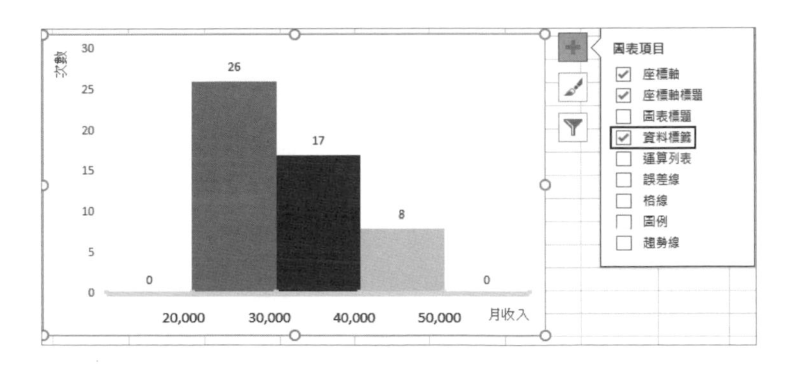

STEP 21 在目前所建立的圖表上，要顯示資料趨勢或移動平均時，可透過新增趨勢線的方式進行。為了讓趨勢線具有完整性，分別在儲存格 F3 及 F7 內輸入「0」，選取圖表內的直條圖，按下滑鼠右鍵，在其快顯功能表中點選「加上趨勢線」。

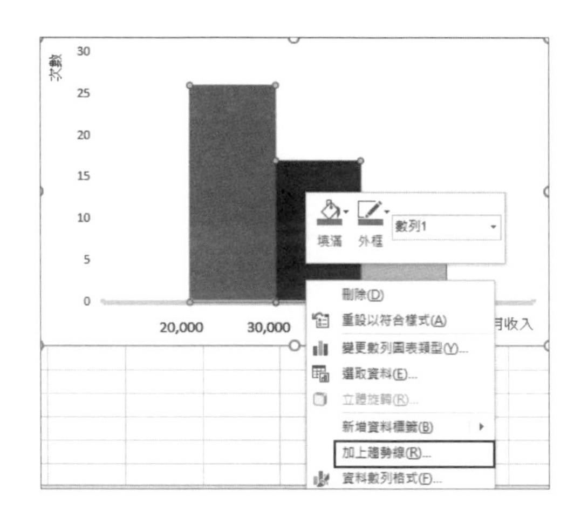

STEP 22 在右邊的功能窗格內，趨勢線選項中點選「多項次」，並將「冪次」更改為「4」。

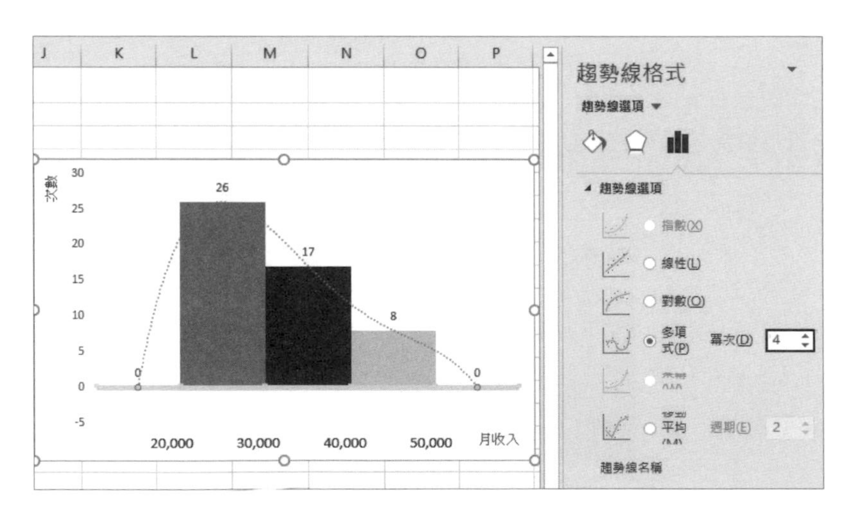

STEP 23 點選「線條」，將「虛線色彩」變更為「橙色，輔色 2，較深 25%」，「虛線寬度」變更為「2pt」，「虛線類型」變更為「實心線條」。

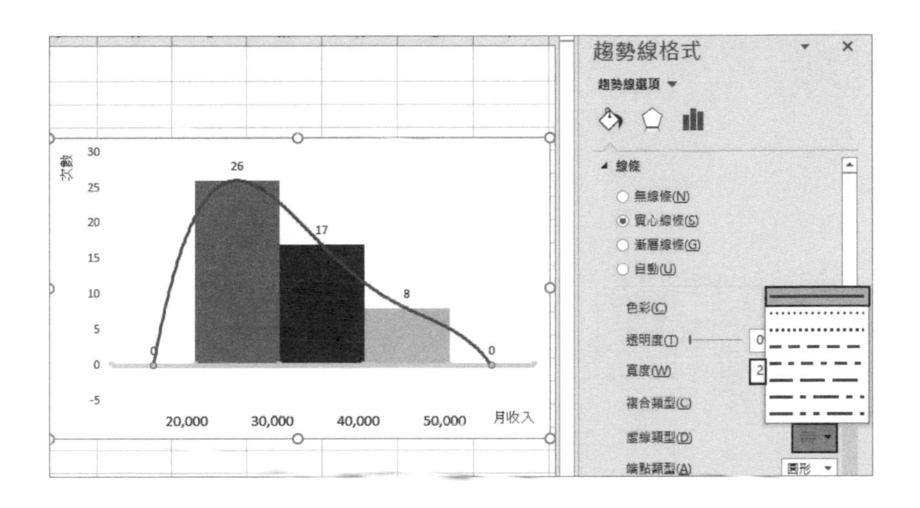

STEP 24 分別點選圖表上左右兩端的圖表標籤「0」，按下 Delete 鍵做刪除。選取圖表右側的 + 標籤，在其開啟的清單中勾選「圖表標題」，輸入標題名稱為「受訪者月收入分析圖」，完成結果如下圖所示。

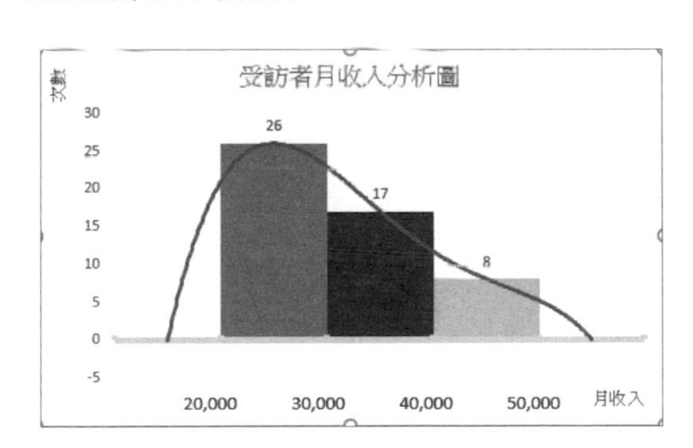

6.3.4 透過圖表分析產品定位

透過消費者選擇養生茶的依據、是否長期使用同一品牌及其選擇的原因，這些資訊均是可以讓企業在推出新產品時，對產品的定位方式及訂定行銷策略的參考方針。

STEP 01 新增工作表，並將其命名為「產品定位分析」，在儲存格 A1 內輸入「選擇養生茶依據」，選取儲存格 A2，在其資料編輯列上輸入「= 控制項內容 !F2」，輸入完成後按下 ✓ 鈕，並向下拖曳自動填滿至儲存格 A5。

A2 =控制項內容!F2

	A	B	C	D
1	選擇養生茶依據			
2	價格			
3	品牌			
4	好用			
5	其他			
6				

STEP 02 選取儲存格範圍 A2：A5，按下 Ctrl + C 鍵執行複製，選取儲存格 B6，執行「常用功能區→剪貼簿群組→貼上→選擇性貼上」，在「選擇性貼上」視窗上點選「值」，並勾選「轉置」，完成後按下 確定 鈕。選取第 2 列至第 5 列，執行「常用功能區→儲存格群組→刪除」，在其下拉式清單中點選「刪除工作表列」。

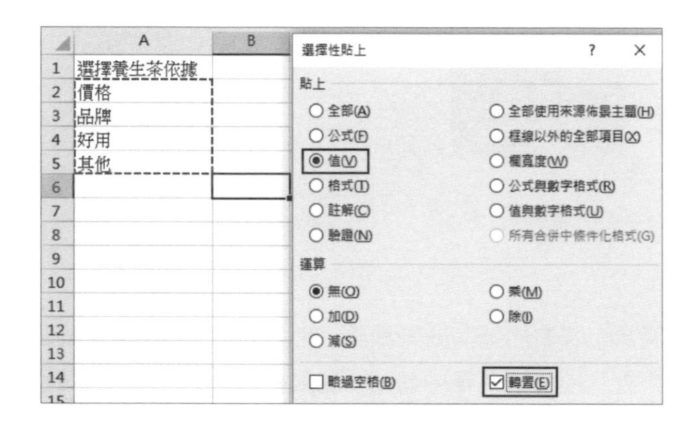

STEP 03 在這要計算各個依據在回覆問卷中發生幾次，因此選用 COUNTA 函數進行計數。選取儲存格 B3，執行「公式功能區→函數庫群組→其他函數→統計」，在其下拉式清單中點選 COUNTA 函數，並在該函數視窗第一個欄位內輸入「=COUNTA(問卷結果接收 !E$2:E$52)」，輸入完成後按下 確定 鈕，並向右拖曳自動填滿至儲存格 E3。

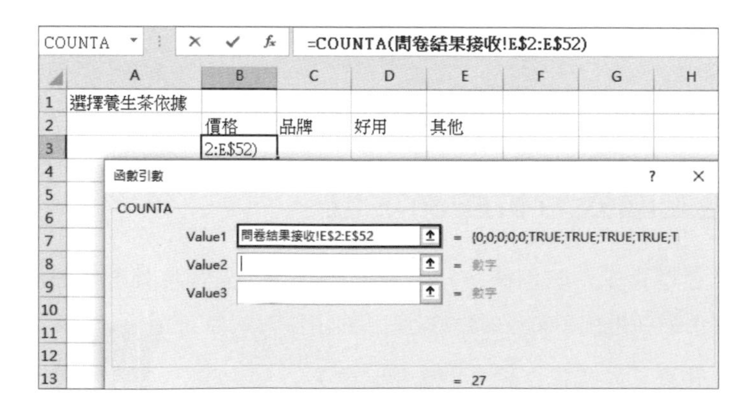

函數小提示 COUNTA 函數

COUNTA 函數屬於統計函數，其意指計算儲存格範圍內非空白儲存格的數目。

其語法架構為：

COUNTA(Value1, Value2, Value3⋯.)

各欄位之說明如下：

❏ Value1, Value2, Value3⋯.：為 1~255 個預計算的值，其值可以為任何資訊類型。

STEP 04 選取儲存格範圍 B2：E3，執行「插入功能區→圖表群組→圓形圖→平面圓形圖」，如此圖表即刻產生。

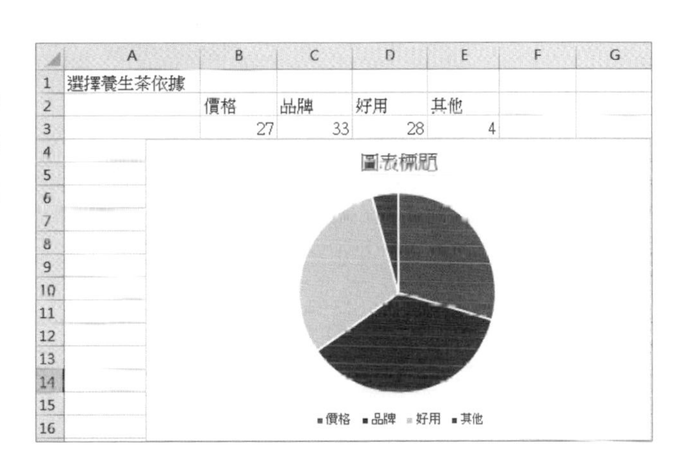

STEP 05 選取圖表，執行「繪圖工具→設計功能區→圖表版面配置群組→快速版面配置」，選取「版面配置 1」，並將圖表標題修改為「選擇養生茶產品依據」，結果如右圖所示。

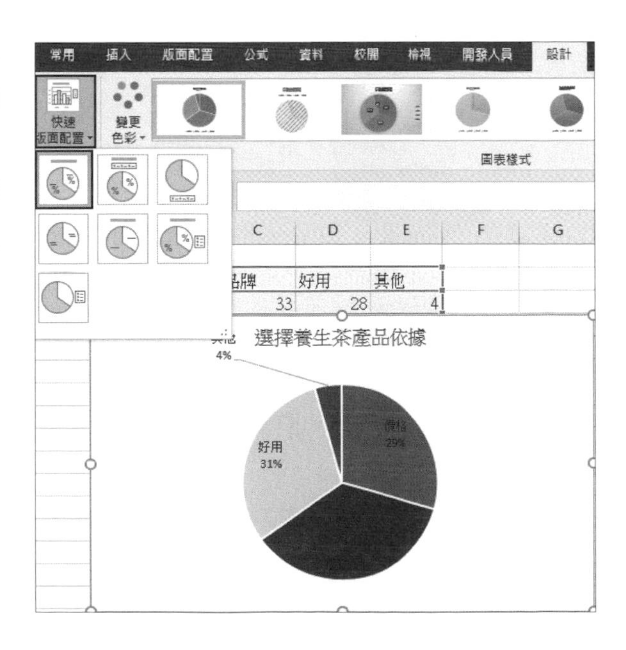

STEP 06 為了表現圖表特別強調的區塊，執行「插入功能區→圖例群組→圖案」，在下拉式清單中點選「圓角矩形」圖說文字，並於其內輸入要被強調的重點內容。

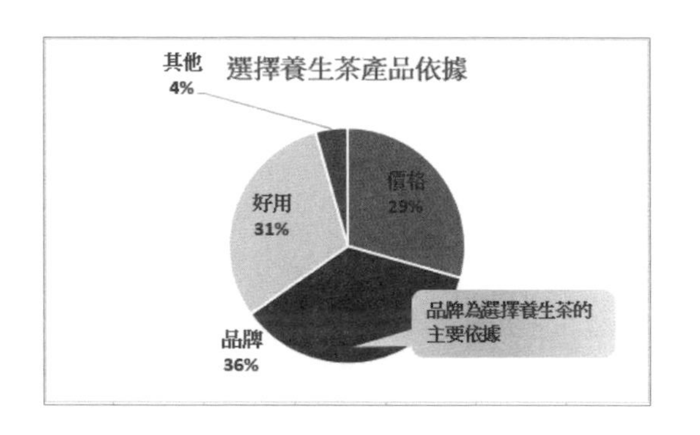

STEP 07 選取圖表，按下滑鼠右鍵，在其快顯功能表上點選「另存為範本」。在「儲存圖表範本」視窗中，將「檔案名稱」命名為「市調分析」，「存檔類型」選擇「圖表範本檔案（*.crtx）」，按下 儲存(S) 鈕。

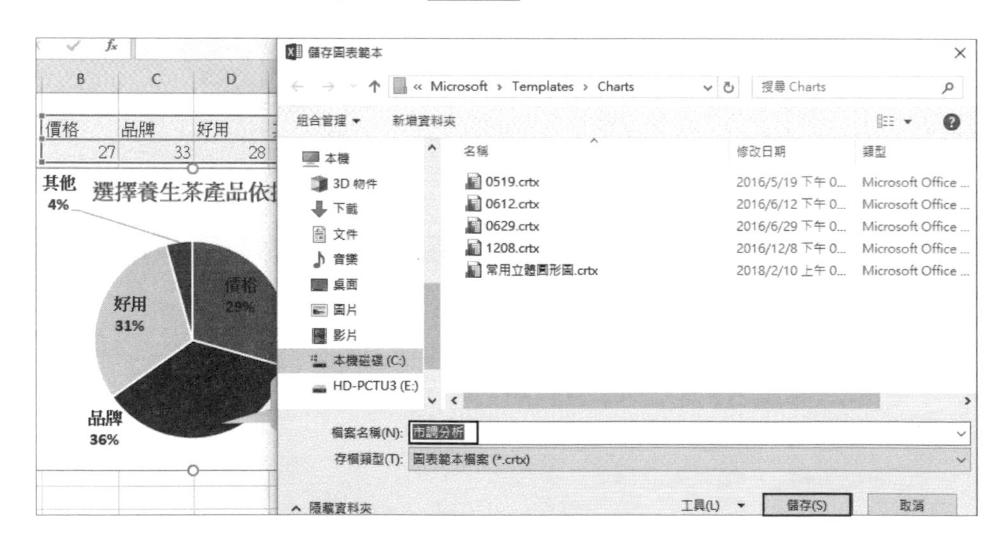

STEP 08 接著使用 COUNTIF 函數，統計對長久使用同一品牌的所佔百分比。參考下圖，在已輸入條件資料的範圍表格內選取儲存格 J3，執行「公式功能區→函數庫群組→其他函數→統計」，在其下拉式清單中點選 COUNTIF 函數，並在「函數引數」視窗第一個欄位內輸入「問卷結果轉換!$L$2:$L$52」，第二個欄位內輸入「J2」，輸入完成後按下 確定 鈕，並向右拖曳自動填滿至儲存格 L3。

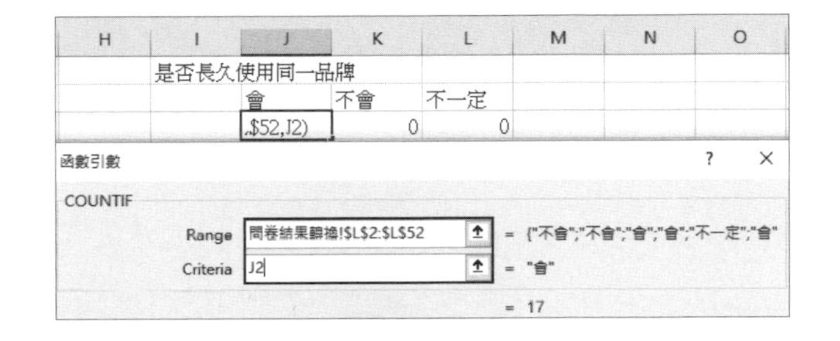

STEP 09 選取儲存格範圍 J2：L3，執行「插入功能區→圖表群組→查看所有圖表」，在「插入圖表」視窗中點選「所有圖表」標籤，在「範本」類別內點選「市調分析」，完成後按下 確定 鈕。

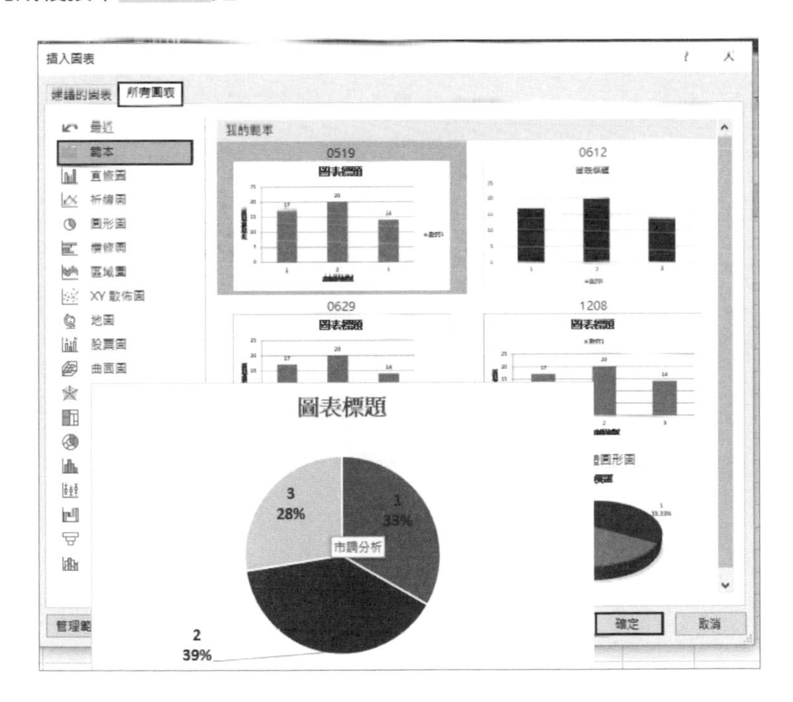

STEP 10 修改圖表標題為「是否長久使用同一品牌分析」，按滑鼠左鍵兩下選取右上角區塊值行拖曳搬離，其結果如下圖所示。

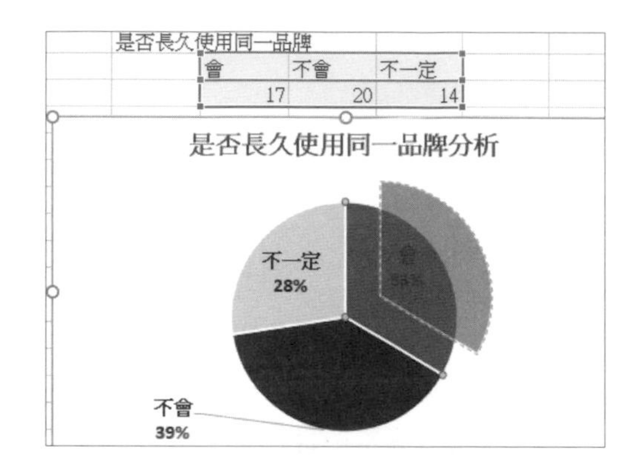

STEP 11 為了表現圖表特別強調的區塊，執行「插入功能區→圖例群組→圖案」，在下拉式清單中點選不同形狀的圖說文字，並於其內輸入要被強調的重點內容，藉以讓瀏覽者更加深印象。

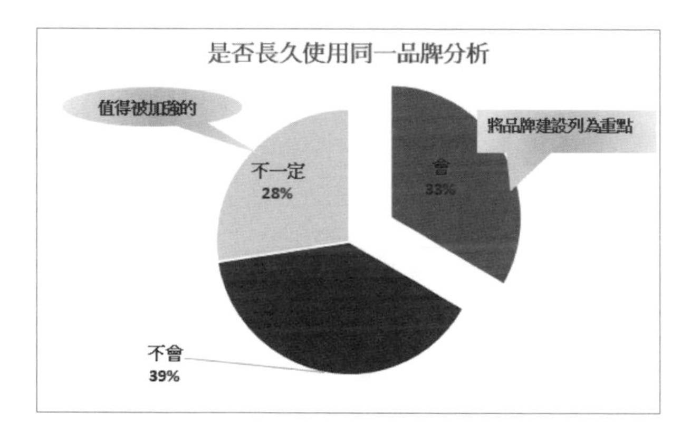

至於其他的產品分析及比較，都可以透過上列介紹過的方法加以變化執行，如此可在最短的時間內，有效率地將新產品定位等相關資訊透過圖表加以比較顯示。

讀者回函

感謝您購買本公司出版的書，您的意見對我們非常重要！由於您寶貴的建議，我們才得以不斷地推陳出新，繼續出版更實用、精緻的圖書。因此，請填妥下列資料(也可直接貼上名片)，寄回本公司(免貼郵票)，您將不定期收到最新的圖書資料！

購買書號： **書名：**

姓　　名：＿＿＿＿＿＿＿＿

職　　業：□上班族　□教師　□學生　□工程師　□其它

學　　歷：□研究所　□大學　□專科　□高中職　□其它

年　　齡：□10~20　□20~30　□30~40　□40~50　□50~

單　　位：＿＿＿＿＿＿＿＿　部門科系：＿＿＿＿＿＿＿＿

職　　稱：＿＿＿＿＿＿＿＿　聯絡電話：＿＿＿＿＿＿＿＿

電子郵件：＿＿＿＿＿＿＿＿

通訊住址：□□□＿＿＿＿＿＿＿＿

您從何處購買此書：

□書局＿＿＿＿　□電腦店＿＿＿＿　□展覽＿＿＿＿　□其他＿＿＿＿

您覺得本書的品質：

內容方面：□很好　□好　□尚可　□差

排版方面：□很好　□好　□尚可　□差

印刷方面：□很好　□好　□尚可　□差

紙張方面：□很好　□好　□尚可　□差

您最喜歡本書的地方：＿＿＿＿＿＿＿＿

您最不喜歡本書的地方：＿＿＿＿＿＿＿＿

假如請您對本書評分，您會給(0~100分)：＿＿＿＿ 分

您最希望我們出版那些電腦書籍：

請將您對本書的意見告訴我們：

您有寫作的點子嗎？□無　□有　專長領域：＿＿＿＿＿＿＿＿

歡迎您加入博碩文化的行列哦！

✂請沿虛線剪下寄回本公司

Give Us a Piece Of Your Mind

博碩文化網站　http://www.drmaster.com.tw

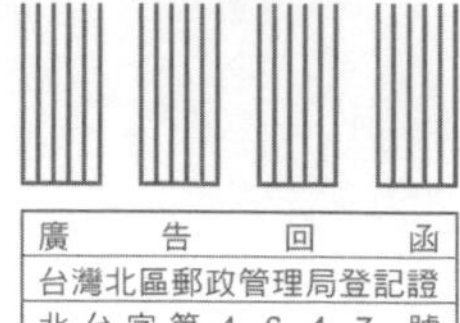

廣　告　回　函
台灣北區郵政管理局登記證
北台字第4647號
印刷品・免貼郵票

221

博碩文化股份有限公司　產品部

台灣新北市汐止區新台五路一段112號10樓A棟

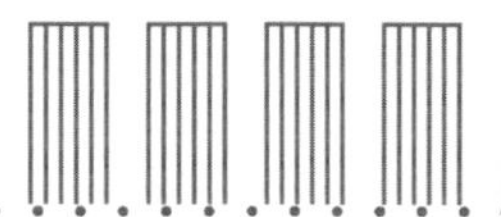